November Road

LOU BERNEY

November Road

Traduit de l'anglais (États-Unis) par
MAXIME SHELLEDY

Harper
Collins
POCHE

Titre original :
NOVEMBER ROAD

Le traducteur souhaite remercier Souad Degachi pour sa précieuse contribution au long de cette route.

Ce livre est publié avec l'aimable autorisation de HarperCollins US.

HARPERCOLLINS FRANCE
83-85, boulevard Vincent-Auriol, 75646 PARIS CEDEX 13
Tél. : 01 42 16 63 63
www.harpercollins.fr
ISBN 979-1-0339-0454-0

Pour Adam, Jake et Sam

1963

1

Voyez, mesdames et messieurs ! La *Big Easy*[1] dans toute sa décadente splendeur !

Frank Guidry s'arrêta un instant à l'angle de Toulouse Street pour se chauffer à la lueur des néons de la fournaise. Il avait vécu à La Nouvelle-Orléans pendant la majeure partie des trente-sept années qu'il avait passées sur cette Terre, mais il sentait toujours le scintillement crasseux du Vieux Carré français, sa perpétuelle effervescence, déferler dans son sang avec la puissance d'une drogue. C'était un mélange de bouseux en virée en ville et de citadins du cru, de petites frappes guettant le passant à dépouiller et d'arnaqueurs de tout poil, de cracheurs de feu et de magiciens. Une go-go danseuse était alanguie sur la balustrade en fer forgé d'un balcon, au premier étage. Elle avait un sein à l'air, échappé de son déshabillé à paillettes, qui oscillait comme un métronome au rythme du trio de jazz qui jouait à l'intérieur. La basse, la batterie et le piano interprétaient *Night and Day* à un rythme endiablé. Mais c'était ça, La Nouvelle-Orléans. Même le pire orchestre dans le boui-boui le plus minable de la ville savait swinguer, mon vieux, vraiment swinguer.

Un type débaula dans la rue en criant à l'assassin. Sur ses talons, une femme, qui brandissait un couteau de boucher et vociférait, elle aussi.

Guidry esquissa un pas de côté pour les laisser passer. Le

1. Surnom donné à la ville de La Nouvelle-Orléans (la « Grande Nonchalante »). (Toutes les notes sont du traducteur.)

flic qui faisait sa ronde au coin de la rue bâilla. Le jongleur devant le 500 Club ne laissa même pas tomber une balle. C'était un mercredi soir comme les autres sur Bourbon Street.

— Allez, les gars ! lança la go-go girl du haut de son balcon en agitant son sein à l'intention de deux marins ivres.

Chancelant au bord du trottoir, ces derniers regardaient un troisième larron vomir dans le caniveau.

— Soyez chics, venez offrir un verre à une dame ! ajouta-t-elle.

Les marins levèrent la tête vers elle et lui lancèrent des regards lubriques.

— C'est combien ?

— Combien t'as sur toi ? répondit-elle.

Guidry sourit. *Ainsi va le monde,* pensa-t-il. La go-go danseuse avait des oreilles de chat en velours noir épinglées à sa coiffure bouffante et des faux cils si longs que Guidry se demandait comment elle arrivait à voir quoi que ce soit au travers. Mais c'était peut-être le but recherché, justement.

Se faufilant à travers la foule, il bifurqua sur Bienville Street. Il portait un complet gris à motif tête d'épingle, couleur d'asphalte mouillé – un mélange très léger de laine et de soie que son tailleur faisait venir d'Italie spécialement pour lui. Chemise blanche, cravate pourpre. Pas de chapeau. Si le président des États-Unis lui-même n'en avait pas besoin, alors Guidry non plus.

Il prit à droite sur Royal Street. Le groom du Monteleone se précipita pour lui ouvrir la porte.

— Comment vont les combines, monsieur Guidry ?

— Ah, Tommy, je vais te dire une bonne chose, répondit Guidry. Je suis trop vieux pour en apprendre de nouvelles, mais les vieilles marchent toujours aussi bien qu'avant.

Le Carousel Bar était plein à craquer, comme d'habitude. Guidry lança des *bonjour, bonjour, comment ça va ?* tout en se frayant un passage à travers la salle. Il serra des mains, mit quelques claques dans le dos et demanda au gros Phil Lorenzo si c'était bien son dîner qu'il avait avalé ou le serveur qui le lui avait apporté. Les rires fusèrent. L'un des types qui travaillaient pour Sam Saia passa un bras autour du cou de Guidry et se pencha pour lui murmurer à l'oreille.

— Il faut que je te parle, dit-il.

— En ce cas, parlons, répondit Guidry.

Ils allèrent s'installer à la table du fond, dans un coin de la salle. Guidry aimait bien la vue qu'on avait de là. C'était une des vérités irréfutables de la vie : si on avait quelque chose ou quelqu'un à ses trousses, mieux valait le voir arriver.

Une serveuse lui apporta un double Macallan, avec les glaçons à part, et le gars de Sam Saia se mit à parler. Tout en sirotant son verre, Guidry observait l'activité dans la salle. Les hommes qui faisaient du gringue aux femmes, les femmes qui faisaient du gringue aux hommes. Les sourires, les mensonges, les regards voilés par la fumée des cigarettes. Une main qui remontait sous l'ourlet d'une robe, des lèvres effleurant une oreille… Guidry adorait ça. Tout le monde ici cherchait un angle d'attaque, un point faible à exploiter.

— On a déjà le lieu, Frank, il est parfait. Le type possède tout l'immeuble et le bar du bas, il acceptera de nous couvrir pour des clopinettes. Il pourrait tout aussi bien nous le faire gratis.

— Des jeux de table, donc, résuma Guidry.

— La grande classe. Un vrai casino, dans les règles de l'art. Mais les poulets refusent de s'entendre avec nous. Il faudrait que tu nous arrondisses les angles avec ce sale flicard de Dorsey. Tu sais comment il aime son café.

L'art du dessous-de-table. Guidry était capable d'évaluer le prix de n'importe qui, le pot-de-vin adéquat, celui qui permettait de conclure un marché. Une fille ? Un garçon ? Une fille et un garçon ? Si Guidry avait bonne mémoire, l'inspecteur Dorsey du huitième district avait une femme du genre à apprécier une belle paire de pendants d'oreilles en diamant de chez Adler.

— Tu te rends bien compte qu'il faudra le feu vert de Carlos, dit Guidry.

— Carlos donnera son feu vert si tu lui dis que le jeu

en vaut la chandelle, Frank. Et on te filera cinq pour cent pour ta contribution.

Une rouquine installée au bar ne quittait pas Guidry des yeux. Elle aimait ses cheveux noirs, sa peau couleur olive, sa silhouette svelte, la fossette sur son menton et ses yeux verts légèrement bridés – de vrais yeux de Cajun. Ces yeux étirés en amande, c'était à cause d'eux que les Ritals devinaient que Guidry n'était pas des leurs.

— Cinq ? s'étonna Guidry.

— Allons, Frank, c'est nous qui faisons tout le boulot, là…

— Dans ce cas vous n'avez pas besoin de moi, n'est-ce pas ?

— Sois raisonnable.

Guidry voyait la rouquine s'enhardir un peu plus chaque fois que le bar tournant, tel un manège, terminait l'une de ses lentes révolutions. Sa copine l'encourageait. Sur le dossier de chaque siège, capitonné de soie, figurait un animal de la jungle, peint à la main. Un tigre, un éléphant, une hyène…

— Oh… « nature, rouge de dent et de griffe », récita Guidry.

— Quoi ? fit l'homme de main de Saia.

— C'est une citation du Lord Tennyson, espèce de barbare inculte.

— Dix pour cent, Frank. C'est le maximum qu'on peut allonger.

— Quinze. Et un coup d'œil sur les comptes dès que l'envie me prendra. Maintenant, mets les voiles.

L'homme de main lui lança un regard noir, l'air furibond, mais telle était la dure réalité de la loi de l'offre et de la demande. L'inspecteur Dorsey était l'un des flics les plus coriaces et obstinés de La Nouvelle-Orléans. Seul Guidry avait les compétences requises pour l'amadouer.

Il commanda un autre scotch. La rouquine écrasa sa cigarette et s'approcha de lui avec nonchalance. Les yeux maquillés façon Cléopâtre – la dernière tendance –, elle affichait un hâle doré. Une hôtesse de l'air, peut-être, rentrée d'une escale à Miami ou Las Vegas. Elle s'assit à côté de lui sans lui demander son avis, n'en revenant pas de sa propre audace.

— Ma copine, là-bas, m'a conseillé de garder mes distances avec vous, dit-elle.

Guidry se demanda combien de phrases d'accroche elle avait mentalement répétées avant d'opter pour celle-ci.

— Et pourtant, vous voilà, rétorqua-t-il.

— Ma copine dit que vous avez des amis très intéressants.

— Oh ! j'en ai plein de très ennuyeux, aussi, répondit Guidry.

— Elle dit que vous travaillez pour vous-savez-qui, ajouta-t-elle.

— Le célèbre Carlos Marcello ?

— C'est vrai ?

— Jamais entendu parler de lui.

Elle jouait avec la cerise au fond de son verre, en faisait tout un cirque. Elle avait dix-neuf, vingt ans à tout casser. D'ici à deux ans, elle allait épouser le plus gros compte en banque qu'elle pourrait trouver dans les beaux quartiers et se ranger. Mais pour le moment, ce qu'elle voulait, c'était une aventure. Et Guidry était ravi de lui rendre ce service.

— Alors, vous n'êtes pas curieux ? demanda la rouquine. Vous ne voulez pas savoir pourquoi je n'ai pas écouté mon amie ?

— Parce que vous n'aimez pas que les gens vous disent que vous ne pouvez pas avoir ce que vous voulez, répondit-il.

Elle plissa les yeux, comme s'il avait jeté un coup d'œil dans son sac à main pendant qu'elle tournait la tête.

— C'est vrai, je n'aime pas ça.

— Moi non plus, dit Guidry. Dans cette vie, on n'a droit qu'à un seul tour de manège. On n'est ici-bas qu'une seule fois. Si on ne profite pas de chaque minute, si on n'accueille pas le plaisir à bras ouverts, à qui la faute ?

— J'aime profiter de la vie, affirma-t-elle.

— J'aime vous l'entendre dire.

— Je m'appelle Eileen.

Guidry vit que Mackey Pagano était entré dans le bar.

Émacié, le teint gris, mal rasé, Mackey donnait l'impression d'avoir passé ces derniers jours dans un tonneau. Il aperçut Guidry et lui fit un signe du menton.

Oh ! Mackey… Il choisissait mal son moment. Mais il avait du flair pour les bons coups et ne ramenait jamais une affaire qui ne rapportait rien.

Guidry se leva.

— Attendez-moi ici, Eileen.

— Où allez-vous ? demanda-t-elle, surprise.

Il traversa la salle et donna l'accolade à Mackey. Bon Dieu ! L'odeur de Mackey était aussi terrible que son aspect. Il avait besoin d'une douche et d'un costume propre, sans tarder.

— On dirait que la fête a été bonne, Mack, dit Guidry. Allez, annonce la couleur.

— J'ai une proposition à te faire, répondit Mackey.

— C'est bien ce que je me disais.

— Allons faire un tour.

Il attrapa Guidry par le bras et le conduisit vers le hall d'entrée. Ils passèrent devant le kiosque à cigares, traversèrent un couloir désert, puis un autre.

— Où est-ce qu'on va comme ça, Mack, jusqu'à Cuba ? s'enquit Guidry. Je ne serais pas aussi beau avec une barbe.

Ils s'arrêtèrent enfin, devant les portes de l'entrée de service.

— Alors, qu'est-ce que tu as à me proposer ? demanda Guidry.

— Rien du tout.

— Quoi ?

— J'avais seulement besoin de te parler.

— Comme tu as pu le remarquer, j'ai mieux à faire en ce moment, rétorqua Guidry.

— Je suis désolé. Je suis dans le pétrin, Frankie. J'ai bien peur de m'être mis dans un vrai pétrin.

Guidry avait un sourire spécialement dédié à chaque occasion. Et, en l'occurrence, il s'agissait de dissimuler le malaise qui commençait à poindre en lui. Il serra l'épaule de Mackey. *Tout va bien se passer, mon vieux, mon copain. Ça ne peut pas être si terrible que ça ?* Mais Guidry n'aimait pas le tremblement qu'il entendait dans la voix de Mackey, ni la façon dont ce dernier continuait d'agripper la manche de sa veste.

Avait-on remarqué qu'ils avaient quitté le Carousel ensemble ? Et si quelqu'un passait par là, pile à ce moment, et les surprenait en train de rôder dans les parages ? Dans ce métier, les problèmes avaient tendance à être aussi contagieux qu'un rhume ou la chaude-pisse. Guidry savait qu'on risquait d'en choper rien qu'en serrant une mauvaise main ou à cause d'un regard malheureux.

— Je passerai à ta piaule ce week-end, promit Guidry. Je t'aiderai à régler ça.

— J'ai besoin de régler ça tout de suite.

Guidry tenta de s'éloigner en douceur.

— Je dois y aller, Mack. On se voit demain. Croix de bois, croix de fer.

— Ça fait une semaine que je ne suis pas rentré chez moi, fit Mackey.

— Dis-moi où tu veux qu'on se retrouve. Je viendrai te voir n'importe où.

Mackey le regarda. Ces yeux tombants… ils semblaient presque doux dans cette lumière. Mackey savait que Guidry mentait, quand il promettait qu'il le rejoindrait le lendemain. Bien sûr qu'il mentait. Guidry avait un don naturel pour la duperie, mais c'était Mackey qui lui en avait appris les nuances, c'était lui qui l'avait aidé à affûter et perfectionner son talent.

— Depuis combien de temps on se connaît, toi et moi, Frankie ? demanda Mackey.

— Je vois, fit Guidry. L'approche sentimentale.

— Tu avais seize ans.

Quinze, en fait. Guidry débarquait tout juste de sa cambrousse – Ascension Parish, en Louisiane – et traînait ses basques dans le Faubourg Marigny. Il vivait à la petite semaine, volant des boîtes de conserve de porc aux haricots dans les rayons du supermarché A&P. Mackey avait vu en lui un potentiel prometteur et lui avait offert son premier véritable boulot. Chaque matin, pendant un an, Guidry avait relevé les compteurs des filles qui tapinaient sur St. Peter Street, pour rapporter la recette dare-dare à Snake Gonzalez, le légendaire maquereau. Cinq dollars la journée et un rapide coup d'arrêt aux éventuelles illusions romantiques que Guidry aurait encore pu se faire au sujet de la race humaine.

— S'il te plaît, Frankie, insista Mackey.

— Qu'est-ce que tu attends de moi ?

— Parle à Seraphine. Tâte un peu le terrain. Peut-être que je deviens fou.

— Qu'est-ce qui s'est passé ? Non, oublie. Ça m'est égal.

Le détail des embarras de Mackey n'intéressait pas Guidry. La seule chose qui l'intéressait, c'étaient ses embarras à lui – ceux dans lesquels Mackey venait de le mettre.

— Tu te souviens, il y a environ un an, quand je suis allé à Frisco pour discuter avec un type au sujet de cette affaire avec le juge… Carlos a tout annulé, tu te souviens, mais…

— Arrête, l'interrompit Guidry. Je m'en cogne. Bon sang, Mack !

— Je suis désolé, Frankie. Tu es le seul à qui je peux faire confiance. Je ne te demanderais pas, sinon.

Mackey attendit. Guidry desserra le nœud de sa cravate. La vie n'était rien d'autre que ça, non ? Une suite de rapides calculs : déplacer des poids, équilibrer des balances. La seule mauvaise décision était de laisser quelqu'un d'autre décider à votre place.

— D'accord, d'accord, fit Guidry. Mais je ne peux pas plaider en ta faveur, Mack. Sinon, c'est ma peau à moi que je risque. Tu comprends ?

— Je comprends, répondit Mackey. Essaye juste de savoir si je dois prendre le large. Je me tire dès ce soir s'il le faut.

— Ne bouge pas avant d'avoir eu de mes nouvelles.

— Je crèche chez Darlene Monette, sur Frenchmen Street. Viens me voir après. Ne laisse pas de message.

— Darlene Monette ?

— Elle m'en doit une, dit Mackey.

Il braqua sur Guidry ses yeux tombants. Des yeux suppliants, qui semblaient dire à Guidry : *Toi aussi, tu as une dette envers moi.*

— Ne fais rien avant d'avoir eu de mes nouvelles, répéta Guidry.

— Merci, Frankie.

Guidry appela Seraphine d'une cabine dans le hall d'entrée. Elle ne répondit pas chez elle, alors il essaya le bureau privé de Carlos, sur Airline Highway, à Metairie. Combien étaient-ils à posséder ce numéro ? Guère plus d'une douzaine, sans doute. *Regarde ton fiston, maman, tu es fière de lui, aujourd'hui ?*

— Alors, *mon cher*[1], on ne se voit plus vendredi, finalement ? demanda Seraphine.

— Si, bien sûr, répondit Guidry. C'est interdit d'appeler juste pour tailler une bavette ?

— C'est mon passe-temps préféré.

— J'ai cru entendre une rumeur d'après laquelle l'oncle Carlos chercherait une pièce de monnaie qu'il aurait perdue… Notre ami Mackey. Je me trompe ?

Guidry entendit un bruissement soyeux. Quand Seraphine s'étirait, elle se cambrait comme un chat. Il perçut le tintement d'un glaçon dans un verre.

— Non, tu ne te trompes pas, répondit-elle.

Nom de Dieu ! Ainsi, les craintes de Mackey n'étaient pas infondées. Carlos voulait sa mort.

— Tu es toujours là, *mon cher* ?

Mackey avait invité Guidry à dîner chez lui un bon millier de fois. C'était lui qui l'avait présenté aux frères Marcello. Lui qui s'était porté garant pour Guidry à l'époque où il n'était rien.

Mais tout cela, c'était hier. Et la seule chose qui comptait à ses yeux, c'était aujourd'hui et demain.

— Dis à Carlos d'aller jeter un œil du côté de Frenchmen

---

1. En français dans le texte.

Street, répondit Guidry. Il y a une maison avec des volets verts, juste au croisement avec Rampart Street. Chez Darlene Monette. Dernier étage, appartement du fond.

— Merci, *mon cher*, dit Seraphine.

Guidry retourna au Carousel. La rouquine l'avait attendu. Il l'observa une minute, depuis la porte. Alors, oui ou non, mesdames et messieurs du jury ? Il aimait l'air un peu défraîchi qu'elle avait à présent, avec son trait d'eye-liner à la Cléopâtre qui commençait à baver et sa coiffure qui s'affaissait. Elle envoya bouler un traîne-savate qui essayait de lui faire du gringue et laissa courir un doigt sur le bord de son verre à cocktail vide. Elle venait de décider d'accorder encore cinq minutes à Guidry, pas une de plus. Et cette fois-ci, elle était sérieuse.

Il aurait aimé que les choses se passent différemment avec Mackey. Il aurait aimé que Seraphine lui dise : *Tu as mal entendu*, mon cher, *Carlos n'a aucun problème avec Mackey*. Mais maintenant, tout ce que Guidry pouvait faire, c'était hausser les épaules. Des poids et des mesures, juste une question d'arithmétique. Quelqu'un l'avait peut-être vu avec Mackey ce soir. Guidry ne pouvait pas prendre ce risque. Pourquoi le voudrait-il ?

Il ramena la rouquine chez lui. Il habitait quinze étages au-dessus de Canal Street, dans une tour moderne, une pointe affûtée de béton et d'acier, hermétiquement close, où régnait une fraîcheur permanente. En été, quand le reste de la ville suffoquait, Guidry ne versait pas la moindre goutte de sueur.

— Oh ! s'extasia la rouquine. Ça me plaît bien, ici !

La baie vitrée qui montait du sol au plafond, le canapé de cuir noir, le bar roulant en verre et chrome, la chaîne stéréo hors de prix. Elle alla se poster devant la fenêtre, une main sur la hanche, une jambe légèrement fléchie pour mieux mettre ses courbes en valeur, et jeta un coup d'œil par-dessus son épaule comme elle avait vu les mannequins le faire dans les magazines.

— J'adorerais vivre perchée comme ça, un jour, dit-elle.

Toutes ces lumières. Toutes ces étoiles. C'est comme être dans un vaisseau spatial…

Guidry ne voulait pas lui donner l'impression qu'il l'avait invitée ici pour faire la conversation, alors il la plaqua contre la vitre. Le verre ploya, les étoiles vacillèrent. Il l'embrassa. Dans le cou, et à l'endroit sensible entre l'oreille et la mâchoire. Son odeur évoquait celle d'un mégot flottant dans une flaque de Lanvin.

Elle passa ses doigts écartés dans les cheveux de Guidry, qui lui saisit la main et l'immobilisa derrière elle. De son autre main, il remonta sous sa jupe.

— Oh ! fit-elle.

Une culotte en satin. Il la lui laissa en place pour l'instant et doucement, très doucement, en caressa les contours, effleurant de ses deux doigts les moindres plis et reliefs délicats. Ce faisant, il l'embrassait dans le cou de plus en plus fort, jusqu'à la mordiller.

— Oh ! lâcha-t-elle à nouveau, avec plus de conviction, cette fois.

Il écarta l'élastique et glissa les doigts en elle. Il les faisait aller et venir, la pulpe du pouce pressée contre son clitoris, cherchant à trouver le rythme qu'elle aimait, la pression idéale. Quand il sentit sa respiration se modifier et ses hanches se mettre à onduler, il s'interrompit. Les muscles du cou de la rouquine se contractèrent de surprise. Il attendit quelques secondes, puis recommença. Le soulagement de la fille prit la forme d'un frisson électrique qui lui parcourut tout le corps. Lorsqu'il s'interrompit une seconde fois, elle poussa un petit cri, comme si elle venait de recevoir un coup.

— Ne t'arrête pas, dit-elle.

Il s'écarta un peu afin de pouvoir la regarder. Elle avait les yeux vitreux, et son visage n'était plus qu'un masque de béatitude et de désir.

— Dis s'il te plaît, répondit Guidry.

— S'il te plaît, souffla-t-elle.

— Plus fort, exigea-t-il.

— *S'il te plaît !*

Il alla jusqu'au bout. Chaque femme jouissait de manière différente – les yeux mi-clos ou le menton en avant, les lèvres écartées ou les narines dilatées, dans un soupir ou un grognement. Mais dans tous les cas, cependant, il y avait cet instant unique où le monde autour d'elles cessait d'exister, comme un éclair atomique aveuglant.

— Oh ! mon Dieu ! fit la rouquine, tandis que les morceaux épars de son monde se remettaient en place. J'ai les jambes qui tremblent.

Des poids et des mesures, une simple histoire d'arithmétique… Mackey aurait fait le même calcul si leurs rôles avaient été inversés, à Guidry et lui. Mackey aurait décroché son téléphone et passé le même coup de fil que Guidry, sans se poser de questions. Et Guidry aurait respecté sa décision. *C'est la vie*[1]. C'était ce genre de vie là, en tout cas.

Il fit pivoter la rouquine sur elle-même, retroussa sa jupe et lui baissa sa culotte d'un coup sec. Le verre ploya à nouveau lorsqu'il la pénétra. Le propriétaire de Guidry affirmait que les fenêtres de cet immeuble pouvaient résister à la force d'un ouragan, mais cela restait à prouver.

1. En français dans le texte.

2

Charlotte s'imagina seule sur le pont d'un navire pris dans la tempête, des vagues s'écrasant partout autour d'elle. Les voiles se déchiraient, les cordes rompaient. Et pourquoi ne pas ajouter au tableau deux ou trois planches qui volaient en éclats, tant qu'on y était ? La lumière qui émanait du soleil était froide et incolore, ce qui donna à Charlotte l'impression de s'être déjà noyée.

— Maman, l'appela Rosemary depuis le salon. On a une question à te poser, Joan et moi.

— Je vous ai dit de venir prendre votre petit déjeuner, mes poussins, répondit Charlotte.

— Septembre est ton mois d'automne préféré, hein, maman ? Et novembre, celui que tu aimes le moins ?

— Venez prendre votre petit déjeuner.

Le bacon était en train de brûler. Charlotte trébucha sur le chien, étendu de tout son long au milieu de la pièce, et perdit une chaussure. Revenant sur ses pas, elle traversa la cuisine – maintenant, c'était le grille-pain qui se mettait à fumer – et trébucha sur sa chaussure. Le chien se mit à grimacer, comme si une crise d'épilepsie était imminente. Charlotte croisa les doigts pour que ce soit une fausse alerte.

Les assiettes. Les fourchettes. D'une main, Charlotte se mettait du rouge à lèvres, tandis que de l'autre elle remplissait les verres de jus de fruits. Il était déjà sept heures et demie. Où le temps avait-il filé ? Mystère, comme d'habitude.

— Les filles ! appela-t-elle.

Dooley entra dans la cuisine en traînant les pieds, le teint verdâtre et l'air d'un martyr tout droit sorti d'un tableau d'El Greco.

— Tu vas encore être en retard au travail, chéri, dit Charlotte.

Il s'écroula sur une chaise.

— Je me sens vraiment patraque, ce matin.

Ce n'était pas étonnant, se dit Charlotte. Il était 1 heure du matin lorsqu'elle avait entendu la porte d'entrée s'ouvrir avec fracas et Dooley avancer laborieusement dans le couloir en se cognant dans les murs. Il avait retiré son pantalon avant de venir se coucher, mais était trop soûl pour penser à ôter sa veste. Aussi soûl que d'habitude, en somme.

— Est-ce que tu veux du café ? demanda Charlotte. Je vais te faire des toasts.

— C'est peut-être la grippe, j'ai l'impression.

Elle admirait cette capacité qu'avait son mari à toujours sauver les apparences. Mais peut-être croyait-il vraiment à ses propres mensonges ? Il était plutôt crédule, après tout.

Dooley but une gorgée de café puis quitta la cuisine en traînant les pieds pour se rendre à la salle de bains. Elle l'entendit vomir, puis se rincer la bouche.

Les filles vinrent se mettre à table. Rosemary, sept ans, et Joan, huit. En les voyant, on n'aurait jamais deviné qu'elles étaient sœurs. La petite tête blonde de Joan était toujours aussi lisse et brillante qu'une tête d'épingle, tandis que plusieurs mèches châtaines de la tignasse rebelle de Rosemary s'étaient déjà échappées de son serre-tête écaille de tortue. D'ici à une heure, elle donnerait l'impression d'avoir été élevée par des loups.

— Mais j'aime bien le mois de novembre, moi, dit Joan.

— Non, Joan, tu vois, septembre, c'est mieux, parce que c'est le seul mois où on a le même âge, tous les ans, toi et moi, répliqua Rosemary. Et en octobre, il y a Halloween. Et Halloween, c'est mieux que Thanksgiving, bien sûr. Alors novembre, c'est forcément le mois d'automne que tu aimes le moins.

— OK, admit Joan.

Joan était toujours très accommodante. Ce qui était une bonne chose, avec une petite sœur comme Rosemary.

Charlotte cherchait son sac à main. Elle le tenait pourtant, à l'instant. Se trompait-elle ? Elle entendit Dooley cracher de nouveau ses boyaux dans la salle de bains puis se rincer la bouche encore une fois. Le chien, qui avait basculé sur le flanc, ne bougeait plus du tout. Selon le vétérinaire, le nouveau traitement pouvait réduire la fréquence des crises d'épilepsie, mais ce n'était pas certain. Il allait falloir attendre pour en avoir le cœur net.

Charlotte retrouva, en dessous du chien, la chaussure qu'elle avait égarée. Elle dut tirer dessus pour la dégager de sa lourde masse plissée de partout.

— Pauvre papa, dit Rosemary. Est-ce qu'il a encore attrapé froid ?

— Oui, on peut dire ça, concéda Charlotte. Oui.

Dooley revint de la salle de bains, le teint moins vert, mais plus martyr que jamais.

— Papa ! s'exclamèrent les filles.

Il fit la grimace.

— Chuuut ! Ma tête.

— Papa, Joan et moi on est d'accord pour dire que le mois de septembre est notre mois d'automne préféré. Et novembre, c'est celui qu'on aime le moins. Tu veux qu'on t'explique pourquoi ?

— Sauf s'il neige en novembre, ajouta Joan.

— Oh oui ! renchérit Rosemary. S'il neige, alors c'est le meilleur mois. Joan, et si on faisait semblant qu'il neige, maintenant ? Faisons semblant que le vent souffle et que la neige fond dans notre cou.

— OK, accepta Joan.

Charlotte posa le toast devant Dooley et embrassa le sommet du crâne de chacune de ses filles. L'amour qu'elle leur portait défiait l'entendement. Parfois, cet amour déferlait en elle tout à coup, sans crier gare, et secouait Charlotte des pieds à la tête.

— Charlie, je veux bien un œuf au plat, dit Dooley.

— Chéri, il ne faut pas que tu arrives encore en retard au travail.

— Oh ! la barbe. Pete s'en fiche de l'heure à laquelle j'arrive. Je vais sans doute l'appeler pour le prévenir que je suis malade, de toute façon.

Pete Winemiller possédait la quincaillerie de la ville et était un ami du père de Dooley. C'était d'ailleurs le dernier de la longue liste des amis et clients du vieil homme qui, pour rendre service à ce dernier, avait accepté d'embaucher son fils à problèmes. C'était aussi le dernier de la longue liste d'employeurs dont Dooley avait mis la patience à rude épreuve.

Mais Charlotte devait agir avec précaution. Elle avait appris, dès le début de leur mariage, qu'un mot de trop, une mauvaise intonation de la voix ou un froncement de sourcils mal placé risquaient de plonger Dooley dans un silence blessé et boudeur qui pouvait durer des heures.

— Mais Pete ne t'a pas dit, la semaine dernière, qu'il avait besoin de toi dès les premières heures de la journée ? demanda-t-elle.

— Oh ! ne t'inquiète pas pour Pete. C'est un paquet de vent.

— Mais je parie qu'il compte sur toi. Peut-être que si tu…

— Nom de Dieu, Charlie ! l'interrompit Dooley. Je suis malade. Tu ne vois pas ? Arrête de me demander la lune.

Si seulement vivre avec Dooley était aussi simple que d'aller décrocher la lune. Charlotte hésita, puis se détourna.

— D'accord, répondit-elle. Je vais te faire cuire un œuf.

— Moi, je vais m'allonger sur le canapé une minute. Appelle-moi quand c'est prêt.

Elle le regarda quitter la pièce. Où le temps avait-il filé ? À peine un instant plus tôt, Charlotte avait onze ans, et non vingt-huit. À peine un instant plus tôt, pieds nus et toute brunie par les longs mois d'été dans la prairie, elle courait à toute allure à travers les graminées et le millet vivace qui lui arrivaient à la taille, avant de sauter dans l'eau en boulet de canon du haut de la berge la plus élevée de la rivière

Redbud. Les parents mettaient toujours leurs enfants en garde pour qu'ils restent là où l'eau était peu profonde, près de la rive qui donnait sur la ville, mais Charlotte était meilleure nageuse que tous ses amis ; le courant ne lui faisait pas peur, et elle arrivait assez facilement à traverser la rivière et à s'aventurer dans ses recoins inexplorés.

Charlotte se souvint de ces moments qu'elle passait, allongée au soleil en sortant de l'eau, à rêver des gratte-ciel de New York, des avant-premières à Hollywood et des jeeps dans la savane africaine, se demandant lequel de ces avenirs exotiques et merveilleux l'attendait. Tout était possible. Tout pouvait arriver.

En tendant le bras vers l'assiette de Joan, Charlotte renversa son verre de jus de fruits, qui alla se fracasser au sol. Le chien recommença à s'agiter et grimacer, mais de façon plus accentuée.

— Maman ? demanda Rosemary. Est-ce que tu ris ou est-ce que tu pleures ?

Charlotte s'agenouilla pour caresser la tête du chien. De son autre main, elle se mit à ramasser les bouts de verre acérés et brillants.

— En fait, ma chérie, répondit-elle, je crois bien que c'est un peu des deux.

À huit heures et quart, elle arriva enfin au centre-ville – même si l'expression *centre-ville* était sans doute hyperbolique : une place entourée de trois pâtés d'immeubles, une poignée de bâtiments en briques rouges dont aucun ne dépassait trois étages, avec des coupoles victoriennes et des encadrements en pierre calcaire brute. Il y avait là un café-restaurant, une boutique de vêtements, une quincaillerie et une boulangerie. On y trouvait également la première (et unique) banque de Woodrow, Oklahoma.

Le studio de photo était situé à l'angle de Main Street et d'Oklahoma Avenue, à côté de la boulangerie. Cela faisait bientôt cinq ans que Charlotte y travaillait. M. Hotchkiss se spécialisait dans les portraits officiels – futures mariées rayonnantes, bambins en costume marin amidonné, nouveau-nés tout juste sortis du ventre de leur mère. Charlotte mélangeait les produits chimiques utilisés dans la chambre noire, développait la pellicule, tirait les planches-contacts et teintait à la main les portraits en noir et blanc. Les heures s'égrenaient lentement, et elle restait assise à sa table, à appliquer fastidieusement l'huile de lin et la peinture pour ajouter ici un reflet doré à une mèche de cheveux, là une lueur bleutée à l'iris d'un œil.

Elle alluma une cigarette et se mit à travailler sur les bambins Richardson, des jumeaux absolument identiques, affublés de bonnets de Père Noël assortis et affichant une même expression sidérée.

M. Hotchkiss s'approcha d'un pas flegmatique et se pencha pour observer le travail de Charlotte. Veuf, la soixantaine, il sentait le tabac à pipe parfumé à la pomme et le fixateur. En guise de préambule à toute déclaration importante, il remontait toujours son pantalon. C'est d'ailleurs ce qu'il fit à cet instant.

— Beau travail, commenta-t-il.

— Merci, répondit Charlotte. J'ai eu du mal à décider quelle teinte de rouge utiliser pour les bonnets. J'ai eu un débat assez enflammé avec moi-même à ce sujet.

M. Hotchkiss jeta un œil à la petite radio de Charlotte, posée sur l'étagère. La station qu'elle aimait émettait depuis Kansas City, ce qui expliquait pourquoi le signal était parasité et entrecoupé lorsqu'il arrivait à Woodrow. Même après avoir bidouillé le bouton de réglage et l'antenne, Charlotte avait toujours l'impression que Bob Dylan chantait *Don't Think Twice, It's All Right* depuis le fond d'un puits.

— Je vais vous dire une bonne chose, Charlie, dit M. Hotchkiss. Ce gamin-là, ce ne sera jamais Bobby Vinton.

— Je suis tout à fait d'accord, répondit Charlotte.

— Il marmonne, il marmonne, je ne comprends pas un traître mot de ce qu'il raconte.

— Le monde change, monsieur Hotchkiss. Les gens parlent un nouveau langage.

— Pas ici, pas dans le comté de Logan, rétorqua-t-il. Dieu merci.

Non, en effet, pas ici, pas dans le comté de Logan. Sur ce point, Charlotte ne pouvait le contredire.

— Monsieur Hotchkiss, dit-elle. Avez-vous eu l'occasion de regarder cette nouvelle photo que je vous ai donnée ?

En plus de son travail au laboratoire, M. Hotchkiss était également directeur de la photo pour le journal local, le *Woodrow Trumpet*. Charlotte espérait y contribuer en tant que photographe indépendante. Quelques mois auparavant, elle avait convaincu M. Hotchkiss de lui prêter l'un des appareils photo auxquels il tenait le moins.

Ses premiers pas en photographie avaient été laborieux. Mais elle avait persévéré. Elle s'entraînait à l'heure du déjeuner – quand les tâches dont elle devait s'acquitter lui laissaient quelques minutes – et tôt le matin, avant que les filles se réveillent. Le samedi, lorsqu'elle emmenait les filles à la bibliothèque, elle consultait des revues et des livres d'art. En prenant des photos, Charlotte envisageait le monde selon une perspective qu'elle n'aurait jamais imaginée autrement, et elle ressentait alors la même chose qu'en écoutant Bob Dylan et Ruth Brown – cette impression d'être soudain emplie de vie et de lumière, comme si sa petite existence était, l'espace d'un instant, reliée à quelque chose de plus grand.

— Monsieur Hotchkiss ? appela Charlotte.

L'attention de son employeur s'était reportée sur le courrier du matin.

— Hmm ? fit-il.

— Je vous ai demandé si vous aviez eu l'occasion de jeter un œil à ma nouvelle photo.

Il remonta son pantalon et s'éclaircit la voix.

— Ah, oui. Eh bien… Oui.

Sur la photo qu'elle lui avait donnée, on voyait Alice Hibbard et Christine Kuriger, en train d'attendre avant de traverser Oklahoma Avenue, à la fin de la journée. Le rétroéclairage, le contraste… Ce qui avait frappé Charlotte, c'était la façon dont leurs ombres semblaient plus consistantes, presque plus réelles, que les deux femmes elles-mêmes.

— Et qu'en avez-vous pensé ? demanda Charlotte.

— Eh bien… Vous ai-je expliqué la règle des tiers ?

Une dizaine de fois, seulement.

— Oui, je comprends, dit-elle. Mais dans ce cas-là, j'essayais de saisir le…

— Charlotte, la coupa-t-il, ma chère. Vous êtes une fille adorable, intelligente, et j'ai beaucoup de chance de vous avoir à mes côtés. La fille qui travaillait ici avant vous… comment dire… Elle avait deux mains gauches et une cervelle de moineau, la pauvre petite. Je ne sais pas ce que je ferais sans vous, Charlie.

Il lui tapota l'épaule. Elle fut tentée de lui lancer un ultimatum. Soit il lui laissait sa chance au *Trumpet* – elle accepterait n'importe quelle tâche, même la plus ingrate –, soit il apprendrait vraiment à faire sans elle.

Avait-elle un quelconque talent de photographe ? Charlotte n'en était pas sûre, mais elle pensait que oui, peut-être. Elle savait, en tout cas, faire la différence entre une photo intéressante et une photo ennuyeuse. Elle savait distinguer les photos de *Life* et du *National Geographic*, qui semblaient bondir au visage du lecteur, et celles du *Trumpet*, qui gisaient là comme des corps à la morgue.

— Monsieur Hotchkiss, l'appela-t-elle de nouveau.

Il s'était retourné et avait commencé à s'éloigner de son pas traînant.

— Hmm ? fit-il.

Mais bien sûr, elle ne pouvait pas se permettre de quitter le studio. L'argent qu'elle rapportait à la maison chaque semaine maintenait le navire à flot. M. Hotchkiss avait peut-être raison de la décourager : Charlotte avait sans doute deux mains gauches quand il s'agissait de prendre des photos. C'était un professionnel, après tout, comme l'indiquait le certificat de mérite encadré au mur que lui avait décerné la Société des journalistes professionnels de l'Oklahoma. Il rendait certainement service à Charlotte en lui tenant ce discours. *Heureusement*, dirait-elle peut-être d'ici à quelques années en repensant à cette période. *Heureusement que je n'ai pas perdu davantage de temps avec cette lubie.*

— Rien, dit-elle à M. Hotchkiss. Ce n'est pas grave.

Elle retourna à son travail sur les jumeaux Richardson. Leurs parents s'appelaient Harold et Virginia. La sœur de Harold, Beanie, était la meilleure amie de Charlotte à l'école primaire. Son père avait été le chef de chœur de Charlotte au collège. La mère de Beanie adorait le gâteau renversé à l'ananas, et chaque année Charlotte veillait à en faire un pour son anniversaire.

Virginia Richardson (née Norton) avait travaillé avec Charlotte à l'élaboration de l'album de la promotion du lycée. Elle avait insisté pour que Charlotte revérifie l'orthographe de chaque nom qu'elle inscrivait. À l'époque, Bob, le frère aîné de Virginia, était un beau et fringant jeune homme, vedette des équipes universitaires de course à pied, de base-ball et de football. Aujourd'hui, il était marié à Hope Kirby qui, un an après avoir obtenu son diplôme de fin de lycée, s'était épanouie de vilain petit canard en magnifique cygne blanc. La mère de Hope Kirby, Irène, avait été la demoiselle d'honneur de la mère de Charlotte.

Les Richardson, les Norton et les Kirby, Charlotte les connaissait depuis toujours. Elle connaissait d'ailleurs *tout le monde* depuis toujours, dans cette ville, se rendit-elle compte. Et tout le monde dans cette ville la connaissait. Et la connaîtrait toujours.

Était-ce égoïste de sa part d'attendre davantage de la vie ? D'espérer mieux pour Rosemary et Joan ? Woodrow était une ville idéale à bien des égards – pittoresque, paisible, chaleureuse –, mais elle était également d'un ennui sans fin, aussi enfermée dans ses coutumes bornées et étriquées, aussi rétive à la nouveauté et aux nouvelles idées que M. Hotchkiss.

Charlotte aspirait à vivre dans un endroit où le passé et le futur n'étaient pas aussi difficiles à distinguer.

Quelques mois plus tôt, elle avait suggéré à Dooley l'éventualité d'un déménagement – à Kansas City, peut-être, ou à Chicago. Dooley l'avait regardée avec un air stupéfait, comme si elle venait de proposer qu'ils se déshabillent et se mettent à courir tout nus en hurlant dans les rues.

Aujourd'hui, pendant sa pause déjeuner, Charlotte n'eut pas le temps de prendre de photos. Elle avala son sandwich en quatrième vitesse, alla chercher les médicaments du chien chez le vétérinaire, puis se précipita à la banque. Dooley avait bel et bien promis de parler à Jim Feeney, cette fois-ci, mais personne ne savait mieux esquiver les tâches désagréables que son mari. Charlotte, malheureusement, ne pouvait se permettre ce luxe.

— Oh ! nom d'une pipe, j'ai encore oublié ? dirait Dooley avec son sourire timide qui ne s'excusait jamais, comme un petit garçon habitué à toujours s'en tirer à bon compte.

À la banque, Charlotte dut s'asseoir et attendre que Jim Feeney ait terminé de passer son coup de fil.

Le petit Jimmy Feeney. Charlotte et lui étaient dans la même classe, en maternelle. Mais à l'école primaire il avait dû redoubler une année, car il ne comprenait rien à l'arithmétique. Au lycée, il s'était cassé le bras en essayant de renverser une vache à mains nues. Et pourtant, il était là, assis derrière ce bureau de directeur adjoint, parce que c'était un homme. Et Charlotte était assise de l'autre côté de ce bureau, parce qu'elle était une femme.

— Bonjour Charlie, dit-il. Que puis-je faire pour toi aujourd'hui ?

Que pouvait-il faire, en effet ? Charlotte se demanda si Jim se délectait de la voir ainsi mortifiée ou s'il ne le remarquait même pas.

— Bonjour, Jim, répondit-elle. J'ai bien peur de devoir te demander de repousser le paiement de notre hypothèque ce mois-ci.

— Je vois.

Bonnie Bublitz les observait depuis son guichet. Ainsi que Vernon Phipps, qui était en train d'encaisser un chèque. Hope Norton (née Kirby) passa près d'eux en voletant, puis, du même pas ailé, revint pour tendre un classeur à Jim.

Je ne le supplierai pas, pensa Charlotte, alors même qu'elle se préparait à le faire.

— Nous avons juste besoin d'un peu plus de temps, Jim, ajouta-t-elle. Une semaine ou deux.

— Tu me mets dans une position difficile, Charlie, répondit-il.

— Je suis désolée.

— C'est la troisième fois de l'année que tu me demandes de faire cela, tu sais.

— Je sais. Les choses ont été un peu dures, ces temps-ci. Mais elles commencent à s'arranger.

Jim tapota son stylo à plume contre le rebord de son registre. Il réfléchissait – du moins autant qu'il en était capable.

— Il faut compter chaque penny, Charlie, dit-il, même s'il connaissait Dooley et même s'il était parfaitement au courant de la véritable raison de leurs difficultés financières. Cela peut s'avérer très utile de tenir un budget détaillé – avec les dépenses du foyer, etc.

— J'ai juste besoin de deux semaines supplémentaires, répéta Charlotte. S'il te plaît, Jim.

Le tambourinement du stylo alla en s'atténuant. *Da-da-da, da-da, da.* Comme un battement de cœur faiblissant.

— Bon, j'imagine que je peux encore t'accorder une…

Earl Grindle sortit du bureau du directeur. Il jetait des regards hébétés tout autour de lui, comme s'il ne comprenait pas comment les autres personnes présentes dans la banque pouvaient continuer à vaquer aussi calmement à leurs occupations.

Il ôta ses lunettes, puis les remit aussitôt.

— Quelqu'un lui a tiré dessus. On a tiré sur le président Kennedy.

Charlotte retourna au laboratoire à pied. M. Hotchkiss n'avait pas encore entendu la nouvelle, concernant le Président. Elle jeta un œil dans la chambre noire et le vit, dans une ignorance bienheureuse, en train de tripoter la lampe de l'agrandisseur Beseler.

Elle s'assit à sa table et entreprit de teinter un nouveau portrait. Le bébé des Moore, âgé de trois mois. Il était posé sur un morceau de satin en forme d'œillet, lequel, décida Charlotte, requérait une subtile nuance ivoire.

On avait tiré sur le Président. Charlotte n'était pas sûre d'avoir totalement assimilé cette nouvelle. À la banque, elle avait vu Hope Norton lâcher la pile de classeurs qu'elle tenait entre les bras. Et Bonnie Bublitz fondre en larmes derrière son guichet. Et Vernon Phipps quitter la banque précipitamment, comme possédé, en laissant derrière lui, sur le comptoir, une liasse de billets de cinq dollars. Jimmy Feeney n'arrêtait pas de demander : « C'est une blague ? Earl, est-ce que c'est une blague ? »

L'odeur de l'huile de lin et du tabac à pipe parfumé à la pomme. Le doux vrombissement du radiateur. Charlotte travaillait. Elle restait encore étrangement insensible – comme absente – aux nouvelles qui leur étaient parvenues de Dallas. Pendant un moment, elle ne put se rappeler quel jour de la semaine on était, ni quelle année. Ça aurait pu être n'importe quel jour de n'importe quelle année.

Le téléphone sonna. Elle entendit M. Hotchkiss aller à son bureau pour y répondre.

— Qu'est-ce qu'il y a ? demanda-t-il. Comment ? Oh non ! Oh non !

Les parents du bébé Moore étaient Tim et Ann Moore. C'était leur troisième enfant. La première fois que Charlotte avait fait du baby-sitting, c'était pour garder la bande des jeunes frères de Tim. La sœur d'Ann n'était autre que Hope Norton, qui était mariée à Bob, le frère aîné de Virginia Richardson. Et il y avait un autre maillon à cette chaîne, encore un : le cousin d'Ann, du côté de sa mère, était Pete Winemiller, le patron de Dooley à la quincaillerie.

— Oh non ! fit encore M. Hotchkiss. Je n'arrive pas à le croire.

On avait tiré sur le Président. Charlotte comprenait pourquoi les gens étaient en état de choc. Ils craignaient un avenir incertain. Ils avaient peur que leur vie ne soit plus jamais la même.

Et peut-être serait-ce le cas. Mais Charlotte, quant à elle, savait que sa vie ne changerait pas et que son avenir – tout comme celui de ses filles – resterait toujours on ne peut plus certain. Et une balle tirée à quelques centaines de kilomètres ne pouvait rien y faire.

Elle trempa son pinceau et se mit à badigeonner de rose la joue en noir et blanc du bébé Moore, qu'elle eut l'impression de ramener à la vie. Quand elle était petite, son film préféré était *Le Magicien d'Oz*, et son passage favori était le moment où Dorothy ouvrait la porte de sa ferme en noir et blanc et pénétrait dans un monde en technicolor, étrange et merveilleux.

Quelle veinarde, cette Dorothy ! Charlotte trempa à nouveau son pinceau et imagina encore une fois qu'une tornade surgie de nulle part l'emmenait loin d'ici, dans un monde plein de couleurs.

3

Un rayon de soleil glissa sur Guidry, et les images du rêve qu'il était en train de faire tressautèrent et se brouillèrent, comme la pellicule d'un film s'éjectant des pignons d'un projecteur. Cinq secondes plus tard, le rêve s'était presque entièrement effacé de sa mémoire. Un pont. Une maison au milieu de ce pont, là où aucune maison n'aurait dû se trouver. Guidry était debout à la fenêtre de cette maison, ou peut-être sur un balcon, et regardait l'eau pour essayer d'y distinguer une ondulation.

Il se laissa tomber hors du lit, avec l'impression que sa tête était aussi énorme et molle qu'une citrouille pourrie. Une aspirine. Deux verres d'eau. Il était prêt à enfiler son pantalon et à tenter une sortie dans le couloir. Art Pepper. C'était le remède préféré de Guidry contre la gueule de bois. Il sortit *Smack Up* de sa pochette en carton et plaça le disque sur la platine. *How Can You Lose* était son morceau préféré, sur cet album. Guidry se sentait déjà mieux.

Il était 14 heures — ce que les habitants du Vieux Carré français appelaient le point du jour. Guidry fit une pleine cafetière de café bouillant et en emplit deux grandes tasses, agrémentant la sienne d'une bonne rasade de Macallan. Le scotch était son second remède favori contre la gueule de bois. Il en but une gorgée et écouta le saxophone d'Art Pepper se frayer un chemin dans la mélodie, comme un chien esquivant les automobiles.

La rouquine était encore dans les vapes, le drap de son côté du lit repoussé et un bras au-dessus de la tête. Mais, une seconde… elle était brune, à présent, et non plus rousse. Elle avait les lèvres plus pulpeuses, et aucune tache de rousseur. Comment cela s'était-il produit ? Guidry resta perplexe – était-il encore en train de rêver ? Mais il se rappela qu'on était vendredi, et non plus jeudi, et que la rousse, c'était deux nuits plus tôt.

Dommage. Il aurait pu se faire inviter à dîner pendant plusieurs semaines rien qu'en racontant qu'il était tellement doué au pieu que la fille qu'il s'était faite en avait perdu toutes ses taches de rousseur.

Jane ? Jennifer ? Guidry avait oublié le nom de cette brune. Elle travaillait pour la TWA. Ou peut-être était-ce la rouquine avant elle. Julia ?

— Debout, mon rayon de soleil, lança-t-il.

Elle se tourna vers lui avec un sourire ensommeillé et le rouge à lèvres en train de ficher le camp.

— Quelle heure est-il ?

Il lui tendit une tasse.

— L'heure pour toi de mettre les voiles.

Sous la douche, il se savonna et planifia mentalement sa journée. D'abord, aller retrouver Seraphine, pour voir ce qu'elle avait à lui dire. Ensuite, il commencerait à plancher sur cette affaire dont l'homme de main de Sam Saia lui avait parlé au Carousel, l'autre soir. Est-ce que ce type était réglo ? Tout ce que Guidry avait entendu dire sur lui le poussait à le croire. Mais il valait quand même mieux se renseigner un peu et s'en assurer avant de s'engager pour de bon.

Quoi d'autre ? Faire un tour au bar devant le tribunal, payer quelques tournées et aller à la pêche aux ragots. Puis dîner avec Al LaBruzzo, que Dieu nous garde. LaBruzzo s'était mis en tête d'acheter un bar à go-go. Guidry allait devoir prendre des gants – c'était le frère de Sam, et Sam était le chauffeur de Carlos. À la fin du dîner, Guidry devrait convaincre Al de se convaincre lui-même que non, non, il ne voulait pas de l'argent de Guidry, finalement ; il le refuserait même si Guidry se mettait à genoux pour le supplier de l'accepter.

Guidry se rasa, se lima les ongles et passa en revue le contenu de sa penderie. Il choisit un costume à carreaux marron et à fins revers crantés, de coupe continentale. Une chemise couleur crème, une cravate verte. Une cravate verte ? Non. Ce serait Thanksgiving dans moins d'une semaine, et il avait envie de s'imprégner de l'esprit de la saison. Il troqua donc la cravate verte contre une autre, d'un orange profond et poudreux, comme un coucher de soleil en automne.

Lorsqu'il entra dans le salon, il vit que la brune était encore là. Elle était recroquevillée sur le canapé – et toujours pas habillée, grands dieux ! Elle regardait la télévision.

Il se dirigea vers la fenêtre et trouva sa jupe et son chemisier par terre, là où ils étaient tombés la veille au soir. Son soutien-gorge était accroché au bar roulant. Il lui lança ses vêtements.

— Un Mississippi, commença-t-il. Deux Mississippi. Je te laisse jusqu'à cinq.

— Il est mort, dit-elle sans même regarder Guidry. Je n'arrive pas à le croire.

Guidry se rendit compte qu'elle était en train de pleurer.

— Qui ça ?

— Ils lui ont tiré dessus, continua-t-elle.

— Qui s'est fait tirer dessus ?

Il tourna la tête vers la télévision. À l'écran, un présentateur du journal assis derrière un bureau prenait une profonde bouffée de sa cigarette. Il avait l'air tout flasque et ahuri, comme si quelqu'un venait de lui jeter un seau d'eau glacée sur la tête.

— Le cortège d'automobiles venait juste de dépasser le Texas School Book Depository, un entrepôt de livres scolaires dans le centre-ville de Dallas, annonçait le présentateur. Le sénateur Ralph Yarborough a dit à notre reporter qu'il se trouvait à une distance de trois voitures derrière celle du Président, lorsqu'il a entendu trois coups de feu distincts.

Le président de quoi ? Ce fut la première pensée de Guidry. Le président d'une compagnie pétrolière ? Ou celui d'une république bananière dont personne n'avait jamais entendu parler ? Il ne comprenait pas pourquoi la brune avait l'air si secouée par cette nouvelle.

Et puis, le déclic se fit. Guidry s'accroupit près d'elle et regarda le présentateur lire ses notes. Un tireur avait fait feu depuis le cinquième étage d'un immeuble de Dealey Plaza. Kennedy, assis à l'arrière d'une Lincoln Continental décapotable, avait été touché. On l'avait transporté d'urgence à l'hôpital Parkland. Un prêtre lui avait administré les derniers sacrements. À 13 h 30 – cela faisait donc une heure et demie –, les médecins avaient déclaré que le Président était mort.

Le tireur avait été arrêté, disait le présentateur. C'était un pauvre gus qui travaillait à l'entrepôt de livres scolaires.

— Je n'arrive pas à le croire, répéta la brune. Je n'arrive pas à croire qu'il soit mort.

Pendant une seconde, Guidry ne bougea pas. Il ne respira plus. La brune tendit la main vers la sienne et la serra. Elle pensait que lui non plus n'arrivait pas à croire cela, qu'une balle venait de transpercer le crâne de Jack Kennedy.

— Habille-toi, ordonna Guidry en se relevant et en la mettant debout. Habille-toi et va-t'en.

Comme elle restait là à le regarder fixement sans rien faire, Guidry passa le bras de la fille dans la manche de son chemisier. Tant pis pour le soutien-gorge. Il l'aurait jetée dehors toute nue s'il n'avait pas craint qu'elle fasse un esclandre et aille gueuler auprès des flics.

L'autre bras, maintenant, inerte, comme en caoutchouc. Elle s'était mise à sangloter. *Vas-y mollo, vas-y mollo,* se dit-il. Guidry avait une réputation en ville : c'était l'homme qui ne perdait jamais les pédales, même dans les pentes les plus raides. Ce n'était pas le moment de commencer, vieux frère.

— Mon rayon de soleil, fit-il en lui caressant la joue avec le dos de la main, je suis désolé. Je n'arrive pas à y croire non plus. Je n'arrive pas à croire qu'il soit mort.

— Je sais, répondit-elle, je sais.

Elle ne savait rien du tout. À la télévision, le présentateur expliquait que Dealey Plaza, à Dallas, se situait entre les rues Houston, Elm et Commerce. Guidry savait parfaitement où se trouvait cette satanée place. Il y était allé une semaine plus tôt, pour y déposer une Cadillac Eldorado 1959 bleu ciel dans un parking à deux pâtés d'immeubles de là, sur Commerce Street.

D'habitude, Seraphine ne lui demandait jamais de faire ce genre de boulot. C'était en dessous de son rang, pour ainsi dire. Mais, puisque Guidry était déjà en ville pour inviter à dîner et calmer un peu un chef adjoint de police trop nerveux dont Carlos voulait continuer à graisser la patte tranquillement, pourquoi pas ? « Bien sûr, ça ne me dérange pas, un pour tous et tous pour un. »

« Oh ! et à propos, *mon cher*, il y a une petite course dont je voudrais te charger, tant que tu es à Dallas… »

Et merde. Prévoir une voiture pour se faire la belle était la procédure habituelle dans la plupart des assassinats commandités par Carlos, y compris les plus en vue. Une fois le boulot terminé, le tireur filait tout droit vers la voiture planquée non loin de là et prenait la tangente dans une bagnole tout ce qu'il y avait de plus réglo.

En garant l'Eldorado bleu ciel à deux pâtés d'immeubles de Dealey Plaza, Guidry s'était dit qu'un avenir sombre guettait quelque âme infortunée – peut-être un bookmaker dont les comptes n'étaient pas ce qu'ils auraient dû être, ou le chef adjoint nerveux lui-même, si jamais Guidry n'avait pas réussi à le calmer.

Mais le président des États-Unis…

— Rentre chez toi, d'accord ? dit-il à la brune. Va faire un brin de toilette et ensuite, on va… Qu'est-ce que tu veux faire ? Aucun de nous ne devrait rester seul, en un moment pareil.

— En effet, acquiesça-t-elle. Je veux… Je ne sais pas. On pourrait juste…

— Rentre chez toi te refaire une beauté, et ensuite on ira prendre un bon déjeuner, déclara-t-il. D'accord ? Où est-ce que tu habites ? Je viendrai te chercher dans une heure. Après le déjeuner, on trouvera une église et on allumera un cierge pour le salut de son âme.

Guidry se mit à hocher la tête, jusqu'à ce qu'elle en fasse autant. Il l'aida à enfiler sa jupe et partit à la recherche des chaussures.

Peut-être n'était-ce qu'une coïncidence, s'il avait planqué une voiture à deux pâtés d'immeubles de Dealey Plaza, se dit-il. Peut-être n'était-ce qu'une coïncidence, si Carlos méprisait les frères Kennedy plus que tout autre être humain sur cette Terre. Jack et Bobby avaient traîné Carlos jusque devant le Sénat et lui avaient pissé dessus devant le pays tout entier. Et, deux ans plus tard, ils avaient tenté de l'expulser vers le Guatemala.

Peut-être que Carlos avait oublié tout cela et leur avait pardonné. Mais oui, bien sûr. Et peut-être aussi qu'un pauvre type qui trimballait des caisses de livres dans un entrepôt pour gagner sa vie était capable d'un tir pareil – atteindre une cible mouvante du haut du cinquième étage, avec une brise qui soufflait et des arbres qui lui bloquaient la vue.

Guidry manœuvra la brune en douceur jusqu'à l'ascenseur, puis l'en fit sortir pour la guider à travers le hall d'entrée de son immeuble et l'installer à l'arrière d'un taxi. Il dut claquer des doigts pour attirer l'attention du chauffeur, qui était en train d'écouter les informations, tête baissée au-dessus de sa radio, et ne les avait même pas remarqués.

— Rentre chez toi te refaire une beauté, répéta Guidry en déposant un baiser sur la joue de la jeune femme. Je viens te chercher dans une heure.

Dans le Vieux Carré français, des hommes d'âge mûr pleuraient à chaudes larmes, debout, sur le trottoir. Des femmes erraient dans la rue, comme frappées de cécité. Derrière un stand « Lucky Dogs », un vendeur de hot-dogs partageait sa radio avec un cireur de chaussures. Quand ce genre de choses s'était-il déjà produit dans l'histoire de l'humanité ? « De leurs épées, ils forgeront des socs de charrue. Et la panthère se couchera près du chevreau. »

Guidry avait quinze minutes à tuer. Il entra tête baissée Chez Gaspar. Il n'y était jamais allé en journée. Avec la scène vide et les lumières de la salle allumées, l'endroit était sinistre. On voyait les taches par terre et au plafond, et le rideau de scène en velours était rapiécé avec du chatterton.

Un petit groupe était réuni autour du comptoir – des gens qui, comme Guidry, avaient été attirés à l'intérieur par le halo bleuté de la télévision. Un présentateur – différent du précédent, mais l'air tout aussi sidéré – lut une déclaration de Johnson. Du président Johnson, désormais.

— Je sais que le monde entier partage la tristesse que Mme Kennedy et sa famille doivent endurer, disait Johnson. Je ferai de mon mieux. C'est tout ce que je peux faire. Je demande votre aide – et celle de Dieu.

Le barman versa des shots de whisky, offerts par la maison. La dame à côté de Guidry, une petite veuve proprette de Garden District, vieille comme Mathusalem et aussi fragile qu'un flocon de neige, attrapa un verre et le vida cul sec.

À la télévision, on voyait des images du poste de police de Dallas. Des flics en costume et chapeau de cow-boy blanc, des journalistes, des badauds, tout le monde se bousculait à qui mieux mieux. Et au milieu de cette cohue il y avait le pauvre gus, qui se faisait traîner en valdinguant. Il était petit, avec une tête de rat et un œil fermé et boursouflé. Il s'appelait Lee Harvey Oswald, précisa le commentateur. Il avait l'air groggy et hagard, comme un gamin qu'on aurait tiré du lit au milieu de la nuit et qui espérerait que tout cela ne soit qu'un cauchemar.

Un journaliste cria à Oswald une question que Guidry n'entendit pas, tandis que les flics le poussaient à l'intérieur d'une pièce. Un autre journaliste entra dans le champ et se mit à s'adresser à la caméra.

— Il dit qu'il n'a rien contre personne, déclara-t-il, et qu'il n'a jamais commis aucun acte violent.

La veuve du Garden District vida d'un trait un deuxième verre de whisky. Elle avait l'air furieuse, elle en crachait presque.

— Comment une chose pareille a-t-elle pu se produire ? ne cessait-elle de grommeler. Comment une chose pareille a-t-elle pu se produire ?

Guidry n'aurait pu se prononcer de manière catégorique, mais il avait sa petite idée sur la question. Un tireur d'élite professionnel, un tueur à gages indépendant à la solde de Carlos, placé au cinquième étage de l'entrepôt de livres scolaires, ou à l'étage juste en dessous pour faire porter le chapeau à Oswald, ou peut-être installé de l'autre côté de la place, en hauteur, loin de la foule. Après avoir fait feu, le véritable tireur avait probablement emballé son fusil et redescendu Commerce Street jusqu'à l'Eldorado bleu ciel qui l'attendait dans le parking.

Guidry quitta le club Chez Gaspar et se dirigea vers Jackson Square. Perché en haut des marches de la cathédrale, un prêtre rassurait ses ouailles. Un temps pour semer, un temps pour récolter. Le baratin habituel.

Guidry marchait un peu trop vite. *Calmos, vieux frère.*

Si les flics coinçaient le tireur engagé par Carlos et faisaient le lien avec l'Eldorado, ils seraient capables de remonter jusqu'à Guidry. Guidry était allé chercher la voiture sur le parking d'un supermarché, dans l'un des quartiers noirs de Dallas. La portière n'était pas verrouillée, et les clés étaient sous le pare-soleil. Guidry n'avait pas laissé d'empreintes sur la voiture – il n'était pas idiot, il avait enfilé ses gants de conduite –, mais quelqu'un avait tout de même pu le voir et se souviendrait peut-être de lui. Une Cadillac Eldorado bleu ciel, un homme blanc dans un quartier noir… Quelqu'un se souviendrait forcément de lui.

Parce que, cette fois, ce n'était pas juste un petit meurtre peinard, un caïd à l'ancienne qui s'était fait buter dans une ruelle, avec des inspecteurs et un procureur que Carlos s'était déjà mis dans la poche. Cette fois, il s'agissait du président des États-Unis. Bobby Kennedy et le FBI ne s'arrêteraient pas avant d'avoir passé au peigne fin les moindres recoins de ce fichu pays.

La fine bruine poisseuse qui tombait cessa, et le soleil se

mit à briller à travers les nuages. Seraphine était là, debout, près de la statue de « Old Hickory » – le général Andrew Jackson. Le cheval se cabrait, et le général saluait, chapeau à la main. L'ombre de la statue coupait Seraphine en deux. Elle adressa un sourire à Guidry ; dans l'un de ses grands yeux brillait un air amusé, tandis que l'autre ressemblait à une pierre, d'un vert foncé.

Guidry eut envie de l'attraper, de la pousser contre le socle de la statue et d'exiger qu'elle lui explique pourquoi elle l'avait fourré dans un tel pétrin. Le crime du siècle, ni plus ni moins. Mais il se ravisa et, décidant de la jouer fine, lui rendit son sourire. Avec Seraphine, il valait mieux marcher sur des œufs, si on tenait à rester dans la partie.

— Bonjour, mon petit, lança-t-elle. La forêt est noire, et les loups hurlent. Prends ma main, et je t'aiderai à rentrer chez toi.

— Merci bien, je préfère encore tenter ma chance avec les loups, rétorqua Guidry.

Elle eut une moue boudeuse. *C'est vraiment ce que tu penses de moi ?* Puis elle éclata de rire. Bien sûr, que c'était ce qu'il pensait d'elle. Dans le cas contraire, Guidry serait un bel imbécile.

— J'adore l'automne, reprit-elle. Pas toi ? L'air est si vif. On sent le parfum de la mélancolie. L'automne nous dit la vérité sur le monde.

On n'aurait pas pu dire que Seraphine était jolie. Elle était royale, plutôt. Un grand et large front, un nez busqué de tragédienne, des cheveux noirs crantés, avec la raie sur le côté. Sa peau était une nuance plus sombre que celle de Guidry. Partout ailleurs, elle aurait pu passer pour une femme blanche, mais pas à La Nouvelle-Orléans.

Elle s'habillait avec la coquetterie d'une maîtresse d'école. Aujourd'hui, elle portait un pull fin en mohair et son cardigan assorti, une jupe près du corps et des gants d'un blanc immaculé. Une petite plaisanterie qu'elle se faisait à elle-même, sans doute. L'air narquois qu'elle arborait en permanence confirmait cette impression.

— Arrête ton baratin, dit Guidry.

Avec le bon sourire, il pouvait se permettre de lui dire des choses comme ça. Et même à Carlos, d'ailleurs.

Tout sourire, elle fumait. Sur Decatur Street, l'un des faméliques chevaux d'attelage poussa un hennissement aigu et inconsolable – on aurait presque dit un cri. Le genre de son que l'on aimerait oublier dans la minute où on l'a entendu.

— Alors, tu connais la nouvelle, pour le Président, dit-elle.

— Tu peux imaginer mon inquiétude, répliqua-t-il.

— Ne t'inquiète pas, *mon cher*. Viens, je vais te payer un verre.

— Un seul ?

— Viens.

Ils allèrent à pied jusqu'à Chartres Street. La Napoleon House n'ouvrait qu'une heure plus tard, mais le barman les fit entrer, les servit et s'éclipsa.

— Nom de Dieu, Seraphine ! fit Guidry.

— Je comprends que tu sois préoccupé, dit-elle.

— J'espère que tu comptes me rendre visite en prison.

— Ne t'inquiète pas.

— Répète-moi ça, et peut-être que je commencerai à te croire.

Elle fit tomber la cendre de sa cigarette avec un geste alangui de sa main gantée.

— Mon père travaillait ici autrefois, annonça-t-elle. Tu le savais ? Il passait la serpillière par terre, il nettoyait les toilettes. Quand j'étais petite, il m'emmenait avec lui, de temps en temps. Tu les vois ceux-là ?

Les murs de la Napoleon House n'avaient pas été replâtrés depuis un siècle, et les antiques portraits à l'huile y étaient encore suspendus, un peu de traviole. Des visages méchants et hautains qui jetaient des regards noirs surplombants, depuis les ombres où ils séjournaient.

— Quand j'étais petite, raconta-t-elle encore, j'étais persuadée que les gens de ces tableaux m'épiaient. Et qu'ils attendaient que je cligne des yeux pour se jeter sur moi.

— C'était peut-être le cas, dit Guidry. Peut-être qu'ils travaillaient pour J. Edgar Hoover.

— Je vais te le répéter encore une fois, parce que nous sommes de vieux amis. Ne t'inquiète pas. Les autorités tiennent leur coupable, n'est-ce pas ?

— Ce ne sont que les flics de Dallas, et ils *s'imaginent* tenir leur coupable.

Guidry savait que le FBI ne goberait jamais cette histoire d'Oswald. Pas une seule seconde. Allons, soyons sérieux. Ils se mettraient à creuser, et le pauvre gus se mettrait à table. Non. Mieux encore : les fédéraux étaient déjà en train de creuser, et Oswald était déjà en train de se mettre à table.

— Il ne posera aucun problème, déclara Seraphine.

Oswald. Cette petite face de rat lui semblait vaguement familière. Guidry se dit qu'il l'avait sans doute croisé en ville, à un moment ou un autre.

— Alors, tu prédis l'avenir, maintenant ? demanda-t-il.

— Le sien, oui.

— Et l'Eldorado, où est-elle ?

Seraphine pouvait le rassurer jusqu'à lui en coller la nausée, mais il ne serait jamais à l'abri du FBI tant que cette voiture n'aurait pas disparu à tout jamais. L'Eldorado était la seule preuve matérielle qui reliait Guidry à l'assassinat.

— En route pour Houston, répondit-elle. Au moment même où nous parlons.

— Et si votre petit camarade à l'œil de lynx se fait contrôler par les flics…

— Ça n'arrivera pas, l'interrompit-elle avec un sourire un peu moins serein, cette fois.

L'Eldorado était également la seule preuve matérielle qui reliait *Carlos* à l'assassinat.

— Et quand la voiture sera à Houston ? demanda Guidry.

— Une personne de confiance l'enverra au fond de la mer.

Guidry tendit le bras au-dessus du comptoir pour attraper la bouteille de scotch. Il se sentait un peu mieux.

— C'est vrai ? s'enquit-il. Ton père a vraiment travaillé ici ?

Seraphine haussa les épaules, ce qui signifiait soit *oui, bien sûr*, soit *non, ne sois pas ridicule.*

— Et qui se débarrasse de la bagnole à Houston ? demanda-t-il. Ton bonhomme qui est en train de l'emmener là-bas ?

— Non. Il est attendu ailleurs.

— Alors qui ?

Guidry, grâce à son poste élevé dans l'organisation – une branche ou deux à peine en dessous de Seraphine – connaissait la plupart des hommes de Carlos. Certains étaient plus fiables que d'autres.

— Qui que ce soit, t'as sacrément intérêt à pouvoir compter sur lui.

— Mais bien sûr, répondit-elle. Oncle Carlos lui fait une confiance absolue. Il ne nous a jamais déçus, ne serait-ce qu'une seule fois.

Qui est-ce ? allait de nouveau demander Guidry. Mais il se tourna vers Seraphine tout à coup.

— Moi ? fit-il. Non, c'est hors de question. Je ne m'approcherai certainement pas de cette satanée voiture.

— Ah non ?

— Je ne m'approcherai pas de cette satanée voiture, Seraphine, répéta Guidry en s'obligeant à sourire, cette fois. Ni maintenant ni même dans cent ans.

Elle haussa les épaules derechef.

— Mais *mon cher*, répondit-elle, dans cette affaire, à qui pouvons-nous faire davantage confiance qu'à toi ? Et si on va par là, à qui peux-tu davantage faire confiance qu'à toi-même ?

Au terme de cette éprouvante ascension, hors d'haleine, épuisé, Guidry découvrait seulement le sommet vers lequel Seraphine l'avait entraîné. C'était son plan depuis le début, comprit-il. Lui faire planquer l'Eldorado avant l'assassinat, afin qu'il soit suffisamment motivé – car c'était sa propre peau qu'il risquait, à présent – pour se débarrasser de la voiture après coup.

— Nom de Dieu ! fit-il.

Mais on ne pouvait qu'admirer le brio et l'élégance de

47

la manœuvre. Avait-on besoin de savoir prédire l'avenir, quand on pouvait le créer soi-même ?

De retour dans la rue, Seraphine lui tendit un billet d'avion.

— Ton vol pour Houston décolle demain, déclara-t-elle. J'ai bien peur que tu doives rater tes dessins animés du samedi matin. La voiture t'attendra au centre-ville, dans un parking payant, en face du Rice Hotel.

— Et ensuite ? demanda-t-il.

— Il y a un parc de réservoirs désaffecté au niveau du canal de navigation. Prends la route de La Porte en direction de l'est. Dépasse la raffinerie Humble Oil et continue ton chemin. Environ un kilomètre et demi plus loin, tu tomberas sur une route non signalée.

Et si le FBI avait déjà trouvé l'Eldorado ? Ils n'allaient pas le crier sur tous les toits, bien sûr. Ils attendraient qu'un pauvre cave se pointe pour la récupérer.

— Le soir tombé, tu auras toute la tranquillité qu'il te faudra, ajouta-t-elle. Le canal fait plus de dix mètres de profondeur. Ensuite, tu remonteras la route de La Porte à pied sur un peu plus de cinq cents mètres. Tu verras une station-service où il y a un téléphone. De là, tu pourras appeler un taxi. Et moi, du même coup.

Elle l'embrassa sur la joue. Au fil des années, son parfum capiteux n'avait jamais changé : du jasmin frais et ce qui ressemblait à des épices calcinées au fond d'une poêle en fonte. Guidry et elle avaient été amants, par le passé, mais de façon si fugace, et cela faisait si longtemps, que Guidry ne se rappelait cette époque que de façon très épisodique, et sans que cela éveille un quelconque sentiment en lui. Il doutait même que Seraphine en ait gardé le moindre souvenir.

— Vous savez bien manœuvrer vos pions, Carlos et toi, n'est-ce pas ? fit Guidry.

— Alors, tu vois, *mon cher* ? Tu n'as aucune raison de t'inquiéter.

Tandis que Guidry traversait à pied le Vieux Carré français, le parfum de Seraphine s'estompait peu à peu, et ses méninges carburaient à plein régime. Seraphine et Carlos avaient bien manœuvré leurs pions, en effet. Et si Guidry lui-même était l'un de ces pions ? Et s'il craignait le FBI, alors qu'en fait le véritable danger – Carlos et Seraphine – se tenait juste derrière lui, un grand sourire aux lèvres ?

Se débarrasser de l'Eldorado.

Puis se débarrasser de l'homme qui s'était débarrassé de l'Eldorado. Se débarrasser de l'homme qui était au courant pour Dallas.

Le prêtre sur les marches de la cathédrale Saint-Louis était toujours en train de sermonner ses fidèles avec véhémence. Ce n'était qu'un gamin à peine sorti du séminaire, joufflu et grassouillet. Il joignait ses mains serrées devant lui, comme s'il était sur le point de souffler sur les dés dans l'espoir que cela lui porte chance.

— Quand nous traverserons les eaux, Dieu sera avec nous, assurait-il à ses ouailles. Quand nous traverserons le feu, nous ne nous brûlerons pas.

Pour Guidry, cela ne s'était pas passé ainsi. Il écouta le prêtre une minute encore, puis tourna les talons.

4

Barone reçut le coup de fil à 21 heures. Comme prévu. Seraphine lui demanda de la retrouver chez Kolb pour dîner, une demi-heure plus tard. « Ne sois pas en retard », avait-elle précisé.

La garce.

— Quand ai-je jamais été en retard ? demanda Barone.

— Je te taquine, *mon cher*, répondit Seraphine.

— Dis-moi, quand ai-je jamais été en retard ?

« Chez Kolb », c'était le restaurant allemand sur St. Charles Avenue, non loin de Canal Street. Des murs recouverts de lambris sombre, des chopes de bière et des assiettes de *schnitzel* accompagnées de betteraves marinées au vinaigre. Carlos était italien, mais il adorait la cuisine allemande. En fait, il adorait la nourriture, quelle que soit son origine. Barone n'avait jamais vu personne, à La Nouvelle-Orléans, dévorer comme Carlos.

— Assieds-toi, dit Carlos. Tu veux manger quelque chose ?

Le restaurant était presque vide ; tout le monde était enfermé chez soi, en train d'écouter les infos.

— Non, répondit Barone.

— Mange quelque chose, insista Carlos.

Le plafond de Chez Kolb était équipé d'un système de ventilateurs reliés entre eux par des ceintures en cuir qui grinçaient et couinaient. Un petit bonhomme en bois portant des *lederhosen* tournait une manivelle pour actionner les ceintures et les ventilateurs.

— Il s'appelle Ludwig, dit Seraphine. Il est fiable et infatigable, tout comme toi.

Elle sourit à Barone. Elle aimait faire croire à ses interlocuteurs qu'elle pouvait lire dans leurs pensées et prédire le moindre de leurs mouvements. Peut-être était-ce le cas.

— C'est un compliment, *mon cher*, dit-elle. N'aie pas l'air si grognon.

— Goûte-moi plutôt ça, dit Carlos.

— Non.

— Allez, tu n'aimes pas la cuisine allemande ? Il faut oublier les vieilles querelles.

— Je n'ai pas faim.

Barone n'avait rien contre les Allemands. La guerre était finie depuis longtemps.

Seraphine ne mangeait pas non plus. Elle alluma une cigarette, puis reposa sa pochette d'allumettes sur la table devant elle. Elle la déplaça plusieurs fois, comme pour l'observer sous des angles différents.

— Il est temps que tu passes à l'action, dit-elle à Barone.

Comme s'il était trop bête pour le comprendre tout seul.

— L'affaire dont on a discuté, ajouta-t-elle.

— Houston ? demanda-t-il.

— Oui.

— Et Mackey Pagano, alors ? Je n'ai pas le temps de m'occuper de ça aussi.

— Ne t'inquiète pas, fit Seraphine. On s'en est déjà chargés.

— Est-ce que j'ai dit que je m'inquiétais ? rétorqua Barone.

— Tu as rendez-vous à Houston demain soir, annonça-t-elle. Comme on en a discuté. Il faudra tout de même que tu ailles voir Armand, d'abord. Ce soir.

Carlos continuait de manger, sans dire un mot, laissant à Seraphine le soin de tout gérer. La plupart des gens pensaient que si Carlos la gardait à ses côtés – cette fille de couleur qui s'habillait bien et s'exprimait bien –, c'était uniquement pour qu'elle lui fasse des pipes et qu'il lui dicte ses lettres. Mais Barone savait qu'il en allait tout autrement.

À chaque problème que rencontrait Carlos, Seraphine avait une solution.

— D'accord, dit Barone.

Sa Chevrolet Impala était garée sur Dumaine Street, à un pâté d'immeubles de Bourbon Street. C'était vendredi soir, et il n'y avait presque pas un chat dehors. Au coin de la rue, un vieil homme de couleur jouait *'Round Midnight* au saxophone alto pour quelques touristes. Barone alla l'écouter. Il avait une minute devant lui.

Le vieux savait jouer. Il fit un *ré* dièse et tint la note, qui s'éleva et se répandit comme de l'eau débordant au-dessus d'une digue.

Le type à côté de Barone le bouscula un peu. Barone sentit une main effleurer sa poche. D'un geste, il attrapa la main. Elle appartenait à un voyou malingre aux joues creuses. La peau pâle à l'intérieur de son bras était criblée de piqûres d'aiguille.

— Qu'est-ce que tu me veux, mon pote ? fit le camé, jouant les innocents. Si t'as envie de tenir la main à quelqu'un, va te trouver une…

Barone lui tordit la main vers l'arrière. Le poignet du gars était fragile comme un nid d'oiseau, fait de brindilles et de tendons. Barone vit le drogué changer d'expression.

— Oh ! fit ce dernier.

— Chut ! répondit Barone. Laisse le monsieur finir son morceau.

Barone ne se souvenait pas de la première fois qu'il avait entendu *'Round Midnight*. C'était au piano, probablement. Au fil des ans, il avait entendu peut-être cinquante, voire cent, versions différentes. Au piano, au saxophone, à la guitare, et même au trombone, une fois ou deux. Et, ce soir-là, le vieil homme de couleur lui donnait quand même l'impression d'entendre le morceau pour la première fois.

La musique s'arrêta. Les jambes du camé fléchirent sous lui, et Barone le libéra. Le lascar s'en alla en titubant et sans se retourner, plié en deux sur sa main comme s'il protégeait une flamme qu'il craignait de voir s'éteindre.

Barone laissa tomber un billet de un dollar dans l'étui du saxophone. Le vieil homme aurait pu avoir cinquante ans, comme il aurait pu en avoir quatre-vingts. Le blanc de ses yeux était aussi jaune qu'une vieille boule de billard, et des traces de piqûres d'aiguille couraient le long de ses bras, à lui aussi. Le vieux et le drogué étaient peut-être de mèche : l'un attirait la foule, pendant que l'autre lui faisait les poches. Sans doute.

Le vieil homme regarda le billet de un dollar, puis leva les yeux. Il rajusta l'embout de son saxophone alto. Il n'avait rien à dire à Barone.

Barone n'avait rien à lui dire non plus. Il regagna son Impala et se glissa derrière le volant.

Sur la rive ouest du Mississippi, juste en face de La Nouvelle-Orléans, il y avait un périmètre crasseux où l'on ne trouvait que des entrepôts de ferraille, des carrosseries, et des taudis délabrés et bancals, dont les toits de bois pourris tombaient en miettes. Les gens appelaient cet endroit *The Wank*, autant dire le cloaque. Barone comprenait pourquoi. La puanteur qui y flottait était unique en son genre. Deux raffineries fonctionnaient nuit et jour, libérant dans l'atmosphère une odeur de cramé qui collait aux vêtements et à la peau. Quand, sur la rive est, les bateaux balançaient leurs poubelles à l'eau, les détritus venaient s'échouer ici. Il y avait aussi des poissons morts, du genre que même les mouettes refusaient de toucher.

Barone quitta la route principale et fit emprunter à son Impala un sentier étroit de gravier de coquilles d'huîtres concassées, qui longeait les voies de chemin de fer. Les pneus crissaient et faisaient craquer les coquilles sous leur poids, le faisceau des phares bondissait par-dessus les rangées de pare-brise pulvérisés et de calandres enfoncées. Barone dépassa une pile de pare-chocs chromés de trois mètres de haut.

Il était minuit passé, mais le bureau était encore allumé,

comme Barone s'y attendait. Les habitudes ont la vie dure, décidément.

Le bureau d'Armand n'était qu'une cabane – quatre murs et un toit de tôle ondulée. Dans la pièce principale, il y avait un bureau, un canapé dont un accoudoir avait été scié pour qu'il puisse tenir dans cet espace confiné, et un réchaud qu'Armand utilisait pour faire du café. Il y avait également une pièce à l'arrière, derrière une porte qui, de prime abord, ressemblait à n'importe quelle autre porte. Mais celle-ci était en acier trempé. Un coup de pied là-dedans, et on se retrouvait boiteux pour le restant de ses jours.

Armand lança un grand sourire à Barone. Il était heureux de le voir. Et pourquoi ne l'aurait-il pas été ? Barone lui achetait sa meilleure camelote et ne marchandait jamais trop.

— Quoi de neuf, ma poule ? lança Armand. Qu'est-ce que tu deviens ? Depuis combien de temps t'es pas venu me rendre visite ? Trois mois ?

— Deux, répondit Barone.

— Tu veux boire quelque chose ? Regarde-toi. T'es tout beau, tout mince. On peut pas en dire autant de moi, ma poule. Moi, rien que zyeuter une assiette de haricots et de riz, ça m'fait grossir.

Il saisit son ventre à deux mains et se mit à le secouer devant Barone.

— Tu vois ça ? poursuivit-il. Alors, où tu créchais, ces jours-ci ? Toujours là-bas, du côté de Burgundy Street ?

— Non.

— Et qu'est-ce que t'en penses, toi, de tout ce pataquès à Dallas ? C'est vraiment une pitié, pas vrai ? Si tu veux mon avis, c'est encore un coup des Russes. J'en suis sûr à cent pour cent. Attends un peu, tu verras. Les Russes, j'te dis.

— J'ai un nouveau boulot en vue, dit Barone.

Armand éclata de rire.

— Le boulot, rien que le boulot, hein ? C'est toujours comme ça avec toi.

— J'ai besoin de quelque chose, ce soir.

— Qu'est-ce que tu cherches ?

— Dis-moi ce que tu as.

Armand sortit son porte-clés.

— Eh ben, des canons courts, fais ton choix, deux pouces ou quatre pouces. Garantis en règle, comme d'hab. Ou, si tu veux un grigri plus sérieux, j'ai aussi une carabine Magnum calibre .22 à canon scié.

— Tu la fais à combien ? demanda Barone.

— Elle m'a coûté cinq cents balles de plus que la dernière.

Barone eut l'air sceptique.

— Elle est réglo ?

— Garanti.

— Je ne paye pas les cinq cents de plus.

— Oh, ma poule, tu vas me faire mettre la clé sous la porte.

— Montre-la-moi, dit Barone.

Armand déverrouilla la porte qui menait à l'autre pièce. Elle faisait la moitié de la pièce principale – il y avait juste assez de place pour quelques boîtes et une malle. Armand s'accroupit pour ouvrir le cadenas de cette dernière. L'effort le faisait grommeler.

— Et LaBruzzo et les autres, comment ils vont ? demanda Armand. Tu sais sur qui je suis tombé l'autre jour ? Ce gros attardé de la salle de sport à Curley, moche comme un pou. Tu te souviens de lui, avec ses gros muscles ? Je sais que tu t'en souviens. Devine pour qui il travaille maintenant. Je vais te le dire. Il…

Armand leva les yeux et vit le pistolet dans la main de Barone. Un Blackhawk calibre 357.

Il lui fallut un instant pour reconnaître l'arme. Alors, le visage d'Armand se décomposa, comme si son masque venait de tomber. Il se releva.

— C'est moi qui te l'ai vendu celui-là, pas vrai ? lança-t-il. Je t'ai même filé une boîte de cartouches .38 Short Colt.

— Il y a deux ans, précisa Barone.

Aucune voiture ne circulait sur la route à cette heure de la nuit, et la cabane était très isolée. Mais Barone ne prenait jamais de risque – pas s'il pouvait l'éviter. Il décida donc d'attendre qu'une barge passe et fasse retentir sa corne.

— Écoute-moi bien, ma poule, dit Armand. Vous vous foutez complètement le doigt dans l'œil, Carlos et toi. Je sais absolument pas de quoi il s'agit.

Il avait une main le long du corps, et l'autre décrivait lentement des cercles sur son gros ventre. Barone n'était pas inquiet. Armand n'était jamais armé. Et les flingues rangés dans sa malle n'étaient jamais chargés.

— S'il te plaît, reprit Armand. J'ai rien balancé à personne. Ce qui s'est passé à Dallas, j'en ai pas la moindre idée. Je le jurerais devant Jésus en personne.

Armand savait donc de quoi il retournait, finalement. Cela n'étonnait pas Barone.

— S'il te plaît, ma poule, tu sais que je sais tenir ma langue, dit Armand. J'ai toujours su et je le saurai toujours. Laisse-moi parler à Carlos. Je vais régler ça avec lui.

— Tu te souviens de cette grande fête de Noël chez Mandina ? demanda Barone. Un an ou deux après la guerre ?

— Ouais, bien sûr, répondit Armand.

Il ne voyait pas pourquoi Barone lui parlait de cette fête de Noël qui remontait à si longtemps. Il ne comprenait pas non plus pourquoi Barone ne l'avait pas encore tué. Il commençait à se dire qu'il avait peut-être une chance de s'en tirer.

— Oui, bien sûr, je me souviens de cette fête.

C'était l'hiver de l'année 1946 ou 1947. Barone venait tout juste de se mettre au service de Carlos. Il vivait dans un appartement sans eau chaude, en bas de la rue de l'hôtel Roosevelt.

— Il y avait ce joueur de piano, poursuivit Barone, qui se demandait si ce n'était pas justement à cette fête de Noël qu'il avait entendu *'Round Midnight* pour la première fois. Un joueur de piano qui portait un haut-de-forme, ajouta-t-il.

— Et il y avait un sapin de Noël, renchérit Armand en hochant la tête avec un grand sourire, s'abandonnant enfin à l'espoir, dont il goûtait la douceur. Oui, c'est ça. Un grand sapin de Noël, avec un ange tout en haut.

Barone repensa au vieil homme qui jouait *'Round Midnight* sur son saxo alto, un peu plus tôt dans la journée, avec ses doigts qui volaient sur les touches. Certaines personnes naissaient avec un don.

Une barge fit enfin retentir sa corne – un son si fort, si grave, que Barone sentit ses molaires vibrer. Il appuya sur la détente.

À quatre cents mètres à l'est de la casse d'Armand, alors qu'il retournait vers le pont dans son Impala, Barone vit une voiture se diriger vers lui, en sens inverse. Une vieille Hudson Commodore, avec une visière de pare-brise, comme celle d'une casquette de base-ball.

Derrière le volant, il y avait une femme. Les phares de Barone éclairèrent son visage quand il la croisa. Ses phares à elle éclairèrent le sien.

Il freina et fit demi-tour. Lorsqu'il rattrapa la Commodore, il lui fit des appels de phares. La Commodore s'arrêta sur le bas-côté. Barone se gara juste derrière elle. Tandis qu'il avançait vers la vitre de la conductrice, il sortit son cran d'arrêt et mit un petit coup de lame dans le pneu arrière.

— Bon sang, vous m'avez fichu une sacrée trouille.

La femme portait des bigoudis. Qui était-elle ? Que faisait-elle ici au milieu de la nuit ? Barone se dit que ces questions étaient sans importance.

— Je vous ai pris pour un flic, nom d'un chien !

— Non, répondit-il.

Une de ses dents de devant était cassée. Elle avait un sourire chaleureux.

— Les flics, c'est bien la dernière chose dont j'ai besoin, à l'heure qu'il est.

— Vous avez un pneu à plat, dit Barone.

— Merde. Ça, c'est l'avant-dernière chose dont j'ai besoin, ce soir.

— Venez voir.

La femme sortit de sa voiture et en fit le tour. Elle portait une vieille robe de chambre de la couleur d'une eau de vaisselle sale. Quand elle entendit le sifflement qui émanait du pneu arrière, elle éclata de rire.

— Eh ben, si ça, c'est pas la cerise sur le gâteau ! s'exclama-t-elle en riant de plus belle.

Elle avait un joli rire, comme le tintement de pièces dans une poche.

— Après la journée que j'ai eue, c'est vraiment le pompon, ajouta-t-elle.

— Ouvrez le coffre, suggéra Barone, je vais vous changer votre pneu.

— Mon héros, répondit-elle.

Barone s'assura que la route était déserte, puis il lui trancha la gorge en la faisant un peu pivoter sur elle-même, de façon que le sang n'éclabousse pas son costume. Au bout d'une minute, elle s'affaissa complètement, comme une robe de soie qui glisse d'un cintre. Barone n'eut qu'à la faire basculer dans le coffre de sa voiture, sans fournir le moindre effort.

5

Pendant que tout le monde était regroupé autour de la télévision dans le salon, Charlotte inspecta la table du repas pour voir ce qu'elle aurait pu oublier. Elle était debout depuis cinq heures et demie du matin, à cuisiner, à enfourner, à râper et à émincer. Et la veille, elle était restée debout jusqu'à près de minuit, à polir l'argenterie et à repasser la nappe en dentelle irlandaise que les parents de Dooley leur avaient offerte pour leurs noces.

Avait-elle dormi ne serait-ce qu'une minute ? Elle n'en était pas tout à fait sûre. À un moment, allongée sur le dos, au cœur de la nuit, elle avait senti la truffe moustachue du chien remuer près de sa bouche, comme s'il s'assurait qu'elle respirait encore.

Martha, la mère de Dooley, fit irruption dans la cuisine.

— Tu as besoin d'aide, Charlie ? demanda-t-elle.

— Non, merci, répondit Charlotte. J'ai presque terminé.

— Tu es sûre ?

— Oui.

Martha et Arthur, le père de Dooley, étaient des gens adorables, très gentils, dont la générosité n'avait pas de limites. Si Charlotte n'avait pas poli l'argenterie, ni repassé la nappe, ou si elle avait oublié les petits pains ou la confiture d'airelles, ils auraient mis un point d'honneur à ne pas le faire remarquer.

Ce qui, d'une certaine façon, rendait la situation encore pire qu'elle n'était. Charlotte aurait aimé que ses beaux-parents soient moins gentils, moins adorables. Elle aurait préféré deux méchants acariâtres, des snobs froids comme la glace, des adversaires implacables qu'elle n'aurait jamais pu espérer apaiser. La sincérité avec laquelle le père de Dooley la regardait, s'efforçant de la comprendre, la façon dont sa mère, d'un geste spontané, tendait la main pour tapoter la sienne, la pitié qu'il leur arrivait de manifester à son égard… toutes ces marques d'attention lui étaient insoutenables.

Dans le salon, l'ambiance était sinistre et silencieuse. À la télévision, un attelage funéraire tiré par des chevaux transportait de la Maison-Blanche jusqu'au Capitole le cercueil du Président. Un journaliste interrompit le reportage pour confirmer que Lee Harvey Oswald, sur lequel on avait tiré plus tôt ce matin-là, était mort.

Charlotte vit que Joan et Rosemary étaient revenues en douce dans le salon pour regarder la télévision.

— Rosemary, Joan, fit-elle.

Rosemary se préparait à argumenter pour sa défense.

— Mais, maman…, commença-t-elle.

— Mais rien du tout, la coupa Charlotte. Je t'ai dit d'aller jouer dehors avec tes cousins.

Les filles avaient déjà été suffisamment exposées à des bulletins télévisés traumatisants pour leur jeune âge. Elles avaient compris qu'un méchant monsieur avait tué le président des États-Unis, elles n'avaient pas besoin de connaître tous les détails sordides.

— Mais ils jouent aux soldats dans le fort, dit Rosemary.

— Et alors ? rétorqua Charlotte.

— Ils disent qu'on ne peut pas jouer avec eux parce qu'on n'est que des filles.

Avant que Charlotte ait eu le temps de lui répondre, Bill, le frère de Dooley, lui tendit sa bouteille de bière vide.

— J'en prendrais volontiers une autre, Charlie, dit-il.

Pendant le bénédicité, les yeux fermés et la tête baissée, Charlotte laissa ses pensées retourner à cette fillette de onze ans qui fendait témérairement le courant pour traverser la rivière, dix-sept ans plus tôt. L'hiver suivant, le père de Charlotte – qui venait d'avoir trente-deux ans et respirait la santé – avait succombé à une crise cardiaque. Sa mort l'avait anéantie. Pour la première fois, Charlotte avait appris que les courants de la vie étaient plus traîtres qu'elle ne le croyait et qu'elle n'était pas une nageuse aussi forte qu'elle se l'était imaginé.

Après cela… que s'était-il passé ? La mère de Charlotte, une femme distante et timide, le devint d'autant plus. Elle dissuadait sans cesse Charlotte de prendre des risques, de se faire remarquer, et lui conseillait de ne pas trop attendre de la vie. Et, très rapidement, Charlotte n'eut plus besoin de sa mère pour se décourager, elle y arrivait parfaitement toute seule. Certes, elle s'était inscrite – malgré les réticences de sa mère – à l'université d'Oklahoma plutôt que dans l'un des plus petits établissements proches de chez elle, mais à peine eut-elle posé un pied sur le campus que Charlotte se sentit submergée. Elle venait d'avoir dix-sept ans, n'avait jamais quitté Woodrow auparavant et ne connaissait personne là-bas. Au mois d'octobre, six semaines seulement après le début des cours, elle plia bagage et rentra chez elle.

Elle trouva un emploi à la boulangerie, et c'est là qu'un après-midi elle engagea la conversation avec un client séduisant. Comme Dooley avait trois ans de plus qu'elle, Charlotte ne l'avait pas vraiment connu à l'école. Mais il était sympathique, drôle, et ne se prenait pas autant au sérieux que les autres garçons de la ville. Il l'invita à sortir avec lui et, peu de temps après, ils commencèrent à se fréquenter régulièrement. Bientôt, elle l'épousa, et ils s'installèrent dans une maison à deux pas de celle où elle avait grandi. Ensuite, elle tomba enceinte de Joan. Puis de Rosemary. Et maintenant, voilà où elle en était.

— Maman, chuchota Rosemary, c'est ton tour.

— Mon tour ? demanda Charlotte.

Son tour. Si seulement la vie pouvait être comme cela, pensa Charlotte : un jeu où l'on avait le droit de refaire tourner la roue à chaque tour, de tirer une nouvelle carte de la pioche. Et pourtant, qui pouvait nous garantir qu'une nouvelle carte ou qu'un nouveau tour de roue améliorerait vraiment notre position sur le plateau ?

« Il y a toujours plus cahoteux que la route qu'on a choisie », la mettait souvent en garde sa mère. En d'autres termes, contente-toi de ton lot, car la solution alternative peut s'avérer pire encore. Sa mère lui dispensait cette leçon de philosophie lorsque, par exemple, Charlotte se plaignait de son professeur de maths, en quatrième, qui refusait de laisser les filles de la classe poser des questions. Ou encore le jour où son patron, à la boulangerie, la suivit dans l'arrière-boutique et la plaqua contre le mur. Ou quand Charlotte commença à s'inquiéter du fait que Dooley, qui n'était encore que son fiancé, à l'époque, était un peu trop porté sur la boisson.

— C'est ton tour de dire à Dieu pour quoi tu es reconnaissante, maman, répondit Rosemary.

— Voyons un peu…, commença Charlotte. Je suis reconnaissante pour mes deux merveilleuses filles. Je suis reconnaissante que notre famille ait pu se joindre à nous, aujourd'hui. Je suis reconnaissante pour ce magnifique repas dominical.

Dooley découpa le rôti. Il tenait le couteau d'une main ferme. Chaque tranche de viande tombait dans l'assiette, parfaite et luisante. À chaque fois que ses parents venaient déjeuner chez eux, Dooley se limitait à une seule bière ou un verre de vin. Même si ses parents savaient – comme tout le monde, du reste – que cinq minutes après le départ du dernier invité Dooley sortirait, lui aussi. Sous prétexte d'aller acheter des cigarettes, d'envoyer une lettre ou de mettre de l'essence dans la voiture. Il n'en aurait que pour quelques minutes.

En ce début d'après-midi, la lumière qui entrait dans le salon par la fenêtre était austère, hivernale et d'une crudité impitoyable. La moitié de la table était éclairée, et l'autre, plongée dans l'ombre. C'était une lumière intéressante. Rosemary tendit la main vers le sel, le père de Dooley attrapa les petits pains, et Dooley passa la saucière à sa mère. Les bras se superposèrent et se croisèrent, créant plusieurs petits cadres à l'intérieur du cadre, dont chacun enfermait une nature morte miniature parfaite. Un œil, la perle d'un collier, les rayures d'une cravate. Charlotte aurait aimé avoir son appareil photo à portée de main. Elle se serait baissée et aurait pris la photo en contre-plongée, au niveau de la table.

— Le monde est en train de tourner en eau de boudin, disait le frère de Dooley. Pardonnez ma grossièreté, mesdames, mais c'est la vérité. Kennedy, Oswald, Ruby, les droits civiques. Les femmes qui croient qu'elles peuvent faire la même chose que les hommes.

— Mais est-ce qu'elles n'ont pas le droit d'essayer, au moins ? rétorqua Charlotte. Quel mal y a-t-il à cela ?

Sans l'écouter, Bill continuait sa diatribe, levant sa fourchette de plus en plus haut à chaque argument.

— C'est une bataille pour la civilisation, comme dans les films, dit Bill. Fort Apache, voilà ce que représente notre bonne ville de Woodrow. Il ne reste plus que nous pour continuer à repousser les Indiens. Il faut mettre les wagons en cercle et protéger les valeurs de ce pays avant qu'il soit mis sens dessus dessous par des gens qui ont la tête à l'envers. Prenez le Nègre, par exemple. Ce que la plupart des gens ne comprennent pas, c'est que, comme vous et moi, le Nègre préfère que les races soient séparées !

Dooley et son père opinaient du chef en l'écoutant. Charlotte était curieuse de savoir quand, exactement, le Nègre avait confié cette préférence à Bill. Mais elle manquait d'énergie – ou était-ce de courage ? – pour le lui demander. Bill était le deuxième avocat le plus réputé du comté de Logan, il n'avait jamais perdu un seul procès. Le premier, c'était le père de Dooley. Si Charlotte osait ne serait-ce que tremper un orteil dans une discussion d'ordre politique, ces messieurs lui exposeraient aimablement et implacablement les diverses failles de sa logique, avec la même minutie que celle que l'on déploie pour débarrasser un poisson de toutes ses arrêtes.

La belle-sœur de Charlotte lui toucha le bras et se mit à l'entretenir d'un nouveau patron de couture qu'elle venait de découvrir – un ravissant modèle de liquette à plastron plissé.

— Ce qui s'est passé est une horrible tragédie, déclara le père de Dooley, mais le bon côté de la chose, c'est que Johnson fera un meilleur président que Kennedy. Johnson n'est pas aussi libéral. Il vient du Sud, il comprend l'importance de la modération.

— Je n'arrive pas à me décider entre un lainage fin à motif écossais et une cotonnade à petits carreaux discrets, poursuivait la belle-sœur de Charlotte. Et toi, tu élirais lequel ?

Charlotte tourna la tête et vit que Joan la regardait. Et que voyait-elle ? se demanda Charlotte. Qu'apprenait-elle, au juste ?

Après le repas, les hommes se retirèrent dans le salon, les enfants sortirent jouer dehors, et Charlotte commença à faire la vaisselle. La mère de Dooley la suivit dans la cuisine. Charlotte chercha à l'éloigner des assiettes sales, mais Martha l'ignora et se mit à les frotter vigoureusement.

— Comment vas-tu, ces temps-ci, ma chérie ? demanda-t-elle – ce qui signifiait en fait, Charlotte le savait, *comment va-t-il ?*

— Ça va bien, répondit Charlotte.

— Les filles sont de vrais petits anges.

— Eh bien… Les avis divergent à ce sujet.

Martha posa une assiette en haut de la pile.

— Nous l'avons terriblement gâté, déclara-t-elle après un moment. C'était le plus jeune, tu sais.

Charlotte secoua la tête.

— Non, Martha, répondit-elle.

Si quelqu'un devait être tenu pour responsable de l'homme que Dooley était devenu, c'était bien Charlotte. Quand elle n'était encore que sa petite amie, elle avait sottement refusé de voir ses défauts, et lorsqu'elle était devenue sa femme elle lui avait tout passé, car la solution alternative était trop difficile à envisager.

— Nous aimerions vous aider, Arthur et moi, dit Martha.

Charlotte secoua de nouveau la tête, comme à chaque fois qu'elle rejouait ce rituel familier.

— Vous en avez déjà bien trop fait, Martha.

— Nous savons à quel point la vie peut être difficile pour un jeune couple.

Les larmes montèrent aux yeux de Charlotte, sans crier gare. Un sentiment de honte cuisante l'envahit. Elle se retourna pour essuyer la cuisinière, afin que Martha ne s'en aperçoive pas. Et pour que cette dernière puisse discrètement glisser les billets pliés dans la poche du tablier de sa belle-fille.

— Vraiment, dit Charlotte, ce n'est pas nécessaire.

— Nous insistons, répliqua Martha. Nous aimerions seulement pouvoir vous donner davantage.

Une demi-heure plus tard, ils étaient partis – les parents de Dooley, son frère, sa belle-sœur, leurs trois enfants, tous étaient rentrés chez eux. Cinq minutes après, alors que Charlotte remplissait d'eau chaude et de liquide vaisselle le plat vide du rôti, Dooley entra dans la cuisine avec son manteau, son chapeau et ses gants.

— Il va nous falloir du lait pour demain matin, n'est-ce pas ? demanda-t-il en déposant un baiser sur la joue de Charlotte. Je ferais mieux d'y aller avant que le magasin ferme.

— Ta mère m'a encore donné trois cents dollars, dit Charlotte.

Il se frotta la nuque. Dooley aimait goûter aux fruits de la charité sans devoir faire preuve de reconnaissance envers l'arbre qui les lui offrait ou la personne qui les avait cueillis.

— Oh ! nom d'une pipe, Charlie ! fit-il. Je ne veux pas de leur argent. Nous n'en avons pas besoin.

Elle eut envie de rire. Mais elle se contenta d'éteindre l'eau chaude et de s'éloigner du nuage de vapeur qui s'échappait de l'évier.

— Elle a insisté, répondit-elle.

— Eh bien, la prochaine fois, tu refuses, Charlie. Tu as compris ?

Il se dirigeait vers la porte à petits pas.

— Bon, il vaut mieux que je me dépêche d'aller chercher ce lait, ajouta-t-il.

— Et tu n'en as que pour quelques minutes, c'est ça ? ajouta Charlotte. Juste après avoir bu un seul petit verre.

Dooley s'arrêta net. Son expression rappela à Charlotte la photo qu'elle avait vue tout l'après-midi, à la télé : Lee Harvey Oswald plié en deux, la bouche arrondie en un O parfait, tandis que Jack Ruby lui tirait une balle dans le ventre.

Charlotte non plus n'en revenait pas de son audace. Mais, quand le vin est tiré, il faut le boire.

— On ne peut pas continuer comme ça, reprit-elle.

— Continuer comme quoi ? demanda Dooley.

— Il faut qu'on s'asseye et qu'on en parle, chéri. Qu'on en parle vraiment, pour une fois.

— Qu'on parle de quoi ?

— Tu sais bien.

Le visage de Dooley s'assombrit ; Charlotte y vit s'amonceler les nuages qui annonçaient une tempête d'indignation légitime. Ivre, Dooley jurait que jamais plus de sa vie il ne boirait une seule goutte d'alcool. Sobre, il jurait que jamais de sa vie il n'en avait bu la moindre goutte.

— Ce que je sais, rétorqua-t-il, c'est que les filles vont avoir besoin de lait dans leurs céréales demain matin.

— Dooley...

— Qu'est-ce qui t'arrive, Charlie ? demanda-t-il. Pourquoi tiens-tu à gâcher le dimanche de tout le monde ?

Elle sentit son énergie l'abandonner. Il réagirait toujours ainsi, et cela ne changerait jamais. Quand on se mettait entre Dooley et une bouteille, il déployait la force et l'opiniâtreté de la vague qui assaille la falaise et la réduit à l'état de sable. Renoncer était la seule réaction sensée.

— Vas-y, lâcha-t-elle enfin.

— Tu ne veux pas que les filles aient du lait dans leurs céréales, demain matin ?

— Vas-y, répéta-t-elle. Je suis désolée.

Il partit, et Charlotte plia la nappe. Elle balaya les miettes sous la table de la salle à manger et alla voir les filles dans leur chambre. Rosemary n'avait pas moins de trois albums Disney ouverts devant elle, dans la collection des « Merveilles de la nature » : *Everglades, monde mystérieux, La Grande Prairie* et *La Terre, cette inconnue.* Quant à Joan, elle découpait soigneusement des carrés dans des feuilles de papier cartonné de couleur. Le chien était roulé en boule entre elles, sur le lit du dessous, comme d'habitude.

— Qu'est-ce que tu fais, ma chérie ? demanda Charlotte à Joan.

— Elle a inventé un jeu, dit Rosemary. Elle va m'apprendre à y jouer quand elle aura fini de l'inventer. Où est papa ?

— Il est parti au magasin, répondit Charlotte.

Joan releva la tête. Elle échangea un coup d'œil avec Rosemary. Ou bien Charlotte l'avait-elle imaginé ? Elles étaient sans doute encore trop jeunes pour comprendre.

— Quelles sont les règles du jeu, Joan ? s'enquit Charlotte.

— Elles sont très compliquées, affirma Rosemary. N'est-ce pas, Joan ?

— Oui, acquiesça Joan.

— Maman ? fit Rosemary. Est-ce que Mme Kennedy est très, très triste que le Président soit mort ?

— J'imagine que oui.

— Qu'est-ce qu'elle va faire, maintenant ?

— Ce qu'elle va faire ? Je ne sais pas trop. Tu veux dire…

— Avec qui elle va vivre ? demanda Rosemary. Qui va s'occuper d'elle ?

La question surprit Charlotte.

— Eh bien, j'imagine qu'elle s'occupera d'elle-même toute seule.

Rosemary eut l'air d'en douter. Elle échangea un autre regard avec Joan.

— Maman ? lança Rosemary.

— Une dernière question, dit Charlotte, et après il faut que j'aille décrocher les vêtements de la corde à linge avant qu'il fasse nuit.

— Tu serais très, très triste, si papa mourait, n'est-ce pas ?

— Papa ne va pas mourir, je te le promets.

— Mais tu serais très, très triste.

— Bien sûr, que je serais triste, répondit Charlotte sans mentir.

Dooley n'était pas un mauvais homme, loin de là. Il aimait Charlotte, il aimait ses filles, et jamais il n'avait levé la main sur elles, même sous le coup de la colère. Et quant à son alcoolisme… Charlotte savait qu'au fond de lui il voulait vraiment s'arrêter. Un jour, peut-être, il réussirait à le faire.

Mais imaginons qu'il s'arrête réellement de boire. Que se passerait-il alors ? La vie de Charlotte serait plus facile, sans doute, mais serait-elle plus heureuse pour autant ? Les secondes, les minutes et les heures continueraient de s'égrener avec la même lenteur. Les semaines, les mois, les années. L'avenir que Charlotte aurait pu avoir, toutes ces différentes femmes qu'elle aurait pu devenir, tous ces fantômes iraient en s'effaçant, de loin en loin, jusqu'à disparaître tout à fait. Et, avec un peu de chance, Charlotte oublierait qu'ils l'avaient jamais hantée.

Et les filles ? Cela faisait de la peine à Charlotte d'imaginer qu'un jour Rosemary et Joan se poseraient peut-être la question que Rosemary venait de formuler, mais à leur propre sujet : *Qu'allons-nous faire ? Qui s'occupera de nous ?*

Rosemary avait replongé le nez dans ses livres, et Joan dans ses carrés de papier cartonné. Charlotte s'attardait dans l'embrasure de la porte. Elle pensa à la première réaction qu'elle avait eue en apprenant l'assassinat du Président. À quel point cette nouvelle lui avait donné l'impression d'être à jamais figée, comme *fixée*, dans sa vie. Mais peut-être que ce sentiment n'était pas une fatalité. Non, bien sûr, son monde ne changerait jamais – sauf si elle faisait *elle-même* quelque chose pour le changer.

La tornade avait certes emporté Dorothy du Kansas jusqu'au pays d'Oz, mais c'était bien Dorothy qui avait dû ouvrir la porte de sa ferme pour en sortir.

Les doigts de Charlotte effleurèrent les billets dans la poche de son tablier. Trois cents dollars. Elle avait peut-être deux fois cette somme sur le compte d'épargne des filles

– l'argent qu'elle avait mis de côté pour leurs études et que Dooley, qui en ignorait l'existence, n'avait pas pu gaspiller.

Neuf cents dollars en tout. Cela ne suffisait certainement pas. Mais Charlotte ne réfléchit pas à deux fois.

— Les filles, dit-elle, allez faire vos valises.

— On va quelque part ? demanda Rosemary tout excitée. Quand est-ce qu'on part ?

Il arrivait régulièrement à Charlotte de rêver qu'elle pouvait voler. Redevenue enfant, elle se rendait à l'école en sautillant et se retrouvait tout à coup en train de planer sans effort au-dessus des voitures, des arbres, des maisons. Le secret, c'était de ne pas réfléchir à ce qui se passait, à ce qu'elle faisait. Il fallait faire semblant que c'était un jour comme un autre, sinon le charme serait rompu, et elle s'écraserait au sol.

— Maman, quand est-ce qu'on part ? répéta Rosemary.

— Tout de suite. Dans cinq minutes.

— Est-ce que papa vient aussi ? s'enquit Joan.

— Non. C'est un voyage entre filles.

— Et Lucky ? lança Rosemary.

Le chien. Oh ! Seigneur. Charlotte ne pouvait pas laisser cette pauvre bête ici. Dooley risquait d'oublier de le nourrir ou de lui donner ses médicaments. Il risquait même d'oublier que le chien existait.

— Lucky peut venir avec nous, répondit Charlotte. Maintenant dépêchez-vous, allez faire vos valises.

— Est-ce que je peux prendre une poupée, ou deux poupées ? demanda Rosemary.

— Une seule.

— Est-ce que deux petites poupées, ça compte comme une grande ?

— Non.

— Mais Joan peut emporter une poupée, elle aussi. Et on peut prendre un livre chacune.

— Oui. Allez-y, maintenant.

Rosemary s'en fut en sautillant. Joan observa Charlotte d'un air solennel.

— Où est-ce qu'on va, maman ? s'enquit-elle.

Charlotte tendit la main pour lisser cette chevelure dorée qui n'avait jamais besoin de l'être.

— On va bientôt le découvrir.

6

Vendredi soir, le dîner de Guidry avec Al LaBruzzo s'éternisait. Fidèle à lui-même, Guidry faisait des étincelles, merci bien mesdames et messieurs, mais cela lui demandait plus d'efforts que d'habitude. Il ne parvenait pas à chasser de son esprit l'idée que peut-être – peut-être seulement – Seraphine et Carlos projetaient de le tuer.

Non, ne sois pas ridicule.

Mais si, c'était logique. Guidry était au courant de l'existence de cette Eldorado et du rôle qu'elle avait joué dans l'assassinat. Cela faisait de lui une menace.

Mais, d'un autre côté, il était l'un des plus fidèles associés de Carlos, en plus d'être l'ami et le confident de Seraphine. Il avait prouvé sa loyauté tant de fois au fil des ans, il suffisait de les compter ! Il y en avait plus qu'Al LaBruzzo n'avait de doigts.

Et, si l'on considérait les choses d'un point de vue plus pragmatique, le travail de Guidry était indispensable pour l'organisation. C'était lui qui ouvrait les portes par lesquelles s'engouffraient l'argent et les relations. Carlos – qui était si près de ses sous qu'on entendait les pièces tinter dans ses poches quand il marchait – ne se débarrasserait jamais d'un atout aussi précieux que Guidry. « Qui ne gaspille rien ne connaît jamais le besoin », disait toujours Carlos.

Après dîner, Guidry prit un taxi pour remonter Canal Street jusqu'au cinéma Orpheum, dans lequel il entra, au beau milieu d'une séance. C'était un western comique avec

John Wayne et Maureen O'Hara, qui faisaient les guignols à cheval dans un ranch. La salle était presque vide.

Se débarrasser de l'Eldorado.

Puis se débarrasser de l'homme qui s'était débarrassé de l'Eldorado. Se débarrasser de l'homme qui était au courant pour Dallas.

Le projecteur faisait un bruit métallique. De la fumée de cigarette s'élevait et se répandait dans le faisceau lumineux qui émanait de la cabine du projectionniste. Trois couples étaient assis, à différents endroits de la salle, et il y avait deux autres types, en solo, comme Guidry. Personne n'était entré depuis qu'il s'était laissé tomber dans son fauteuil. Il était prêt à mettre sa main au feu que personne n'avait suivi son taxi sur Canal Street.

Guidry laissait son imagination lui jouer des tours. Sans doute. Il avait vu ce genre de choses arriver à des types qui avaient vécu trop longtemps. Le stress de la vie les usait comme l'écume de la mer ronge le bois tendre, et ils se mettaient à se désagréger.

« Peut-être que je deviens fou. » C'était ce que Mackey Pagano avait dit à Guidry lorsqu'il l'avait supplié de vérifier si Carlos voulait le faire tuer. « Peut-être que je deviens fou. »

Mais Mackey n'était pas fou, n'est-ce pas ? Carlos avait *bel et bien* voulu le faire tuer, et à présent Mackey n'était très certainement plus de ce monde.

Qu'est-ce que Mackey avait dit d'autre, ce mercredi soir au Monteleone ? Guidry chercha à se le rappeler. Il avait parlé d'un type de San Francisco et de l'assassinat du juge, un an plus tôt, que Carlos avait finalement décidé d'annuler.

C'était le genre de tâches dont Mackey s'était chargé, ces dernières années : recruter des spécialistes dans d'autres villes, lorsque Carlos n'avait personne sous la main pour se charger d'un boulot.

Des spécialistes, des indépendants qui travaillaient sous contrat. Comme, peut-être, le tireur d'élite capable d'abattre le président des États-Unis, avant de s'enfuir à bord d'une Eldorado bleu ciel.

Bientôt, Guidry n'arriva plus à supporter tout le remue-ménage qui se déroulait à l'écran. Il quitta la salle avant la fin du film et regagna son immeuble à pied. Personne ne le suivait, il en était sûr à quatre-vingt-dix-neuf pour cent.

L'assassinat annulé du juge, l'année dernière. Peut-être s'agissait-il encore de l'un de ces écrans de fumée dont Seraphine avait le secret. Guidry savait bien comment elle fonctionnait. Tapie dans l'ombre, elle avait dû embaucher, à cette occasion, le tireur que Carlos avait envoyé à Dealey Plaza aujourd'hui.

Mackey avait dû assembler certaines pièces du puzzle, ces derniers jours. Il avait dû se rendre compte qu'il était en possession d'informations dangereuses.

Et maintenant, Guidry était tombé sur les mêmes morceaux du puzzle. Il possédait les mêmes informations dangereuses. Et pourquoi ne pas faire d'une pierre deux coups, tant qu'on y était ? Grands dieux ! La journée de Guidry était de plus en plus merdique.

Mais il y avait encore de l'espoir. Il était encore possible que ce qui était arrivé à Mackey ne soit qu'une coïncidence, que Carlos l'ait fait buter pour des raisons qui n'avaient strictement rien à voir avec l'assassinat de Kennedy.

Guidry connaissait quelqu'un qui pourrait l'éclairer là-dessus. Lorsqu'il atteignit son immeuble, il évita le hall d'entrée et se rendit directement au garage. Chick était affalé dans sa guérite et contemplait fixement son poste de radio, comme si c'était sa chère maman elle-même qui venait de se faire tuer à Dallas. Les Noirs pensaient que Jack Kennedy les aimait. Désolé de t'annoncer ça, Chick, mais Jack Kennedy était comme tous les petits malins : il n'aimait personne d'autre que lui-même.

— Tu veux bien me sortir ma voiture, Chick ? demanda Guidry.

— Oui, monsieur Guidry, répondit Chick. Z'avez entendu les infos ? Oh ! Seigneur, Seigneur !

— Tu sais ce que dit la Bible, Chick : « Quand tu marcheras à travers le feu, tu ne brûleras point. »

— Ouais, z'avez raison, dit Chick en soufflant dans son mouchoir. Z'avez raison.

Guidry traversa le pont en voiture pour rejoindre la rive ouest. Il tenta d'abord sa chance à la casse. Chose surprenante, Armand n'était pas dans la petite cabane qui lui servait de bureau. Guidry cogna à la porte, jusqu'à en avoir les articulations engourdies. Ce n'était pas grave. Il savait où Armand habitait. Ce n'était pas trop loin d'ici, sur la route, dans un petit quartier propret de petites maisons *shotgun*[1], à Algiers Point.

C'est la femme d'Armand qui vint lui ouvrir la porte. Esmeralda, beauté cajun flétrie – vestige d'une civilisation autrefois glorieuse. Guidry aurait bien aimé la connaître dans sa jeunesse. Comment un revendeur de flingues bavard et grassouillet tel qu'Armand avait-il réussi à décrocher un si gros lot ? C'était une véritable énigme.

Mais pour l'heure, Guidry avait une autre énigme à résoudre en priorité. Il croisa les doigts pour qu'Armand puisse l'éclairer. Armand connaissait Mackey depuis presque un demi-siècle. Ils avaient grandi ensemble, tous les deux. Armand saurait certainement ce qui lui était arrivé.

— Désolé de te déranger, Esme, je sais qu'il est tard, dit Guidry.

Il était tard, en effet. Mais les lampes à l'intérieur de la maison étaient toutes allumées, et une odeur de café fraîchement moulu provenait de la cuisine. Bizarre.

— Salut, Frank, répondit Esme.

— Je cherche Armand. Il n'est pas à son bureau.

— Il n'est pas à la maison.

— J'aimerais te l'emprunter un peu, Esme, annonça Guidry. Je sais que vous êtes mariés depuis longtemps mais, si tu me donnes le mode d'emploi, je ferai tout ce qu'il faut.

— Il n'est pas ici, répéta-t-elle.

— Non ? Et tu sais où il est ?

---

1. Petites maisons en bois, étroites et de plain-pied, typiques du sud des États-Unis, et de La Nouvelle-Orléans en particulier.

C'était étrange, également, qu'Esme n'ait pas encore invité Guidry à entrer, qu'elle ne lui ait pas proposé de prendre une tasse de café. Toutes les fois où Guidry leur avait rendu visite ces dernières années, elle le traînait littéralement à l'intérieur et le clouait sur le canapé, où elle se mettait à flirter avec lui comme si elle avait encore dix-sept ans. D'habitude, Guidry devait se montrer aussi habile que Houdini pour réussir à s'échapper.

Et pourquoi, puisqu'elle était encore debout à cette heure-ci, n'avait-elle pas allumé la radio ou la télévision ? Esme aurait été prête à se jeter sous les roues du tramway St. Charles pour Jackie Kennedy.

— Il est à la pêche, répondit Esme. Il est parti à Atchafalaya pour quelques jours. Tu sais à quel point il aime cet endroit.

Au printemps, quand les bars mordaient, oui, bien sûr. Mais en novembre ?

— Quand est-ce qu'il rentre ? demanda Guidry.

— Je ne sais pas.

Elle sourit, sans se forcer, semblait-il. Mais Guidry *sentait* quelque chose d'anormal. De la peur ? Il jeta un œil dans la maison, par-dessus l'épaule d'Esmeralda, et vit une valise posée près de la porte de la cuisine.

— Ma sœur à Shreveport, répondit Esme avant même que Guidry ait pu l'interroger à ce sujet. Je vais prendre le bus pour lui rendre visite ce week-end.

— Comment est-ce que je peux mettre la main sur Armand ? demanda Guidry.

— Je ne sais pas. Au revoir, Frank.

Elle referma la porte. Guidry retourna lentement à sa voiture. Armand était mort. Guidry chercha à éluder cette idée, mais il fallait bien se rendre à l'évidence. Armand s'était fait buter, comme Mackey, et Esme le savait. Et elle était terrorisée à l'idée que Carlos s'en prenne à elle à son tour, si jamais elle en soufflait un mot à qui que ce soit. Elle était maligne.

Mackey s'était fait descendre car c'était lui qui avait recruté le tireur d'élite.

Armand s'était fait descendre car... là, ce n'était pas

sorcier à comprendre. Car c'était le fournisseur d'armes le plus discret et le plus fiable de Carlos. On ne l'aurait pas dit, à le voir dans sa cabane de ferrailleur, mais Armand était capable de se procurer n'importe quel type d'arme et de l'acheminer n'importe où.

Les preuves s'accumulaient. Carlos coupait un à un tous les fils qui le reliaient à l'assassinat. Et qui était le prochain sur la liste, sinon Guidry ?

Non, ne soyons pas ridicule. Il était un atout précieux, etc. Son poste dans la hiérarchie n'était qu'une branche ou deux en dessous de Seraphine, etc. Mais cette idée n'était finalement pas aussi rassurante qu'il l'avait cru tout d'abord. De là-haut, il pouvait tout voir – trop, sans doute – et assembler toutes les pièces du puzzle.

Et ce chef adjoint nerveux, à Dallas, la raison officielle pour laquelle Seraphine avait envoyé Guidry là-bas ; est-ce que c'était aussi un mauvais point pour lui ?

Lorsqu'il traversa dans l'autre sens le pont qui enjambait le Mississippi, l'eau noire en contrebas lui rappela le rêve qu'il avait fait la veille. Les présages et les augures.

Carlos et Seraphine auraient pu utiliser n'importe qui dans l'organisation pour planquer l'Eldorado à Dallas – quelqu'un dont il aurait été facile de se débarrasser par la suite. Pourquoi leur choix s'était-il porté sur Guidry ? Peut-être avaient-ils déjà décidé qu'il avait fait son temps.

Il prit une chambre dans un motel bon marché à Kenner, en banlieue. Il pensait que Seraphine ne tenterait rien avant qu'il se soit débarrassé de l'Eldorado à Houston, mais il valait mieux rester prudent. Guidry avait toujours une valise dans sa voiture. Une brosse à dents, des vêtements de rechange, deux mille dollars en liquide. Le lendemain matin, samedi, il alla au terminal de Moisant et étudia le tableau des départs. Le vol pour Houston sur lequel Seraphine lui avait réservé une place décollait à 10 heures. Il y avait un vol pour Miami à dix heures et demie.

Guidry pouvait prendre le vol pour Miami et essayer de disparaître. Mais imaginons qu'il ne soit pas sur la liste de

Carlos, en fin de compte. Si Guidry s'enfuyait maintenant, il était sûr de se les mettre à dos pour de bon. Félicitations !

S'il s'enfuyait, il devrait tout abandonner derrière lui. Toute sa vie. Les sourires, les hochements de tête respectueux, les grooms du Monteleone qui s'empressaient de lui ouvrir la porte, les belles brunes et les rouquines qui lui faisaient de l'œil depuis l'autre bout de la salle.

Et surtout, il avait laissé son bas de laine chez lui. Nom d'un chien, comment était-il censé disparaître à tout jamais avec seulement deux mille dollars dans son portefeuille ?

Seraphine avait peut-être envoyé quelqu'un à l'aéroport pour le surveiller. Cette possibilité n'était pas à exclure. Il se dirigea donc d'un pas nonchalant vers le bar, commanda un bloody mary et se mit à bavarder avec la serveuse. Frank Guidry n'avait pas l'ombre d'un souci !

Après le dernier appel aux passagers, il embarqua dans l'avion pour Houston. Carlos n'allait pas le descendre. Seraphine ne le laisserait pas faire. Armand et Mackey, c'étaient des bêtes de somme, des pièces de rechange. Guidry, lui, était le bras droit du bras droit du roi lui-même. Il était intouchable. Du moins, il l'espérait.

Le Rice, à l'angle de Main Street et de Texas Avenue, était l'hôtel le plus chic de Houston, avec une piscine au sous-sol et une piste de danse couverte sur le toit. Les décorations de Thanksgiving étaient sorties – une dinde en papier mâché coiffée d'un chapeau de pèlerin, une corne d'abondance débordant de pommes et de courges en cire. Mais le hall d'accueil donnait l'impression d'être en deuil, les pas y étaient feutrés, et les voix, étouffées. Kennedy avait passé la nuit dans une suite de cet hôtel la veille de son assassinat. Sans doute une nuit fort plaisante, étant donné les histoires que Guidry avait entendues à son sujet.

La chambre de Guidry, au huitième étage du Rice, donnait sur le parking payant de l'autre côté de la rue. Il aperçut, garée au fond, dans un coin, la Cadillac Eldorado bleu ciel, dont les chromes étincelaient au soleil. Guidry observa la voiture un moment. Puis le parking. Il recompta son argent. Deux mille cent soixante-quatorze dollars. Il appela le room service pour se faire monter un club sandwich, une bouteille de Macallan et un seau de glace. *N'y pense pas comme à ton dernier repas. Surtout pas.* Il accrocha sa veste derrière la porte de la salle de bains et fit couler de l'eau brûlante dans la douche, afin que la vapeur fasse disparaître les plis sur le tissu en laine.

À seize heures trente, il traversa la rue et enfila ses gants italiens en cuir de veau pour aller se glisser derrière le volant de l'Eldorado. Il prit la direction du sud, vers La Porte, vitre baissée pour évacuer l'odeur lancinante de sueur, de cigarettes Camel et de brillantine qui hantait l'habitacle. Où était-il, à présent, ce spécialiste de San Francisco qui avait tiré le coup de feu fatal et avait conduit l'Eldorado jusqu'ici depuis Dallas ? Parti depuis longtemps, supposa Guidry, d'une façon ou d'une autre.

Il respecta la limitation de vitesse, tout en s'assurant qu'il n'était pas suivi. Quelques pâtés d'immeubles avant La Porte, il se gara dans le parking bondé d'un restaurant mexicain.

La banquette arrière était vide. Il ouvrit le coffre. Pour quoi faire ? Guidry n'aurait pu l'affirmer avec certitude. Il voulait simplement en savoir le plus possible. C'était déjà le cas à l'époque où il portait encore des couches.

Un vieux sac militaire en toile, couleur olive, à cordon coulissant. Guidry l'ouvrit. À l'intérieur, enveloppés dans une chemise d'ouvrier en jean, il y avait un fusil à verrou ainsi qu'une lunette de visée avec grossissement de quatre fois la cible. Une boîte de cartouches de 6,5 millimètres, deux douilles en laiton. Des jumelles. L'étiquette brodée sur la chemise affichait :

DALLAS MUNICIPAL TRANSIT AUTHORITY
Compagnie de transports publics de DALLAS

Guidry resserra le cordon du sac et ferma le coffre. Il prit la direction de l'est, sur La Porte Road, et longea plusieurs kilomètres de lotissements de pavillons neufs en préfabriqué, le genre qui s'effondrait au moindre éternuement. Puis les maisons cédèrent la place à des raffineries, des usines chimiques et des chantiers navals. Après la raffinerie Humble Oil, la dernière de la rangée, commençait une longue étendue de marécages et de pinèdes. « Il est un plaisir dans les bois sans chemins. » Quel dandy anglais camé avait écrit cela, déjà ? Guidry ne s'en souvenait plus. Coleridge ou Keats, Byron ou Shelley. L'un d'entre eux. « Je n'en aime pas moins l'homme, mais davantage la Nature. »

Le soleil disparaissait à l'horizon, derrière Guidry. Ce soleil ne ressemblait pas à grand-chose, de toute façon : juste une tache grise et brillante dans le gris plus sombre du ciel, comme le coude usé d'une veste miteuse.

Il n'avait croisé aucune autre voiture, ni dans un sens ni dans l'autre, depuis qu'il avait dépassé la raffinerie Humble. La route non signalée était un sentier étroit d'asphalte défoncé et de boue noire, qui avait été taillé au milieu des arbres.

Guidry s'y engagea, puis s'arrêta. Devait-il continuer ou faire marche arrière ? Indécis, il réfléchissait. Son père jouait à un jeu, autrefois, lorsqu'il était un peu soûl, ou très soûl, ou lorsqu'il n'avait rien bu du tout, mais s'ennuyait, tout simplement. Il tendait les mains devant lui et demandait à Guidry ou à sa petite sœur de choisir une main. La gauche ou la droite ? On ne gagnait jamais à ce jeu-là. Une main était un coup de poing, l'autre une gifle. Si l'on perdait son sang-froid et qu'on ne choisissait pas assez vite, on recevait les deux, et ce bon vieux papa riait à s'en décrocher la mâchoire.

La route menait à une clôture grillagée qui s'affaissait. Le portail était ouvert. La partie inférieure de l'écriteau en bois accroché à ce dernier s'était complètement effritée. Tout ce qui restait était un grand INTERDIT, écrit en rouge.

Les présages et les augures. Guidry continua entre les deux rangées de barils rouillés et entassés les uns sur les autres, qui s'élevaient aussi haut que des maisons. Lorsqu'il atteignit le quai, il coupa le contact et sortit de l'Eldorado. Il y avait dans l'air quelque chose qui lui brûlait les yeux – à la base des cuves, une sorte de gadoue mêlée aux mauvaises herbes dégageait une odeur entêtante d'excréments et de pourriture, une puanteur vénéneuse et chimique.

Un jour, à l'âge de sept ou huit ans, Guidry avait refusé de se prêter au jeu de son père – il avait refusé de choisir entre la main droite et la main gauche. Ce petit acte de rébellion lui avait coûté cher, mais Guidry n'aimait pas les surprises. Il préférait recevoir le coup de poing *et* la gifle, plutôt que de ne pas savoir à quoi s'attendre.

Il balaya les environs du regard. Il n'aperçut aucun éclat de métal, ni n'entendit le moindre bruit. Mais cela ne tarderait sans doute pas, se dit-il.

Une lourde chaîne formait une boucle entre deux taquets en acier, mais la clé était sur le cadenas. Décidément, Seraphine lui avait simplifié la vie. Ou plutôt, celle de l'homme qu'elle avait envoyé le tuer. « Mets Guidry dans le coffre quand tu auras fini, puis balance la voiture dans le canal. »

Il tira la chaîne sur le côté et fit rouler l'Eldorado jusqu'au bout des docks. Pendant une seconde, la grande voiture se balança, en équilibre, au bord du quai – le nez en bas, comme si elle reniflait l'eau –, puis elle glissa et coula d'un seul coup, ridant à peine la surface de l'eau.

Guidry retourna à La Porte à pied, entre les arbres. Il respirait bruyamment, inspirant et expirant avec force. À chaque pas, les battements de son cœur ralentissaient, ralentissaient encore, peu à peu. Il lui fallait un verre, un steak et une fille. Et il avait besoin de se vider les boyaux, fissa.

Il était en vie. Il allait bien.

À la station-service sur La Porte Road, le pompiste plissa les yeux d'un air interrogateur en voyant Guidry arriver.

— Bah, elle est où votre voiture, monsieur ?

— À un kilomètre et demi d'ici, environ, sur la route, répondit Guidry. Elle se dirige vers l'ouest à plus de soixante kilomètres/heure, et ma femme est au volant. J'espère que vous n'êtes pas marié, l'ami. C'est les montagnes russes en permanence.

— Chuis pas marié, répondit le pompiste. Mais ça me dérangerait pas.

— Tenez-vous droit.

— Quoi ?

— Si vous voulez avoir du succès auprès des femmes, dit Guidry, qui se sentait d'humeur généreuse, tenez-vous la tête haute et les épaules en arrière. Montrez que vous avez confiance en vous. Et accordez toute votre attention à la dame que vous courtisez. Il y a un téléphone, ici ?

Un téléphone payant, sur le côté du bâtiment. Guidry utilisa sa première pièce pour appeler un taxi. Et la seconde pour appeler Seraphine.

— Je n'ai pas eu de problèmes, dit-il.

— Bien sûr que non, *mon cher*.

— Bien. C'est tout.

— Tu comptes passer la nuit au Rice ? demanda-t-elle.

— L'oncle Carlos a intérêt à régler ma petite note.

— Il le fera. Amuse-toi bien.

De retour dans le bureau, Guidry surprit le pompiste qui s'entraînait à se tenir droit devant le miroir. Tête haute, épaules en arrière. Peut-être qu'il finirait par y arriver. Guidry lui demanda où se trouvaient les toilettes pour hommes, et le pompiste le renvoya de nouveau à l'extérieur, mais derrière le bâtiment, cette fois-ci.

RÉSERVÉ AUX BLANCS.

Guidry entra dans l'unique cabinet et s'assit. Avec un immense soulagement, il évacua la bouillie acide qu'il avait trimballée dans son ventre pendant les dernières vingt-quatre heures. Sur le mur en parpaing des toilettes, quelqu'un avait gravé quelques mots à la pointe du couteau.

Je suis assis ici le cœur brisé
J'ai essayé

Et c'était tout. L'inspiration s'était tarie ou le poète avait fini de faire ce qu'il était venu faire ici.

Quand Guidry sortit des sanitaires, son taxi était arrivé.

Il le déposa au Rice, et Guidry alla droit au Capital Club. Il y avait là, dispersées dans la salle, quelques belles plantes texanes prometteuses, mais commençons par le commencement. Guidry s'assit au bar et commanda un double Macallan sec, puis un autre double Macallan sec, et enfin, un faux-filet accompagné d'épinards à la crème.

L'un des barmen, aux cheveux blonds si clairs qu'ils en étaient presque blancs, s'approcha discrètement de Guidry et lui demanda à voix basse s'il voulait acheter de l'herbe. Pourquoi pas ? Seraphine ne lui avait-elle pas recommandé de bien s'amuser ? Le barman proposa à Guidry de le rejoindre dix minutes plus tard, dans la ruelle derrière l'hôtel.

Guidry avait porté à ses lèvres ce qui restait de Macallan dans son verre. « Tu comptes passer la nuit au Rice ? » C'était ce que lui avait demandé Seraphine au téléphone. Pourquoi avait-elle besoin de savoir cela ? C'était elle qui avait réservé sa chambre d'hôtel, et elle savait bien que son vol de retour ne décollait que le lendemain matin. Pourquoi lui avait-elle demandé cela, et pourquoi Guidry ne s'en étonnait-il que maintenant ?

— Quel abruti je fais, dit-il.

Le barman le regarda, étonné.

— Quoi ?

— J'ai laissé mon portefeuille là-haut, expliqua Guidry en lui faisant un clin d'œil. Je vous retrouve dans cinq minutes.

Il quitta le bar, traversa le hall d'entrée de l'hôtel, passa devant les ascenseurs et sortit par la porte à tambour. Le groom devant la porte cochère proposa à Guidry de lui héler un taxi, cela ne prendrait qu'une minute. Mais Guidry n'avait pas une minute à perdre. Il marcha jusqu'au bout du pâté d'immeubles, tourna au coin de la rue et se mit à courir.

7

Samedi après-midi, Barone attrapa son vol pour Houston. Dans l'avion, il feuilleta le *Life* du mois précédent. La NASA avait recruté quatorze nouveaux astronautes. Cheveux tondus, yeux brillants, mâchoires carrées. Barone n'aurait su les distinguer les uns des autres. Dieu, maman et la patrie. S'ils avaient envie de se harnacher à une bombe volante et de s'envoyer dans l'espace, ce n'était certainement pas Barone qui allait les en empêcher.

Le type assis à côté de lui venait de Dallas. Il raconta à Barone qu'à son bureau tout le monde avait applaudi en entendant la nouvelle au sujet de Kennedy. Bon débarras. Le type disait qu'il ne savait pas ce qui était le pire, avec Kennedy : qu'il soit catholique, libéral ou bien qu'il aime autant les Noirs. Il lui fichait son billet que Kennedy avait même du sang juif, par-dessus le marché. Le type tenait de source sûre que le bureau ovale avait une ligne spéciale de téléphone directement reliée au Vatican. Jack et Bobby recevaient leurs ordres du pape lui-même. Les journaux étouffaient l'affaire parce qu'ils étaient tous aux mains des Juifs. Alors, qu'est-ce que Barone avait à dire de ça ?

— Je suis catholique, répondit Barone.

Ce n'était pas vrai – du moins ce n'était plus le cas, mais il voulait voir la tête qu'allait faire le bonhomme.

— Euh…, fit le type. Eh bien…

— Et je suis marié à une femme de couleur. Elle vient d'ailleurs me chercher à l'aéroport, si vous voulez lui dire bonjour.

Le bonhomme se raidit d'un coup. Ses lèvres disparurent.

— Ce n'est pas la peine de faire le malin avec moi, l'ami, rétorqua-t-il. Je ne cherche pas les ennuis.

— Moi, ça ne me dérange pas, répondit Barone. Les ennuis, ça ne m'ennuie pas.

Le type regarda autour de lui, cherchant des yeux une hôtesse de l'air qui pourrait témoigner des mauvaises manières de Barone. N'en voyant aucune, il ouvrit son journal en maugréant et ignora délibérément Barone pendant tout le reste du trajet jusqu'à Houston.

À six heures moins le quart, l'avion atterrit à l'aéroport Municipal. Barone sortit du terminal juste à temps pour attraper le dernier rayon de soleil en train de brûler à l'horizon. Ou peut-être n'était-ce que les feux d'une raffinerie. À Houston, l'air était encore plus humide et lourd qu'à La Nouvelle-Orléans.

L'un des petits lutins de Carlos avait laissé une voiture pour Barone au parking de l'aéroport. Barone balança sa mallette sur la banquette arrière. Sous le siège, il trouva un Browning Challenger calibre 22. Barone ne pensait pas avoir besoin d'un flingue, mais aucun excès de prudence n'avait jamais envoyé personne dans un tiroir de la morgue. Il dévissa le silencieux et inspecta le canon à la recherche d'éventuels dépôts de poudre. Il vérifia le chargeur et la culasse. Ainsi examiné de près, le Browning lui parut précis et suffisamment discret.

Son voisin d'avion traversa le parking. Barone leva son arme, aligna le cran de mire et le guidon sur le bonhomme et le suivit jusqu'à ce que ce dernier trouve sa voiture, y grimpe, la démarre et s'éloigne. Peut-être une autre fois, l'ami.

Des embouteillages. Barone avançait au pas. Il lui fallut vingt minutes pour rejoindre l'Old Spanish Trail. Le Motel Bali Hai Motor Court était un bâtiment de parpaing en forme de L, à un étage, construit autour d'une piscine. À intervalles réguliers et rapides, la lumière de la piscine passait du vert au violet, du violet au jaune, et du jaune au vert à nouveau.

Barone se gara de l'autre côté de la rue, devant ce qu'il

restait d'un restaurant à barbecue qui avait été rasé au bull-dozer. La majeure partie de ce côté-ci de l'autoroute 90 était déjà en chantier : les restoroutes, les stations-service et les motels avaient été démolis pour accueillir un nouveau stade et un parking. Une fois achevé, le stade aurait pour toit un dôme gigantesque visible à des kilomètres à la ronde. Des astronautes, un Astrodome, le futur en somme. Mais, pour l'instant, seules quelques poutres courbes en acier avaient été érigées. On aurait dit les doigts d'une main qui cherchait à transpercer la croûte terrestre.

Le Bali Hai avait deux escaliers distincts, qui menaient à la coursive, à l'étage. Barone était déjà venu la semaine précédente, pour faire des repérages. L'un des escaliers se situait à l'extrémité nord de l'immeuble ; l'autre, au niveau du coude du L, était à l'arrière du bâtiment. Seules les femmes de chambre empruntaient ce dernier. On ne pouvait le voir ni de la piscine, ni de l'autoroute, ni de la réception.

La cible occupait la chambre la plus proche de l'escalier du milieu, à l'étage. Chambre 207. Seraphine avait dit que la cible arriverait au motel aux alentours de 17 heures. Barone n'aurait pu affirmer s'il était déjà dans la chambre ou pas. Une lampe y était allumée, mais les rideaux étaient tirés.

Barone se cala dans son siège pour attendre. Avec un peu de chance, la cible sortirait prendre un peu l'air. Certains professionnels n'avaient rien contre l'improvisation. Ce n'était pas le cas de Barone. Il aimait être aussi préparé que possible. Seraphine disait que la cible était un grand costaud. Barone voulait s'en assurer de ses propres yeux.

La cible était un tueur à gages indépendant de San Francisco, qui se faisait appeler Fisk. C'était tout ce que Barone savait à son sujet. Ça, et le fait qu'il était doué avec un fusil de précision entre les mains. Les tireurs d'élite étaient de drôles de types, généralement. Barone en avait connu un, plusieurs années auparavant, qui pouvait à peine faire ses lacets tout seul. Mais si on lui montrait un Allemand dans les buissons à trois cents mètres, pan, il ne manquait pas sa cible.

Trente minutes s'écoulèrent. Une heure. Barone bâilla, pensant toujours à la guerre. En Belgique, un jour, il s'était endormi dans sa tranchée pendant que sa compagnie attendait que les Allemands sortent des bois pour leur tomber dessus. Le sergent avait secoué Barone pour le réveiller et lui avait demandé s'il avait un pet au casque, pour rester aussi calme tout le temps.

Peut-être bien que Barone avait un pet au casque. Il avait envisagé cette possibilité. Et quand bien même ? Il ne pouvait rien y faire. On est comme on naît. On ne se refait pas. Chacun reçoit ce qu'il mérite.

Il se mit à pleuvoir. L'enseigne du Bali Hai représentait une vahiné, avec un pagne en néon, qui se trémoussait de droite à gauche. La pluie, la lumière de l'enseigne et les phares des voitures qui passaient dessinaient d'étranges formes sur le pare-brise de Barone, comme des danseurs ondulant lentement. Il fredonna un air, le solo de Coltrane dans *Cherokee*.

À neuf heures moins le quart, la pluie s'arrêta. Une minute plus tard, la porte de la chambre 207 s'ouvrit, et la cible, Fisk, sortit sur la coursive. Un grand costaud, en effet. Seraphine n'avait pas exagéré. Un mètre quatre-vingt-dix, au bas mot, avec un torse comme un baril et un ventre épais comme une dalle de béton, qui donnaient un air grêle à ses bras et ses jambes. La cinquantaine, environ. Il jouait au touriste, vêtu d'une chemisette à manches courtes en tissu Banlon, couleur moutarde brune, et d'un pantalon à carreaux.

Il alluma une cigarette et s'appuya contre le garde-corps en bois. La partie la plus profonde de la piscine se trouvait juste en dessous de sa chambre. Le reflet de l'eau à la couleur changeante dessinait des vaguelettes lumineuses sur sa silhouette. Violet, jaune, vert. Lorsqu'il eut terminé sa cigarette, il l'envoya valser d'une pichenette, puis sortit un peigne de sa poche. Il coiffa ses cheveux clairsemés. Un gaucher. Tiens donc. Seraphine n'avait pas précisé ce détail. C'était pour cela que Barone aimait prendre son temps et glaner ses propres informations.

De l'endroit où il se trouvait, il ne parvenait pas à distinguer l'expression sur le visage de la cible. Mais Fisk ne semblait pas nerveux. Quand une forte rafale de vent vint secouer les frondaisons du palmier près de la piscine, Fisk jeta à peine un coup d'œil par-dessus la rambarde de la coursive. Il faisait au moins vingt kilos de plus que Barone. Mais c'étaient vingt kilos que Barone pouvait tourner à son avantage. Fisk termina de se coiffer, inspecta les dents de son peigne, puis retourna dans sa chambre.

La piscine était déserte, la coursive était vide, la vahiné de l'enseigne continuait à se trémousser. La chambre 207 était la seule fenêtre allumée, à l'étage, sur la partie la plus longue du L. Sur la partie la plus courte, toutes les lumières étaient éteintes. Une ou deux fenêtres étaient éclairées au rez-de-chaussée, mais les rideaux étaient tirés.

La réception du motel faisait face à l'Old Spanish Trail. De derrière son comptoir, le gardien de nuit pouvait surveiller la rue, la piscine, la partie la plus courte du L et le parking. *Presque* tout le parking, en tout cas. Son angle mort était la voie d'accès au motel depuis l'Old Spanish Trail et le coin nord-est du parking.

L'horloge du tableau de bord égrenait les secondes. Laissons Fisk se faire un peu de mouron. Faisons-le mariner un peu. À 21 h 15, avec quinze minutes de retard, Barone s'engagea sur l'Old Spanish Trail, fit demi-tour et alla se garer dans le coin nord-est du parking du Bali Hai. Il attrapa la mallette sur le siège arrière, mit l'ampoule usagée dans la poche de sa veste et grimpa l'escalier du milieu. *Toc toc toc.*

La porte s'entrouvrit. Le crâne dégarni de Fisk évoquait les volutes de l'empreinte digitale d'un pouce. Il lança un long regard à Barone.

— Vous l'avez ?

— Qu'est-ce que vous croyez ? répondit Barone.

Fisk fit entrer Barone et referma la porte derrière lui. Il lui indiqua le lit, un Police Positive calibre .38 à la main.

— Asseyez-vous pendant que je vérifie, ordonna Fisk.

— Vous avez un truc à boire ?

— Non.

— Rien ? demanda Barone. Ou rien que vous voulez partager avec moi ?

Fisk ouvrit la mallette d'un coup. Il sortit la première enveloppe et l'ouvrit en la déchirant. Un passeport. Il se mit à inspecter le passeport, au millimètre près, mettant les coins à l'épreuve avec l'ongle de son pouce.

— Combien de temps ça va prendre ? demanda Barone. J'étais juste censé déposer la mallette et me tirer.

— Ferme ta gueule, lança Fisk.

Il posa le passeport sur la table de nuit et déchira la seconde enveloppe. Un billet d'avion. Il l'inspecta également, sous toutes ses coutures, puis tendit la main vers le liquide. Deux grosses liasses de billets.

— C'était un beau tir, hier, à Dallas, fit remarquer Barone. Vous étiez à quelle distance ? Deux cents mètres, environ ?

Fisk s'arrêta de compter. Il leva les yeux vers Barone et braqua sur lui un regard vide et mort.

— Je ne sais pas de quoi tu veux parler.

— Bien sûr, répondit Barone. J'ai dû me tromper.

Fisk dévisagea Barone un moment. Il devait recommencer le comptage depuis le début.

Barone attendit que Fisk en ait presque terminé avec la seconde liasse de billets, puis il se leva.

— Bon. Eh bien, je vais y aller.

— Attends un peu, lança Fisk.

— Bonne continuation, collègue.

— Il manque mille.

— Je ne suis pas au courant, répliqua Barone.

— C'était dix d'abord, et quinze une fois le boulot fait, dit Fisk. C'était le contrat.

— Je ne suis que le coursier, répondit Barone, qui avait déjà franchi la porte et se trouvait sur la coursive. Adressez-vous à la direction.

— J'ai dit, attends, connard.

Barone continua d'avancer. Il entendit Fisk se précipiter sur ses talons, plutôt rapide pour un malabar pareil. En haut de l'escalier, Fisk chercha à attraper Barone par l'épaule. Barone, qui s'y attendait, l'esquiva lestement, fit deux pas sur la gauche et cogna Fisk sous le menton, avec la base de la paume. Si Fisk avait été plus petit, ce coup l'aurait mis K-O. Mais Barone n'avait pas besoin de le mettre K-O. La tête de Fisk partit en arrière et alla heurter le mur en parpaing de la coursive.

Le choc étourdit Fisk, dont les mains s'agitaient mollement devant lui. Barone sangla les poignets de Fisk avec sa ceinture et, d'un coup de pied dans les pompes, le fit tomber. Fisk dégringola l'escalier. Toute cette barbaque, et rien pour ralentir sa chute. Barone avait répété chacun de ses gestes mentalement, une centaine de fois au moins. C'était comme suivre la scène depuis une tribune. Comme regarder la rediffusion d'un événement qui s'était déjà produit.

Fisk alla s'écraser au rez-de-chaussée. Barone descendit l'escalier et récupéra sa ceinture. Fisk était étalé sur le dos. L'orientation de son torse donnait l'impression qu'il courait vers la gauche, et celle de ses jambes, qu'il courait vers la droite. Il respirait à peine. Il avait un œil ouvert, l'autre injecté de sang. Barone s'accroupit au-dessus de lui. Attention, maintenant. Il fallait faire en sorte que tout ait l'air crédible. Un seul coup, bien asséné. Il fallait soulever la tête et la casser comme un œuf sur le bord d'une poêle à frire. Barone attrapa les oreilles de Fisk.

C'est alors qu'il pressentit le couteau dans la main de Fisk. La chance, ou peut-être son ange gardien. Barone parvint tout juste à lever une main pour l'interposer entre le couteau et ses côtes. La lame s'enfonça dans sa paume et ressortit de l'autre côté.

Aucune douleur pour l'instant, juste de la surprise. Barone résista au réflexe de retirer la main d'un coup. Si tu retires ta main, tu rends son couteau à ton poteau et tu lui offres un *mulligan*, une seconde chance. Fisk chercha à arracher son cran d'arrêt de la main de Barone. Mais ce dernier tint bon. La douleur pointait le bout de son nez, à présent. De plus en plus forte, comme un orchestre qui s'échauffe avant un concert. Un instrument, d'abord, bientôt rejoint par tous les autres. Barone résistait toujours. De sa bonne main, il attrapa Fisk par les cheveux. Fisk braquait sur lui son œil injecté de sang. Alors, Barone souleva la tête de Fisk et la cogna par terre. Les lumières s'éteignirent.

À présent, le souci principal de Barone était le sang. S'il retirait la lame de sa main, il saignerait partout. Aussi laissa-t-il le couteau planté dans sa main et retourna-t-il à l'étage. Au-dessus du lavabo, dans la salle de bains de Fisk, il sortit lentement le couteau de sa main. Puis il la rinça à l'eau froide et l'enroula dans une serviette du mieux qu'il put. Il n'avait pas le temps de faire le difficile.

Tout disparut dans la mallette. Le passeport, le billet d'avion, l'argent liquide, le calibre .38 de Fisk, son cran d'arrêt. *Prends ton temps. Tu as toujours plus de temps que ton corps ne le croit.*

Barone referma la porte à clé derrière lui. Il inspecta l'endroit de la coursive où Fisk s'était cogné la tête contre le mur. Aucune trace de sang. Bien.

Il échangea son ampoule grillée contre celle qui brillait au-dessus de sa tête, en haut de l'escalier. Quiconque trouverait le corps de Fisk penserait que le pauvre poissard avait trébuché dans le noir. Personne ne se douterait jamais de la façon dont il était réellement mort, ni pourquoi.

Pas de sang échappé de la main de Barone en bas de l'escalier. Bien. Il balança la mallette sur la banquette arrière de sa voiture et s'engagea sur l'Old Spanish Trail. Il dut conduire de la main gauche, uniquement, en la passant devant le volant pour changer les vitesses et actionner le clignotant. Il gardait sa main droite enveloppée dans la serviette et serrée entre ses cuisses.

La douleur continuait à jouer sa musique, tout l'orchestre s'y donnait à cœur joie. Barone l'ignora. Carlos avait un homme à lui, ici, à Houston, un médecin camé qui créchait dans le quartier mexicain. Une piqûre, une pilule, un bandage digne de ce nom. C'était tout ce dont Barone avait besoin, puis il serait prêt pour le contrat suivant.

8

Pendant près d'une heure, Charlotte fut aux anges. Grisée, presque euphorique. *Je m'en vais. Je suis partie.* Les filles se mirent au diapason. Toutes trois chantaient des chansons –*On Top of Spaghetti (All Covered with Cheese)*, *La Ballade de Davy Crockett* –, comptaient les chevalets de pompage, les chevaux, les voitures immatriculées dans d'autres États. Le chien, la tête posée sur les genoux de Rosemary, soupirait d'aise et faisait claquer ses babines dans son sommeil.

Mais ensuite, à mesure qu'elles s'approchaient d'Oklahoma City, le poids de ce que Charlotte venait d'accomplir la fit redescendre sur terre. *Je suis partie.* Les ailes de cire fondirent, Icare fit le grand plongeon.

Le divorce. Jusqu'à ce jour, elle n'avait jamais imaginé qu'une telle chose était possible. Cela étant, qui l'aurait jamais imaginé, dans une petite ville comme Woodrow ? On rencontrait un homme, on l'épousait et on restait à ses côtés jusqu'à ce que l'un des deux meure. Les femmes qui abandonnaient leur mari et s'enfuyaient à Reno ou au Mexique vivaient dans les grandes villes malfamées ou sortaient des pages de la presse à scandale.

Lorsque les amies de Charlotte découvriraient ce qu'elle avait fait, elles seraient horrifiées. Tous les gens que Charlotte connaissait seraient horrifiés. Autant dire, toute la population de Woodrow.

Et les innombrables questions qui se posaient à elle à présent la submergeaient. Devait-elle aller à Reno ou au

Mexique, pour demander le divorce ? Aurait-elle besoin d'un avocat ? Combien cela coûterait-il ? Où vivrait-elle avec les filles ? Que ferait-elle pour subvenir à leurs besoins ?

Elles atteignirent l'intersection avec la Route 66. Il n'était pas trop tard pour rebrousser chemin. Si elle le faisait maintenant, elle rentrerait à la maison longtemps avant que Dooley y revienne en titubant. Elle serait de nouveau couchée et bien bordée dans son lit, dans sa vie, comme si rien de tout cela ne s'était jamais passé.

— Maman ? fit Rosemary. Le feu est vert.

— Je sais, répondit Charlotte. J'ai seulement besoin d'une minute pour réfléchir.

La voiture derrière elles se mit à klaxonner. L'homme au volant leva un bras exaspéré. Charlotte tourna à droite sur la Route 66 et se dirigea vers l'ouest.

— Nous allons rendre visite à tante Marguerite, déclara-t-elle.

Ce nom était sorti de sa bouche avant même qu'il ait surgi dans son esprit.

— En Californie, ajouta-t-elle.

— Qui ça ? demandèrent d'une seule voix Rosemary et Joan.

— Ma tante, expliqua Charlotte. Votre grand-tante. La sœur de ma mère.

Dans le rétroviseur, elle vit les filles échanger un regard. Le chien leva sa grosse tête, intrigué par le silence soudain, puis la laissa retomber et se rendormit.

— Tu as une *tante* ? dit Rosemary.

— Oui, bien sûr, répondit Charlotte. Je suis certaine que je vous en ai déjà parlé. Tante Marguerite. Elle vit à Los Angeles. À Santa Monica, juste à côté de l'océan.

Ou du moins, Marguerite *avait* vécu là-bas, à une certaine époque. Elle avait déménagé pour la Californie quand Charlotte n'avait que six ou sept ans et n'était jamais revenue en Oklahoma, pas même pour rendre visite à la famille. À chaque fois que Charlotte demandait à sa mère comment cela se faisait, celle-ci lui jetait un regard noir.

— Je ne sais pas et je m'en fiche, répondait-elle, sans vouloir en discuter davantage.

Tous les ans, Marguerite envoyait à Charlotte une brève carte d'anniversaire – pas de salutation, pas de message, juste le nom complet de Marguerite, dans une écriture pressée, comme si elle avait eu une pile de cartes identiques à expédier le plus rapidement possible.

Quand la mère de Charlotte était morte, il y avait cinq ans de cela, Marguerite n'était pas venue à l'enterrement. Et cela faisait déjà un long moment que les cartes d'anniversaire, qui s'étaient peu à peu raréfiées, avaient totalement cessé d'arriver. La dernière fois que Charlotte avait entendu parler de Marguerite, c'était… elle ne s'en souvenait pas vraiment. Avant son mariage avec Dooley, en tout cas.

Elle n'arrivait pas vraiment à se souvenir de Marguerite, non plus. Charlotte ne l'avait pas vue depuis si longtemps que ses souvenirs d'elle n'étaient plus que des bribes de fragments, qui échouaient à former un portrait d'ensemble. Marguerite portait toujours du noir. Elle avait les mains très froides et ne souriait jamais. Elle était mince comme une lame de couteau et grande à faire peur – elle faisait une tête de plus que la mère de Charlotte. Elle portait des lunettes œil de chat à monture noire. Un jour, elle avait dit à la mère de Charlotte : « Oh ! pour l'amour de Dieu, Dolores ! »

Est-ce que Marguerite habitait toujours à la même adresse ? Vivait-elle même encore en Californie ? Était-elle même encore en vie ? Si c'était le cas, comment réagirait-elle quand une nièce qu'elle avait oubliée depuis longtemps apparaîtrait sur le pas de sa porte avec deux petites filles et un chien épileptique ?

Les questions affluaient. Trop de questions.

— Chantons une autre chanson, d'accord ? proposa Charlotte.

— Maman ? demanda Rosemary. Combien de temps ça prend, d'aller en Californie ?

— Je n'en suis pas sûre, mon poussin.

— Un jour ?

— C'est comme dans *Le Magicien d'Oz*, répondit Charlotte. Il suffit de suivre la route de briques jaunes.

Charlotte n'insista pas sur l'ironie de cette réponse. La morale du *Magicien d'Oz*, bien sûr, la leçon que Dorothy apprenait à la fin, c'était que nul endroit au monde ne valait son chez-soi.

— Moi, je veux être l'Épouvantail, dit Rosemary. Et Joan peut être l'Homme de fer-blanc ou le Lion peureux.

— Peut-être que Joan a envie d'être l'Épouvantail, elle aussi, répliqua Charlotte.

— Joan. Est-ce que tu veux être l'Épouvantail ? Tu ne préférerais pas plutôt être l'Homme de fer-blanc ou le Lion peureux ?

— Je peux être l'Homme de fer-blanc ou le Lion peureux, répondit Joan.

— Tu vois, maman ? fit Rosemary.

À 21 heures, elles s'arrêtèrent pour passer la nuit à McLean, dans l'État du Texas. Charlotte ne voulait pas conduire plus tard que cela, et les filles étaient épuisées. Entre-temps, Charlotte s'était mise à craindre d'avoir pris la décision la plus irréfléchie et la plus désastreuse de sa vie. *Je suis partie.* Elle avait besoin de voir un visage généreux, d'entendre des paroles encourageantes.

Au lieu de cela, elle se retrouva face à un cornichon baptiste particulièrement aigre, derrière le comptoir de la réception du motel. La femme dévisagea tour à tour Charlotte, puis les filles. Elle dévisagea même le chien. Charlotte ne savait pas bien qui, de tous les quatre, était le moins bienvenu aux yeux de cette femme.

— Les chiens ne sont pas acceptés, déclara cette dernière. Quelles que soient les circonstances.

— Je comprends, répondit Charlotte.

— Vous allez devoir laisser le chien dans la voiture ou trouver un autre endroit où passer la nuit.

— Il peut dormir dans la voiture, dit Charlotte. Ça ira.

— Ou vous pouvez trouver un autre endroit où passer la nuit, répéta la femme. Cela revient au même pour moi.

Et nous n'acceptons pas non plus les visiteurs masculins. Quelles que soient les circonstances.

Oh ! comme c'est dommage ! pensa Charlotte. Elle était debout depuis cinq heures et demie du matin et venait de conduire pendant trois heures et demie. Avait-elle vraiment l'air de quelqu'un qui attendait un visiteur masculin ?

— Je comprends, affirma-t-elle.

La femme lui tendit la clé de la chambre, tout en gardant la main serrée sur le porte-clés. Elle scrutait Charlotte d'un œil encore plus méfiant qu'auparavant.

— Qui s'endort avec un chien se réveille avec des puces, déclara-t-elle.

Leur chambre était exiguë et sinistre. L'odeur qui y flottait donnait l'impression que quelqu'un avait fait bouillir du chou dans la salle de bains. Mais Rosemary et Joan, qui n'avaient jamais séjourné dans un motel auparavant, s'extasièrent sur les moindres détails de cette expérience inédite – des petits savons à la brochure promotionnelle présentant les danses de guerre indiennes à Tucumcari.

Charlotte prit une douche, puis déballa le reste des sandwichs au rosbif qu'elle avait apportés de la maison. Elles mangèrent assises en tailleur sur l'un des lits.

— Maman ? dit Rosemary. Lucky n'a pas de puces.

— C'est juste une expression, répondit Charlotte.

— Qu'est-ce que ça veut dire ?

— Ça veut dire… Eh bien, j'imagine que ça veut dire qu'il faut faire attention aux amis qu'on se choisit.

— Parce qu'ils pourraient avoir des puces ? demanda Rosemary. Et que les puces pourraient nous sauter dessus, et qu'après on aurait des puces aussi ?

— Quelque chose comme ça, oui.

Pendant que les filles prenaient leur bain, Charlotte boutonna son manteau, glissa ses cheveux humides sous le col et emporta le couvre-lit à l'extérieur pour en secouer les miettes. Elle alla donner l'autre moitié de son sandwich au chien et le promena dans le champ sillonné d'ornières derrière le motel. Elle détestait l'idée de le laisser dans la voiture toute la nuit, tout seul dans le noir et le froid.

La lumière était éteinte à la réception du motel, et le cornichon baptiste n'était nulle part en vue. Charlotte n'avait pas l'habitude d'enfreindre les règles, mais elle n'avait pas non plus l'habitude de quitter son mari, ni d'emmener ses enfants en Californie. Qui vole un œuf vole un bœuf, décida-t-elle.

— Allez viens, dit-elle au chien. Dépêche-toi.

Le chien lui lança un regard sceptique.

— C'est ta dernière chance, le prévint Charlotte.

Les filles firent leur prière, puis Charlotte les borda et leur embrassa le front, le nez et le menton. Le chien alla s'installer au milieu de l'autre lit. Et Charlotte dut le pousser avant de pouvoir y grimper à son tour.

Elle jeta à nouveau un œil rapide à la carte routière Esso, en mesurant les distances avec le pouce. Il y avait plus de mille six cents kilomètres entre McLean et Los Angeles. Si elles partaient tôt le lendemain matin et ne s'arrêtaient pas trop souvent en cours de route, elles pourraient atteindre Gallup, au Nouveau-Mexique, à la tombée de la nuit. Elles passeraient la nuit là-bas et appelleraient la tante Marguerite. Mardi serait une autre longue journée de route. Mais, si tout se passait bien, elles pourraient arriver à Santa Monica juste à temps pour voir le soleil sombrer dans l'océan Pacifique.

Charlotte éteignit sa lampe de chevet. Rosemary avait déjà commencé à ronfler, mais dans l'obscurité, Charlotte pouvait entendre Joan réfléchir.

— Qu'est-ce qu'il y a, ma chérie ? chuchota Charlotte.

— Est-ce qu'on va appeler papa ? répondit Joan à voix basse elle aussi.

— Je lui ai dit qu'on l'appellerait demain. Je lui ai laissé un mot.

Joan médita cette réponse.

— Et s'il ne le voit pas ?

— Je l'ai laissé à un endroit où il ne pourra pas le manquer, déclara Charlotte.

Sur le meuble de la salle de bains, à côté de la grande boîte d'Alka-Seltzer. Il se pouvait que Dooley ne voie pas le mot lorsqu'il rentrerait ce soir-là, trop soûl pour se brosser les dents, mais Charlotte était sûre qu'il se dirigerait droit vers l'Alka-Seltzer le lendemain matin.

Cette réponse sembla convaincre Joan. Sa respiration se fit plus lente. Charlotte essaya d'imaginer la réaction de Dooley lorsqu'il lirait le mot et comprendrait qu'elles étaient parties. Elle essaya d'imaginer quelle serait sa propre réaction, si elle rentrait un jour chez elle pour se rendre compte que les filles n'étaient plus là. Elle serait… anéantie. Il ne resterait plus rien d'elle que les corbeaux pourraient venir picorer, comme il était dit dans la Bible, pas même les paumes de ses mains ou la plante de ses pieds.

Dooley n'était pas le père le plus attentif qui soit, mais il était quand même le père des filles. De quel droit Charlotte lui retirait-elle Rosemary et Joan ? De quel droit les arrachait-elle à tous les gens qu'elles connaissaient, à leur univers, leur maison, leur école, leur père, leurs amis ? Elle voulait leur donner les chances qu'elle-même n'avait jamais eues à Woodrow. Mais n'était-elle pas en train de détruire leurs vies en essayant de les sauver ?

Charlotte entendit une portière se refermer dans le parking, puis des chuchotements. Elle se souvint, encore une fois, de la mise en garde de sa mère : « Il y a toujours plus cahoteux que la route qu'on a choisie. » Elle se leva et s'assura que la chaîne de la porte était bien en place.

9

Guidry savait que Seraphine s'attendait à ce qu'il mette les voiles. Elle devait avoir envoyé quelqu'un le guetter à la sortie de chaque avion qui atterrirait à Miami ou Los Angeles, chaque train qui entrerait en gare de Chicago et de Kansas City, chaque bus Greyhound qui arriverait à Little Rock, Louisville et Albuquerque.

Il devait quitter le pays. Pour le Mexique. L'Amérique centrale, peut-être. Mais il lui fallait du liquide et un passeport. Le monde était vaste, vraiment très vaste. Ce ne devait pas être trop difficile d'y disparaître. Quoique si, tout compte fait, avec un homme comme Carlos Marcello lancé à vos trousses.

Dolly Carmichael vivait ici, à Houston. Elle devait avoir plein de contacts dans le coin. Un ami avec un bateau, peut-être ? Seraphine ne penserait peut-être pas à Dolly, puisque celle-ci avait raccroché depuis quelques années. Dolly pourrait échapper à ses radars.

Guidry était-il prêt à jouer sa vie là-dessus ? Sur Dolly ? Il se posait cette question debout dans la pénombre, sur le trottoir en face de la maison de cette femme.

Non, décida-t-il finalement. Il ne pouvait pas prendre ce risque. Seraphine se souviendrait forcément de Dolly à un moment ou un autre. Et Dolly n'hésiterait pas à balancer Guidry. Le cœur des humains n'était que de la viande avariée, mais celui de Dolly était plus faisandé que la plupart. Aussi Guidry tourna-t-il les talons.

Le dernier bus de nuit à destination de Scott Street le

déposa sur l'Old Spanish Trail. Une dizaine de motels s'offraient à lui. Il en choisit un qui filait une thématique spatiale. Le réceptionniste lui remit une clé attachée à une fusée miniature en bois de balsa. Une fusée pour l'envoyer vers la lune ! Guidry se dit qu'il valait mieux garder son sens de l'humour, dans un moment comme celui-ci.

Il dormit comme un bébé – sauf que ce bébé se réveillait en sursaut à chaque fois que le vent secouait la fenêtre ou qu'une mouche passait par là. Au matin, il alla prendre son petit déjeuner dans le rade miteux du coin. Il commanda un hachis de corned-beef, avec deux œufs frits à cheval. Du café noir et chaud, et à volonté, s'il vous plaît. Son voisin de table lui offrit une page de son journal du dimanche. Non, merci. Guidry n'avait pas besoin d'apprendre d'autres mauvaises nouvelles pour l'instant.

Guidry savait comment se faire des amis. C'était son don, son principal atout. Au fil des ans, en travaillant pour Carlos, il avait offert des milliers de verres et graissé des milliers de pattes, rigolé à des milliers de mauvaises blagues et écouté avec une empathie des plus convaincantes des milliers d'histoires larmoyantes. Il avait une fille dans chaque port. Une fille, un serveur, un bookmaker et un substitut du procureur. Mais, à présent qu'il n'était plus dans les petits papiers de Carlos, auquel d'entre eux pouvait-il demander de l'aide ? Qui parmi eux hésiterait une seconde à livrer Guidry à Carlos pieds et poings liés ?

Imaginez Tantale en enfer, plongé dans une mare d'eau fraîche jusqu'au cou et mourant de soif.

Pas d'avion, pas de train, pas de bus. Eh bien, cela réduisait considérablement les choix qui s'offraient à Guidry.

— Y a-t-il un concessionnaire automobile dans les environs ? demanda-t-il à la serveuse. Des voitures d'occasion, pas des neuves.

— Pourquoi ne pas aller voir vous-même ? répondit la serveuse. Je garderai votre assiette bien au chaud, en attendant.

— Vous êtes un vrai rayon de soleil, vous, pas vrai ?

— Deux feux plus loin, sur la gauche. Vous mangez pas tout ça ?

— Non, je prendrai plutôt des toasts sans rien.

Guidry repoussa l'assiette de hachis. Son estomac ne s'était toujours pas remis de la veille. Il ne s'en remettrait peut-être jamais.

Big Ed Zingel, à Las Vegas. Guidry ne voyait aucune autre solution. Il avait beau se creuser les méninges. Big Ed Zingel. Grands dieux, voilà où en était arrivé Guidry ! Ed l'aimait bien. Il pouvait se montrer généreux, si on tombait sur un bon jour. Par ailleurs – et c'était surtout cela qui importait –, Ed détestait les frères Marcello autant que Carlos détestait les Kennedy. Par conséquent, si aider Guidry lui donnait l'occasion d'entuber Carlos, il sauterait dessus à pieds joints.

Ou peut-être pas.

Guidry avait toujours eu une vision simple de la vie : se la couler douce et tranquille, se laisser porter par le courant sans fournir trop d'efforts. Le moins qu'on puisse dire, c'est que c'était plus facile à dire qu'à faire, ces jours-ci. Mais Guidry ne pouvait pas se permettre de ruminer trop longtemps, vu le sale pétrin dans lequel il s'était fourré.

L'homme à la table d'à côté posa son journal. Guidry aperçut l'un des gros titres, un article à propos du chirurgien qui avait tenté de ranimer Kennedy à l'hôpital Parkland de Dallas.

« *IL N'A PAS EU LE TEMPS DE SE RENDRE COMPTE
DE CE QUI LUI ARRIVAIT* »,
déclare le médecin de Dallas.

Le concessionnaire de voitures d'occasion était ouvert le dimanche. Un vendeur dégingandé vint à sa rencontre, d'un pas nonchalant. Guidry était sans doute le premier client qu'il avait de tout le week-end.

— Bonjour, comment allez-vous ? dit le vendeur. Je m'appelle Bobby Joe Hunt.

— Comme Bobby Joe Hunt, le lanceur des Pirates de Pittsburgh ? demanda Guidry.

— Encore mieux que ça.

— Non !

— En chair et en os.

Guidry avait vu Bobby Joe Hunt se prendre une sévère raclée lors de la Série mondiale, quelques années auparavant.

— Vous avez pris votre retraite ?

— Non, répondit Bobby Joe Hunt. Je travaille ici pendant la saison creuse.

— Ils ne vous payent pas des masses, hein ? demanda Guidry.

— C'est le moins qu'on puisse dire. En quoi puis-je vous aider ?

Guidry jeta un œil alentour et se décida pour une Dodge Coronet 1957, dont les quatre pneus étaient complètement lisses, et dont le moteur avait l'air aussi puissant qu'un hamster galopant dans sa roue. Mais ce n'était peut-être pas aussi catastrophique que ça en avait l'air. À force de croiser le fer avec le vendeur, Guidry parvint à obtenir une ristourne de deux cents dollars. Bobby Hunt s'avéra meilleur en négociation qu'au lancer contre les Yankees. Il accepta en outre d'équiper la Coronet de pneus presque neufs et de remplacer les courroies usagées.

Guidry retourna à son motel dans sa Coronet et fit sa valise. Il imaginait Seraphine dans son bureau de Airline Highway, les rideaux tirés sur les rayons du soleil et sa lampe de bureau allumée. Elle avait dû veiller toute la nuit et passer tous les coups de fil nécessaires, à l'heure qu'il était. Elle devait être en train de fumer, en pensant à Guidry, en imaginant ce qu'il faisait. En se demandant : *Où es-tu, mon cher ? Où penses-tu aller comme ça ?*

Il y avait deux itinéraires possibles pour aller voir Big Ed Zingel à Las Vegas : celui du nord et celui du sud. Suivre la 75 jusqu'à Dallas, puis la 287 jusqu'à Amarillo et prendre la 66. Ou alors, emprunter la 90 et la nouvelle route inter-États de l'ouest vers San Antonio et El Paso. Il fallait jouer cela à pile ou face – Carlos possédait chaque centimètre carré de l'État du Texas. La pièce retomba du côté pile. Prenez la route du nord, jeune homme. Et pourquoi pas ?

Le dimanche après-midi, le centre-ville de Dallas était un véritable cimetière. Comme les flics avaient fermé Dealey Plaza à la circulation, Guidry fit un long détour pour contourner l'obstacle. À soixante-cinq kilomètres à l'est d'Amarillo, il s'arrêta pour faire le plein d'essence et manger un morceau. Dans une petite ville du nom de Goodnight. Il n'aimait pas ce nom-là. Les présages et les augures.

Il y avait un snack-bar restaurant près de la station-service. Guidry alla prendre place au comptoir et commanda le steak « façon poulet pané ». Le plat s'avéra fidèle à la description : du steak coupé en morceaux et frit comme du poulet, puis recouvert d'une épaisse sauce à la crème pour camoufler le crime. Guidry s'efforça d'oublier le fait qu'il ne goûterait sans doute plus jamais de véritable roux, ni de haricots rouges ayant mijoté toute la journée. C'était drôle comme ces petits riens devenaient importants, tout à coup.

— J'arrive pas à m'en remettre, déclara la serveuse en lui resservant du café.

Elle était plus jeune, plus amicale et plus jolie que la serveuse à Houston.

— Kennedy ? demanda Guidry. Oh oui, c'est épouvantable !

La serveuse lui jeta un regard interrogateur.

— Vous avez pas entendu ?

— Entendu quoi ?

— Ce matin, à Dallas, répondit-elle. Jack Ruby.

Jack Ruby ? Qui gérait l'un des clubs de strip-tease les plus minables de Dallas ? Et qui, dès qu'il en avait l'occasion, essayait de s'attirer les bonnes grâces de Guidry à grand renfort de cirage de pompes et de courbettes ? Qu'est-ce que Jack Ruby avait à voir dans tout cela ?

— Il a tué Oswald, dit la serveuse.

— Jack Ruby ?

— D'une balle en plein dans le ventre, répondit-elle. Ils étaient en train d'emmener Oswald en bas, au poste de police. Ruby a foncé droit sur lui et l'a abattu.

Guidry poussa les exclamations stupéfaites et bouleversées de circonstance, pour dissimuler sa véritable stupeur et son véritable bouleversement. Seraphine avait suggéré que les jours d'Oswald étaient comptés. Mais là… Au poste de police ? Alors qu'Oswald était sans doute entouré d'une horde de flics et de journalistes ? Encore un funeste rappel dont Guidry aurait pu se passer : Carlos pouvait mettre la main sur n'importe qui, n'importe où, n'importe quand.

La porte s'ouvrit, un policier entra et s'installa au comptoir, deux tabourets plus loin. En guise de salut, il toucha le bord de son couvre-chef, un chapeau de cow-boy du même blanc sale que la sauce à la crème dans l'assiette de Guidry.

Guidry lui renvoya son salut d'un signe de tête.

— Shérif, lâcha-t-il.

Les grandes oreilles du policier s'empourprèrent. Ce n'était qu'un jeunot, tout maigrichon, le menton fuyant.

— Adjoint, corrigea-t-il.

— Comment ? fit Guidry.

— Je ne suis qu'adjoint, pas shérif.

— Je vous prie de m'excuser. Mais un de ces jours vous le deviendrez, soyez patient.

Le flic ne savait pas s'il avait le droit de sourire ou non. Il se concentra donc sur son couteau, sa fourchette et sa serviette. Guidry n'avait pris que deux bouchées de son steak « façon poulet pané ». D'abord, cette histoire de Jack Ruby, et maintenant voilà qu'un foutu adjoint au shérif venait s'asseoir à moins de deux mètres de lui.

Guidry ne pouvait pas se lever et sortir, pas encore. *Attends une minute, prends ton temps, donne l'impression d'être un homme heureux et détendu.* L'adjoint n'avait vraiment aucune raison de se méfier de Guidry. Ce n'était rien qu'un flic des plus ordinaires qui, comme tous les flics, toisait l'étranger de passage – le mariole venu de la ville, dans son costume élégant.

— Vous faites que passer par ici, j'imagine ? demanda l'adjoint.

— Tout juste.

Guidry lui montra la carte professionnelle qui était dans sa poche.

— Bobby Joe Hunt, fit-il. Automobiles d'occasion de Greenleaf, à Houston. Je suis en route pour une vente aux enchères de voitures, à Amarillo.

La serveuse lui jeta un regard de travers.

— Un dimanche ? C'est bizarre, ça, non ? Ils font une vente aux enchères un dimanche ?

Merci pour ton grain de sel, chérie, pensa Guidry. *Qu'est-ce qu'on ferait sans toi ?*

— En fait, la vente aux enchères ne débute que demain, dit-il. Je passe la nuit à Amarillo parce que j'ai entendu dire que le monde appartenait à ceux qui se lèvent tôt.

— Je trouve pas ça correct, de faire travailler les gens le dimanche, remarqua la serveuse. Ils devraient être à l'église ou chez eux avec ceux qu'ils aiment.

— Bien d'accord avec vous, répondit Guidry.

L'adjoint regarda la carte professionnelle en plissant les yeux.

— Bobby Joe Hunt. C'est le lanceur des Pirates, non ? Il vient de Houston, lui aussi, pas vrai ?

Guidry mangeait à un rythme régulier. Ni trop lentement ni trop rapidement. Remarquant qu'il serrait l'anse de sa tasse comme s'il voulait l'étrangler, il relâcha sa poigne.

— Oui, vous semblez bien connaître le base-ball, monsieur l'adjoint, répondit Guidry. C'est bien le cas, en effet. Mais aucun rapport avec moi, j'en ai bien peur.

— J'ai sa carte dans ma collection, dit l'adjoint. J'ai d'ailleurs toutes les cartes de base-ball de 1957 à 1963. Les cartes Topps. Je m'intéresse pas aux Fleer. La seule Fleer que j'ai, c'est celle de Ted Williams, et je traverserais même pas la rue s'il y avait une carte de Ted Williams sur le trottoir d'en face.

— Mange ton repas, Fred, et arrête d'ennuyer ce pauvre monsieur avec tes histoires.

La serveuse vit que Guidry avait presque terminé son steak et lui apporta le présentoir à tartes en fer-blanc.

— C'est de la tarte aux noix de pécan, annonça-t-elle. Aussi fraîche que le jour où elle est sortie du four.

— Merci bien, répondit Guidry.

L'adjoint se tourna sur son tabouret pour étudier Guidry plus longuement.

— Vous faites que passer, vous dites ?

— Il vient de te le dire, Fred, lança la serveuse en tendant à Guidry une fourchette propre pour la tarte. Ne faites pas attention à lui, monsieur. En général, il lui faut au moins une bonne minute pour passer la seconde.

Guidry se retourna vers l'adjoint.

— Vous avez joué au base-ball vous-même, j'imagine ?

— Oui m'sieur ! répondit fièrement l'adjoint.

— Et vous étiez bon ?

Les oreilles de l'adjoint rosirent à nouveau.

— Troisième base de tout le comté, deux ans d'affilée.

— Demandez-lui plutôt combien de lycées il y a dans le comté, railla la serveuse.

— Dieu tout-puissant, Annabelle ! s'exclama l'adjoint. Tu es vraiment épuisante.

Guidry venait de terminer sa part de tarte en quatre grandes bouchées. Il posa son argent sur le comptoir et se leva. Le plus tranquillement du monde. Il avait entendu dire qu'un jour Art Pepper était sorti d'un poste de police avec un sachet plein de came dans la poche de son blazer. C'était le héros de Guidry.

— Bon, eh bien, je ferais mieux d'y aller, dit Guidry. Joyeux Thanksgiving à l'avance. Que Dieu nous bénisse tous !

L'adjoint scruta Guidry pendant quelques secondes encore, puis toucha de nouveau le bord de son chapeau.

— À la prochaine, fit-il.

La prairie, battue par les vents, tannée comme du cuir, et s'étendant à l'infini. Comme si, à l'époque de la création,

Dieu s'était dit qu'il allait bosser dessus, et puis n'en avait plus eu l'énergie. À une trentaine de kilomètres après Goodnight, alors que le soleil formait une flaque rouge et or à l'horizon, Guidry se mit à se détendre un peu, au sujet de cet adjoint. Il avait eu tort de s'inquiéter, de toute façon.

Moins d'un kilomètre plus tard, il vit la voiture de police foncer vers lui dans son rétroviseur, sirène hurlante et gyrophares allumés.

10

Le médecin mexicain camé de Carlos n'en eut pas fini avec Barone avant qu'il soit presque minuit, et Barone dut donc rester à Houston pour y passer la nuit du samedi. Il ne dormit pas beaucoup. La main que le couteau avait transpercée ne cessait de le réveiller ; elle palpitait continuellement, rappelant la douleur à son bon souvenir. T'inquiète pas, je me souviens de toi. Le médecin camé lui avait donné des cachets contre la douleur, mais ils étaient un peu faiblards. Barone avala le double de ce que le toubib lui avait prescrit, mais la différence n'était pas flagrante. Le docteur lui avait peut-être refilé du sucre en se gardant les vrais calmants pour lui, pensa-t-il.

Le médecin avait dit à Barone qu'il avait eu de la chance. La lame n'avait apparemment pas coupé de tendons, ni endommagé quoi que ce soit de trop important. Le toubib se fit un rail avant de commencer à recoudre la main de Barone. Il expliqua que la dope apaisait ses nerfs. Il raconta que son père était également médecin, autrefois, et qu'un jour, à Chihuahua, il avait même extrait une balle de la jambe du bandit Pancho Villa. Barone lui répliqua de se la fermer et de faire plutôt attention à ce qu'il était en train de faire. Mais le médecin ajouta que Rodolfo Fierro, le célèbre *compadre* de Villa, était resté auprès d'eux pendant toute l'opération, braquant un pistolet sur la tête de son père. Le même Rodolfo Fierro qui, plus tard, serait connu sous le sobriquet de « *El Carnicero* », le boucher.

Barone demanda au toubib s'il devait aussi lui braquer

un pistolet sur la tempe pour l'aider à se concentrer un peu ! Le médecin gloussa. « Non, non, mon ami », répondit-il avant de se faire un autre rail.

Dimanche matin, Barone conduisit jusqu'à l'aéroport. Son vol ne décollait pas avant 13 heures. Barone avait hâte de rentrer chez lui. À La Nouvelle-Orléans, il pourrait aller voir un véritable médecin, qui lui prescrirait autre chose que des ailes de chauve-souris et du sang de poulet. Le praticien de Carlos à La Nouvelle-Orléans avait un beau cabinet sur Canal Street. Il habitait dans une belle demeure de Garden District et défilait sur un char le jour de Mardi gras. Il donnerait à Barone les bons cachets, lui.

Barone alla aux toilettes pour hommes et jeta un œil sous le bandage. Les points de suture avaient l'air corrects. Il y en avait deux rangées, une sur le dos de sa main et une dans sa paume.

Au terminal, il trouva une place assise non loin d'une télévision et vit Ruby tirer sur Oswald. Les flics avaient plaqué Ruby au sol juste après le coup de feu. Au beau milieu du poste de police, Ruby n'avait pas eu la moindre chance de s'enfuir.

Ruby devait bien savoir, quand il était entré, qu'il n'aurait pas le moindre espoir de s'en tirer. Alors, pourquoi avait-il fait cela ? Comment poussait-on quelqu'un à accepter d'aller sur la chaise électrique à votre place ? Carlos avait dû le menacer d'une chose encore pire que la chaise électrique.

Quelques minutes avant l'embarquement, un type vint s'asseoir à côté de Barone.

— Appelle-la, dit le type sans le regarder. Tout de suite.

Puis il se leva et s'en fut. Barone se leva à son tour et se dirigea vers le téléphone à pièces.

— Je t'avais demandé de m'appeler hier soir, dit Seraphine.

— Je n'appelle que lorsqu'il y a un problème, déclara Barone. Et il n'y en a pas eu.

— Tu étais censé passer la nuit au Shamrock.

— Pourquoi faut-il que tu saches où je passe la nuit ?

Il entendit le bruit d'une allumette que l'on frotte et qui s'embrase.

— Il y a eu un changement de programme, annonça Seraphine.

— Pas pour moi. Je rentre à la maison.

— Nous avons besoin que tu restes à Houston.

Barone regarda l'hôtesse de l'air de son vol ajuster son calot sur sa tête et adresser un sourire aux voyageurs qui faisaient la queue devant la porte d'embarquement. Vos billets, s'il vous plaît. Barone posa sa main blessée sur le dessus du téléphone à pièces. Les palpitations lancinantes se calmèrent, l'espace d'une seconde.

— Je sais que tu as été bien occupé, *mon cher*, dit Seraphine. Je sais que tu dois être épuisé, mais le devoir t'appelle.

— Je suis sur le point d'embarquer, rétorqua Barone.

— J'ai dit que j'étais désolée.

— Non, tu ne l'as pas dit. C'est Carlos qui veut que je reste à Houston ? Ou c'est toi ?

— Il est en train de faire la sieste, répondit Seraphine. Tu veux que je le réveille pour que tu en discutes avec lui ?

La garce.

— De qui s'agit-il ?

— Frank Guidry. Tu le connais ?

— Je l'ai déjà vu. Je ne savais pas qu'il était sur la liste.

— Remy était censé s'occuper de lui, dit Seraphine, puisque tu avais à faire ailleurs. Il était censé le cueillir au Rice, hier soir, mais notre ami a négligé de s'y présenter. Du moins, c'est ce que prétend Remy.

On aurait dit que Seraphine pensait la même chose que Barone. Remy essayait de sauver sa peau. Il était con comme un balai et avait sans doute raté sa cible. Au moins, cela donnait un bon point de départ à Barone.

— Je veux que les choses soient absolument claires, ajouta Seraphine. C'est une affaire de la plus haute importance.

Parce que tu as foiré le coup en faisant appel à Remy plutôt qu'à moi, pensa Barone sans le dire. Seraphine le savait déjà. Elle savait que Carlos le savait déjà, également. Bien. Qu'elle tremble un peu, celle-là.

— Est-ce que tu comprends, *mon cher* ? demanda-t-elle.

— Est-ce que Guidry a une femme ? s'enquit Barone.

Si Guidry avait une femme, le boulot de Barone serait facile. Trouver la femme et attendre que Guidry l'appelle. Guidry appellerait forcément, à un moment ou un autre – c'est ce que les maris faisaient toujours. Alors, Barone tiendrait le téléphone tout près de la bouche de la femme. Pour que Guidry imagine ce qui lui était arrivé jusqu'à présent. Et ce qui lui arriverait s'il ne revenait pas au plus vite.

— Il n'est pas marié, répondit Seraphine.

— Une ex-femme, peut-être ? demanda Barone. Une petite amie ? Un frère, une sœur ?

— Personne.

— Combien d'hommes as-tu postés ici, à l'aéroport ?

— Deux, depuis hier soir. En plus des deux autres à la gare et de deux au dépôt de bus en centre-ville. Et j'ai prévenu tout le monde dans l'organisation.

— Il va me falloir une nouvelle voiture, dit Barone.

— La Pontiac noire, garée au fond du parking.

Barone retourna au centre-ville en voiture. Le réceptionniste du Rice lui dit que l'équipe de nuit n'arrivait qu'à 16 heures. Barone attendit au bar. Il avala ses deux derniers comprimés avec un verre de bière froide.

Le chef des portiers de l'équipe de nuit, avec ses épaulettes et sa double rangée de boutons de cuivre, lui dit que, ouais, il voyait bien de qui Barone parlait. Un beau gosse, habillé avec classe, les yeux clairs et les cheveux noirs. Ouais, il l'avait aperçu la veille au soir. Vers 20 heures, environ, en train de quitter l'hôtel comme si le diable en personne était à ses trousses.

Barone avait vu juste. Remy avait raté son coup contre Guidry. *Adios*, Remy, c'était un plaisir de te connaître.

— Vous l'avez mis dans un taxi ? demanda Barone au chef des portiers.

— Il n'a pas voulu en attendre un.

— Dans quelle direction a-t-il détalé ?

Barone marcha jusqu'à l'angle de Fannin Street. Il regarda à gauche, puis à droite. À deux pâtés d'immeubles au sud, il y avait le Texas State Hotel. C'était là que Barone irait si le diable était à ses trousses et qu'il avait besoin d'attraper un taxi en vitesse.

Le premier chauffeur de taxi qu'il interrogea devant le Texas State Hotel ne savait rien du tout. Le deuxième l'envoya vers un troisième chauffeur.

— Ouais, fit ce dernier. Je l'ai conduit à l'aéroport hier soir.

— Vous êtes sûr que c'était lui ? demanda Barone.

— Bien sûr que je suis sûr. Je m'en souviens parce qu'il m'a filé un pourboire de cinq dollars pour une course à un dollar. Je me suis dit qu'il avait dû apprendre une bonne nouvelle.

Ainsi, Guidry avait pris un taxi pour l'aéroport et sauté dans le premier vol qui quittait Houston. Les gars de Seraphine à l'aéroport avaient dû le rater, tout simplement. Mais elle n'aurait pas de mal à savoir quel vol Guidry avait pris, et où il se rendait.

— À quelle heure l'avez-vous déposé à l'aéroport ? s'enquit Barone. À quelle heure, exactement ?

— Bon sang, j'en sais rien, moi. Laissez-moi réfléchir. Vers huit heures et demie.

Mais attends un peu, se dit Barone. *Reviens en arrière. Guidry a laissé un pourboire de cinq dollars pour une course à un dollar.* Un sacré pourboire. Soit Guidry était débile, soit il était malin. Bien sûr que le chauffeur se souviendrait d'un pourboire aussi généreux. Peut-être même que Guidry voulait que le chauffeur se souvienne du pourboire – et donc de lui.

— Est-ce que vous l'avez vu entrer ? demanda Barone.

Le chauffeur eut un air perplexe.

— Est-ce que j'ai quoi ?

— Est-ce que vous l'avez vu franchir la porte et entrer dans le terminal ?

— Pourquoi il ne serait pas entré ? rétorqua le chauffeur.

Je sais pas. Je n'ai pas traîné dans les parages. On n'a pas le droit de rester à l'aéroport, une fois qu'on a déposé un client. Faut avoir un permis pour pouvoir se mettre dans la file d'attente.

Barone utilisa le téléphone à pièces du hall d'entrée du Texas State Hotel pour appeler Seraphine.

— Demande à l'un de tes gars à l'aéroport d'interroger les chauffeurs de taxi de la file d'attente, pour savoir s'il a pris un taxi pour retourner en ville hier soir, dit-il.

— Un taxi pour *revenir* de l'aéroport ? demanda Seraphine.

— C'est bien ce que j'ai dit.

Elle ne lui posa aucune autre question. Vingt minutes plus tard, elle rappela.

— L'un des chauffeurs dit qu'il l'a peut-être eu dans son taxi, annonça-t-elle. Mais il n'est pas sûr.

— Où l'a-t-il déposé ?

— À l'angle des rues Lockwood et Sherman.

Un quartier de vieilles maisons victoriennes délabrées, au sud-est de la ville. Barone tenait une piste, maintenant.

— Es-tu sûr de toi, *mon cher* ? demanda Seraphine. Un vol pour Miami a décollé à 21 heures, donc…

— Est-ce qu'il est intelligent ? s'enquit Barone. Guidry ?

— Oui.

— Alors, il est toujours à Houston. Qui lui doit un service, ici ?

Elle réfléchit un instant.

— Ah, fit-elle enfin.

— Qui ?

— Dolly Carmichael habite dans le quartier du Second Ward. Il y a un an ou deux, elle gérait encore les clubs de Vincent Grilli.

Seraphine avait une adresse où la trouver, sur Edgewood Street – et à dix minutes à pied d'où ? Du croisement entre les rues Lockwood et Sherman, bien sûr, où le taxi de l'aéroport avait déposé son client. Barone nota l'adresse et raccrocha. Puis il sortit et regarda alentour. Un gamin de couleur maigrichon traînait à l'arrêt de bus, de l'autre côté de la rue. Barone se dirigea vers lui.

— Est-ce que tu sais conduire ? lui demanda-t-il.

— Tu parles si je sais conduire, répondit le gamin.

Si Barone continuait à tenir le volant, changer les vitesses et actionner le clignotant de son unique main gauche – la seule qu'il pouvait utiliser –, il n'allait pas tarder à emboutir la Pontiac dans un mur.

— Je te donnerai un dollar si tu me conduis jusqu'au Second Ward, dit Barone. J'ai une voiture.

— Tu parles, fit le gamin. Vous me donnerez un dollar.

— Deux dollars. À prendre ou à laisser.

Le gosse se redressa de toute sa hauteur et jeta un regard noir à Barone. Il devait faire cinquante kilos tout mouillé et avait seize ans, à tout casser.

— Je fais pas ce genre de trucs, je vous préviens tout de suite, déclara le gamin. Si c'est ça que vous cherchez…

— Je veux que tu me conduises jusqu'au Second Ward, répéta Barone. C'est ça que je cherche. Quel âge as-tu ?

— Dix-huit ans.

Un mensonge.

— On y va.

— Qu'est-ce qui est arrivé à votre main ? demanda le gamin de couleur.

— Je me suis coupé en me rasant les paumes. Allons-y.

Le môme savait conduire – plus ou moins. Barone s'assura qu'il respectait les limitations de vitesse, mettait le clignotant à chaque tournant et s'arrêtait bien au feu rouge. Ils se garèrent sur Edgewood Street, non loin de l'adresse que lui avait donnée Seraphine.

Une maison victorienne à un étage, peinte en bleu et ornée de dentelles de bois blanches. Des fleurs dans des bacs, et un jardin plutôt bien entretenu, sans trop de mauvaises herbes. Sous le porche de la maison voisine, une bicoque jaune aux finitions blanches, une Mexicaine était assise et berçait un bébé dans ses bras.

— Des Mexicains, fit le gamin.

— Qu'est-ce que tu as contre les Mexicains ? demanda Barone.

— Tu parles. Ce que j'ai contre les Mexicains !

— Dis-moi. Qu'est-ce qu'ils t'ont fait, les Mexicains ?

— Rien, répondit le gamin. Vous êtes mexicain ? Vous en avez pas l'air.

— Non, je ne suis pas mexicain, répondit Barone. Qu'est-ce que ça a à voir ?

Quelques minutes plus tard, le bébé s'endormit, et la Mexicaine rentra chez elle. La maison de Dolly Carmichael était plongée dans le noir, à l'exception d'une lumière qui brillait à l'étage. Barone dit au gamin de l'attendre.

Un grand orme dissimulait la porte latérale de la maison de Dolly. Barone crocheta la serrure. La chaîne était mise, mais heureusement il avait un élastique dans son portefeuille. Il glissa la main à l'intérieur, passa une extrémité de l'élastique autour de la poignée et accrocha l'autre extrémité au bout de la chaîne. Puis il tourna la poignée. Ce n'était pas plus compliqué que ça. La chaîne glissa et retomba.

Dolly était dans la chambre qui donnait sur la rue, elle retirait ses boucles d'oreilles. Elle se retourna, le vit et ne cria pas. Barone posa quand même un doigt sur ses lèvres et referma doucement la porte derrière lui.

— Asseyez-vous, dit-il.

Elle s'assit au bord du lit.

— Puis-je enfiler un peignoir, s'il vous plaît ?

— Non, répondit Barone.

Elle était plus vieille qu'il ne s'y attendait. Soixante-dix ans, au bas mot. Une vieille dure à cuire, aux yeux brillants.

— Où est-il ? demanda Barone.

— Je vous demande pardon ? fit-elle.

— Où est-il ? répéta Barone.

— Qui ça ?

Il traversa la pièce et s'assit près d'elle.

— Dans quelle chambre ? À gauche ou à droite du couloir ?

— Il n'y a personne d'autre que moi dans la maison, répondit-elle. Allez le vérifier par vous-même.

— Dites-moi.

— Vous ne me faites pas peur.

Barone avait déjà entendu ces mots auparavant. Mais au début, seulement, jamais à la fin. Il toucha le lobe de son oreille, à l'endroit où elle était percée. Elle essaya de ne pas tressaillir. Le vieux briscard qui avait appris le métier à Barone lui avait dit, un jour : « La peur de la douleur est parfois plus puissante que la douleur elle-même. » Puis avec un clin d'œil, il avait ajouté : « Sauf si tu sais bien t'y prendre. »

Sur une table, dans un coin, il y avait un phonographe portatif et une pile d'albums. *'Round About Midnight* était sur le dessus. *'Round Midnight* était le premier morceau de l'album.

— Vous aimez Miles Davis ? demanda Barone.

— Finissez-en ou sortez de ma maison, lança-t-elle.

Barone lui demanda si elle croyait en Dieu. Elle répondrait sans doute non. Ou bien un « ha ! » moqueur. Barone y croyait peut-être, lui. Pas en un dieu avec une barbe blanche, bien sûr. Mais, si la vie n'était que couleur, vacarme et douleur, il devait bien y avoir quelque chose en arrière-plan, une toile de fond où appliquer la peinture. Vendredi soir, il avait écouté ce vieux musicien à La Nouvelle-Orléans, qui jouait *'Round Midnight*. Cela l'avait renvoyé à la fête de Noël chez Mandina – et, en y repensant, il se rendit compte que c'était à ce moment-là qu'il avait dû voir Frank Guidry pour la première fois. Et maintenant, voilà que ce morceau réapparaissait, joué par Miles Davis, cette fois, dans la chambre à coucher de cette vieille bonne femme.

— Il était là, dit Barone. Où est-il passé ?

— *Qui* était là, nom de Dieu ?

— Guidry.

Sa stupeur n'était pas feinte. Il le voyait bien. Il n'y avait qu'à voir son front, où se creusait un pli entre les sourcils, et la façon dont ses lèvres se tordaient. C'était encore un truc que le vieux briscard avait appris à Barone.

— Frank Guidry ? Vous parlez de Frank Guidry ? demanda-t-elle.

Barone se leva.

— Vous pouvez enfiler votre peignoir.

— Bonté divine, s'exclama-t-elle. Je n'ai pas vu Frank Guidry depuis une éternité. Ça fait au moins trois ans.

Il alla vérifier que les chambres étaient bien vides, juste pour en avoir le cœur net. Lorsqu'il revint, elle était en train de verser du whisky dans un verre. Sa main tremblait, faisant déborder le liquide.

— Est-ce que vous avez de l'aspirine ? s'enquit-il.

— Dans la salle de bains. L'armoire à pharmacie.

Il avala quatre cachets d'aspirine et se servit à son tour un whisky.

— Vous avez une idée de l'endroit où il pourrait être allé ? Carlos apprécierait votre aide.

— Il va essayer de quitter le pays, je suppose, répondit-elle.

C'était également ce que pensait Barone.

— Qui lui doit un service ?

Elle partit d'un rire rocailleux.

— À qui Frank Guidry a-t-il déjà rendu service, de toute sa foutue vie ?

Barone commença à partir.

— Attendez, fit-elle.

— Quoi ?

— Vous devriez aller voir Doc Ortega, pour votre main. Il n'est pas loin d'ici, du côté de Navigation Boulevard.

— J'y suis déjà allé.

Il appela Seraphine depuis une cabine téléphonique de Scott Street.

— Guidry n'est pas passé voir Dolly Carmichael, dit Barone. Il est malin, en effet.

— Ça ne fait rien, *mon cher*, répondit Seraphine. J'ai de bonnes nouvelles. Une longue route t'attend.

— Où est-ce que je vais ? demanda Barone.
— À Goodnight, au Texas.
— Quelle est la bonne nouvelle ?
— Ce qui était perdu a été retrouvé, annonça-t-elle.

11

La voiture de police se gara derrière Guidry. Un vieux flic coiffé d'un chapeau de cow-boy en sortit. Le shérif de ce patelin paumé du fin fond du Texas. Il avait une démarche raide, comme s'il venait de descendre de cheval. Fred, l'adjoint du snack-bar, vint se placer de l'autre côté de la voiture de Guidry, une carabine nichée dans les bras.

Guidry baissa sa vitre.

— Bonsoir shérif, lança-t-il.

Le shérif se baissa et jeta un œil à l'intérieur du véhicule. Il avait une moustache grisonnante en guidon de vélo qui lui dissimulait presque entièrement la bouche et une partie du menton. Il lança un regard en direction de son adjoint.

— On dirait que tu as mis dans le mille, sur ce coup-là, Fred, dit-il.

— Salut Fred, lâcha Guidry en faisant un geste de la main à l'adjoint.

Celui-ci leva une main de la crosse de son arme pour lui rendre son salut, mais il se ravisa et décida de se gratter le nez à la place.

— En quoi puis-je vous être utile, shérif ? Est-ce que je conduisais trop vite ?

Guidry pria pour que ces deux-là soient juste venus réclamer leur bakchich habituel. Un petit gars de la ville traverse le patelin, on l'hameçonne, on lui vide son porte-feuille, puis on le laisse reprendre sa route. Mais, si le shérif travaillait pour quelqu'un, qui travaillait pour quelqu'un, qui travaillait pour Carlos, et si le mot d'ordre était de guetter ce petit gars de la ville en particulier…

— Alors c'est toi ? demanda le shérif à Guidry.

— C'est moi ?

— L'écharde dans la chair, dont parle le *Livre des Proverbes*. Le cheveu dans la soupe. Le petit loustic qui fait tout ce raffut.

Exactement les mots que Guidry ne voulait pas entendre. Mais il continua de sourire de plus belle. Le sourire du désespoir, si l'on peut dire.

— Je m'appelle Bobby Joe Hunt, répondit-il. Je vends des voitures d'occasion à Houston. J'aimerais bien que vous m'expliquiez de quoi il s'agit, shérif.

— Sors du véhicule, fiston, ordonna le shérif. Et garde tes mains bien en vue.

— Volontiers.

— Ton portefeuille. Lance-le par ici.

Le shérif parcourut le portefeuille de Guidry.

— Où est ton permis de conduire ?

Déchiré en mille morceaux et enfoui sous une pile de déchets dans une poubelle en métal derrière le motel, à Houston.

— Il n'est pas là-dedans ? demanda Guidry. Il devrait y être, pourtant. Avec ma carte de visite. Je m'appelle Bobby Joe Hunt. Comme je l'ai dit, je viens de Houston et je me rends à Amarillo pour une vente aux enchères d'automobiles. Vous n'avez qu'à demander à Fred ici présent.

Le shérif envoya valser la carte d'une pichenette et dégaina son pistolet.

— Tourne-toi, ordonna-t-il encore. Garde tes mains derrière ton dos.

Guidry devint livide à l'idée que sa fin soit venue aussi rapidement. Moins de vingt-quatre heures de liberté, il n'avait pas réussi à faire mieux que cela. Livide, également, à l'idée de finir ainsi, dans cet endroit – entre les mains du shérif pourri de ce bled de ploucs, sur les plaines brunes et désolées du Texas Panhandle, un coin si moche que même le coucher de soleil le plus glorieux ne suffisait pas à l'arranger.

Le shérif lui passa les menottes et le fit entrer dans la voiture en lui appuyant sur la tête.

— Fred, dit-il à son adjoint. Prends sa voiture et suis-nous jusqu'au poste.

Le shérif sifflotait en conduisant. Un air que Guidry ne reconnut pas. Il aurait pu essayer de mettre un coup de pied dans le siège devant lui. En espérant que le shérif dévierait de sa trajectoire et quitterait la route. Mais à quoi bon ? Même si le shérif s'ouvrait la tête en deux, et à supposer que Guidry garde la sienne intacte, il n'en resterait pas moins menotté et piégé dans la voiture. De plus, l'adjoint était juste derrière eux, à une trentaine de mètres, avec sa carabine.

— Je crois que ça vient plutôt des *Épîtres aux Corinthiens*, shérif, pas du *Livre des Proverbes*, déclara Guidry. L'écharde de Paul à laquelle vous avez fait allusion.

— Je crois que tu as raison, répondit le shérif.

— Si ma mémoire est bonne, il me semble que l'écharde était un messager de Satan envoyé pour tourmenter Paul devenu trop orgueilleux.

Le shérif se remit à siffloter, tout en conduisant.

— Vous vous trompez de bonhomme, shérif, dit Guidry.

— Si c'est le cas, tu auras droit à mes sincères excuses et à une chaleureuse poignée de main.

Le poste de police de Goodnight était une seule et unique pièce. Du lambris en faux bois et un sol en linoléum vert dégueulis, vaguement moucheté, qui filait le mal de mer rien qu'à le regarder. Sur le mur derrière le bureau, une dizaine de tableaux étaient accrochés, dans leurs cadres – des peintures par numéros, dont il suffisait de remplir les petites cases de couleur. À travers les barreaux de sa cellule, Guidry pouvait contempler chacun d'entre eux. Un phare, un pont couvert en automne, des colverts sur un étang. Deux versions différentes de la Cène, l'une avec le Saint-Esprit flottant derrière Jésus, et l'autre sans.

— Il faut que j'aille passer un coup de fil de l'autre

côté de la rue, dit le shérif à son adjoint. Ne laisse pas les Comanches s'approcher.

— Oui, chef, répondit l'adjoint.

Depuis combien de temps Guidry était-il parti ? Le shérif allait certainement joindre son contact à Dallas. Et la nouvelle allait bondir de nénuphar en nénuphar, pour atterrir sur le bureau de Seraphine, à La Nouvelle-Orléans. Dès qu'elle saurait que Guidry était à Goodnight, elle enverrait quelqu'un *tout de suite*[1].

— Fred, appela Guidry.

Pas de réponse.

Seraphine avait sans doute quelqu'un à Dallas. Mais son nettoyeur était probablement encore à Houston, en ce moment-même. À huit heures d'ici. Quelle heure était-il ? Dix-neuf heures trente. Supposons que Seraphine apprenne la nouvelle à 22 heures.

6 heures demain matin. Voilà l'ultimatum que Guidry pouvait se fixer. *Tic tac, tic tac.*

— Annabelle, la serveuse du snack-bar, reprit Guidry. Je crois que tu lui plais bien. Pourquoi est-ce qu'elle te taquine comme ça, à ton avis ?

Toujours rien.

— Qui est-ce que tu étais censé guetter, Fred ? Un grand méchant mafieux de la ville ? Je ne suis même pas italien, que Dieu m'en soit témoin. Je suis cajun français, avec un peu de sang irlandais, un gars de la campagne tout comme toi, natif d'Ascension Parish, en Louisiane. Une ville minuscule du nom de St. Amant. Je parie que tu n'en as jamais entendu parler. J'étais *shortstop* dans l'équipe de base-ball du lycée.

C'était presque vrai. Guidry avait été ami avec ledit *shortstop* de l'équipe du lycée.

— Qu'est-ce que le shérif t'a raconté d'autre, Fred ? demanda Guidry. Que je suis un fugitif dont la tête est

1. En français dans le texte.

mise à prix ? Que des agents du FBI vont venir jusqu'ici pour mes beaux yeux ?

L'adjoint se leva et alla jusqu'à la fontaine à eau, où il remplit un tout petit gobelet en carton plissé. Il vida le gobelet puis l'écrasa dans son poing, avant d'aller se rasseoir.

— Pose-toi la question suivante, Fred, poursuivit Guidry. Pourquoi le shérif est-il allé passer son coup de fil de l'autre côté de la rue, alors qu'il y a un téléphone sur le bureau devant toi ? Pourquoi est-ce qu'il ne voulait pas que tu entendes ce qu'il avait à dire ?

L'adjoint posa ses deux pieds sur le bureau et bâilla un coup.

— Je suis un témoin important, protégé par le programme fédéral, Fred, déclara Guidry. La pègre veut me faire la peau. Les types qui vont se pointer ici dans quelques heures ne seront pas du FBI. Tu n'es pas obligé de me croire. Attends et tu verras.

— Tu sais quoi ? fit l'adjoint.

— Quoi ?

— Je m'en fous pas mal de lui plaire ou non, dit l'adjoint. Je ne traverserais même pas la rue pour aller lui planter ma queue, à Annabelle Ferguson.

Quelques minutes plus tard, le shérif réapparut. Il libéra l'adjoint pour le week-end, mit une cafetière sur le réchaud et s'installa derrière son bureau. Guidry observa sa cellule. Une fenêtre, tout en haut, guère plus qu'une fente dans le mur. Il n'arriverait jamais à s'y glisser, même s'il réussissait, d'une façon ou d'une autre, à arracher le grillage rouillé que des boulons maintenaient vissé contre le plâtre du mur.

— Je ne voudrais pas insulter votre intelligence, shérif, dit Guidry.

— Merci bien.

Le shérif avait aligné une dizaine de petits pots de peinture devant lui. Il dévissa le couvercle de l'un d'eux et y trempa son pinceau.

— Mais je n'aimerais pas être à votre place, continua Guidry. Vous êtes dans un beau pétrin, n'est-ce pas ?

La moustache grise en guidon de vélo du shérif frémit, amusée, mais il ne leva pas les yeux de sa peinture.

— Vraiment ?

— Vous savez que ça concerne ce qui est arrivé à Kennedy.

Le shérif ne leva toujours pas les yeux, mais pendant un instant la main qui tenait le pinceau s'immobilisa.

— Je ne sais rien de tel.

— Vous savez bien qu'Oswald n'aurait jamais réussi un tir pareil, poursuivit Guidry. Jamais un clampin comme lui ne pourrait réussir un coup pareil. Depuis le cinquième étage, sur une cible mouvante, avec des arbres dans le chemin. *Pan, pan,* en plein dans le mille, à deux reprises ? C'est du travail de professionnel, ça.

— Je te conseille de dormir un peu, si tu y arrives, répondit le shérif. Si tu as besoin d'une couverture de plus, je t'en donnerai une.

— Mais ce professionnel, ajouta Guidry, juste après avoir pressé la détente, il a cessé d'être une solution. Il est devenu un problème. Pas vrai ? Pour les gens qui l'ont embauché. Vous comprenez pourquoi.

Le shérif ne répondit pas. Il posa son pinceau en équilibre sur le bord d'un pot de peinture et commença à se masser les doigts.

— Les gens qui l'ont engagé ont eu besoin de régler ce problème, dit Guidry. Vous êtes devenu la solution. Jusqu'à ce que vous me livriez à eux. Et ensuite, qu'est-ce que vous allez devenir, à votre avis ?

Guidry mesurait chacun de ses souffles et laissait les minutes s'éterniser. Il fallait savoir quand tirer sur la ligne, et quand la laisser filer. Tous les gamins d'Ascension Parish avaient grandi une canne à pêche à la main.

Le shérif était du genre malin. Du moins, Guidry l'espérait. Malin, mais pas trop. C'était la seule chance de Guidry. Une sur mille. Un coup qui relevait de l'exploit, lui aussi.

Une heure s'écoula. Puis deux. Guidry n'en avait plus beaucoup devant lui.

— Nom d'un petit bonhomme, voilà que je remets ça !

Le shérif, tout à sa peinture, trempa le coin d'une serviette dans sa tasse de café et se mit à tamponner sa toile.

— Plus on essaye de faire attention, plus on fait d'erreurs, ajouta-t-il.

— Ils vont vous tuer, déclara Guidry. Dites-moi juste que vous comprenez ça, et je me tais. Vous en savez trop, shérif. Vous êtes un risque, tout comme moi.

— Ça, c'est ce que vous croyez, rétorqua le shérif.

— Depuis combien de temps êtes-vous à la solde de Carlos ?

— Je ne le vois pas comme ça.

— Bien sûr que non, dit Guidry. C'est juste un petit boulot que vous faites à côté. Juste un peu de crème sur le dessus du gâteau, ça ne fait de mal à personne, hein ? Quel mal y a-t-il à cela ?

— Tu t'es décidé, à propos de cette couverture en plus ? demanda le shérif. Il peut faire un peu frisquet, ici, la nuit.

— Ils vont vous tuer, et ensuite ils iront trouver Fred et le tueront aussi, assena Guidry. Et si vous avez une épouse ils la tueront également, juste au cas où vous lui auriez raconté quoi que ce soit. Vous ne pouvez pas leur reprocher de faire leur travail à fond, les enjeux sont de taille. Ils vont sans doute aussi aller supprimer cette fille qui travaille au snack-bar. Comment s'appelle-t-elle déjà, Annabelle ? Quand ils se seront rendu compte de ce qu'elle sait. Est-ce que votre femme est belle ? J'espère que non. À qui croyez-vous avoir affaire, espèce de flic pourri, de plouc demeuré ? Qu'est-ce qui vous a fait croire que vous pouviez leur vendre juste un bout de votre âme et pas votre âme en entier ?

La main du shérif s'était de nouveau immobilisée. Au bout d'une minute, il reposa son pinceau et se mit à revisser les couvercles de tous ses pots de peinture, un à un.

— Il y a un moyen de vous en sortir, shérif, déclara Guidry. Je peux vous l'indiquer.

— Dors un peu, fiston, dit le shérif.

— Pour qui travaillez-vous à Dallas ? Howie Fleck ? Appelez Howie Fleck et dites-lui que vous avez fait une erreur, qu'en fait votre adjoint a ramassé le mauvais bonhomme. Sa femme est venue d'Amarillo pour le ramener chez lui, fausse alerte.

Le shérif posa ses pieds bottés sur la table. Il se cala au fond de sa chaise grinçante et baissa son chapeau sur ses yeux.

— Attendez, j'ai une meilleure idée, reprit Guidry. Est-ce que vous connaissez quelqu'un ici qui me ressemble ? Même taille, même couleur de cheveux. Pas un vrai sosie, juste une vague ressemblance. Que vos visiteurs puissent constater par eux-mêmes que vous avez pêché par erreur le mauvais poisson. Et vous direz, « désolé pour le dérangement, les gars. Mieux vaut prévenir que guérir ».

Le shérif ne broncha pas. Guidry s'allongea sur le lit de camp. Il n'avait plus qu'à attendre. C'était tout ce qui lui restait à faire. Il venait de finir sa grande scène, la tirade d'une vie. Les dés étaient jetés, ils roulaient sur la feutrine verte du tapis.

Il tâcha de se vider l'esprit. Comme Socrate, la veille du jour où on lui avait apporté la ciguë. En Inde, avait lu Guidry quelque part, certains *shamans* et *sâdhus* étaient capables de ralentir leur respiration, et même leurs battements de cœur, jusqu'à ce que ceux-ci deviennent quasiment imperceptibles. Peut-être réussirait-il cet exploit, lui aussi. Quand les hommes de Seraphine arriveraient, ils penseraient qu'il était déjà mort.

Socrate ou Sophocle ? Guidry n'arrêtait pas de confondre leurs morts. L'un avait été forcé de boire du poison, l'autre était mort en essayant de réciter un vers incroyablement long sans reprendre son souffle. Mis au défi par l'un de ses petits camarades.

Guidry pensait à ce qu'il ferait quand le shérif le livrerait à ses bourreaux, le matin venu. Il foncerait droit sur le pistolet à la ceinture du shérif. C'était sans espoir, mais il n'allait certainement pas laisser les hommes de Seraphine le prendre vivant, pas s'il pouvait les en empêcher.

Le lino grinça. Guidry ouvrit les yeux. Il avait dû

s'endormir. Il se demanda combien de temps il était resté allongé là. Le shérif se tenait de l'autre côté des barreaux.

— Quand est-ce que tu crois qu'ils arriveront ici ? demanda le shérif.

Guidry s'assit sur son lit de camp. Il consulta sa montre. 5 heures du matin, lundi.

— D'ici à une heure, environ.

Le shérif déverrouilla la porte de la cellule. Il tendit à Guidry son portefeuille et ses clés de voiture.

— Va-t'en.

— Bonne chance, shérif, dit Guidry.

— Va au diable.

Guidry conduisit toute la matinée. À l'ouest de Tucumcari, dans le Nouveau-Mexique, le grésil tombait de biais. Il dépassa une voiture en panne sur le bas-côté de la route, près de laquelle se tenait une femme trempée jusqu'aux os. Deux enfants le regardèrent passer à travers le pare-brise arrière.

Il ne ralentit pas. Désolé, frangine. Guidry avait bien assez d'ennuis à lui, sans en plus se charger de ceux des autres.

12

Lundi matin, peu après l'aube, Charlotte et les filles quittèrent McLean. Aux environs d'Amarillo, une fine pluie se mit à tomber, de plus en plus fort, au point que les phares des voitures qu'elles croisaient semblaient vaciller comme des flammes de bougies. On aurait dit que la pluie venait de partout à la fois, de devant, de derrière et même d'en dessous – car les gouttes qui rebondissaient sur la route tambourinaient contre le sol de la voiture, sous ses pieds.

Lorsqu'elles s'arrêtèrent pour faire le plein d'essence, le pompiste reluqua Charlotte d'un air lubrique, tout en vérifiant le niveau d'huile. Il dégaina la tige de métal et fit mine de laisser courir sa langue sur toute sa longueur. Charlotte baissa les yeux et fixa ses mains posées sur ses genoux. Dieu merci, les filles étaient trop occupées à suivre l'itinéraire de leur voyage sur la carte.

Elle tendit un billet de cinq dollars au pompiste, pour l'essence. Il lui rendit sa monnaie, tout en continuant de la déshabiller du regard. Elle ne savait pas quoi dire.

— Merci, fit-elle enfin.

Lorsqu'elles repartirent, Charlotte tremblait. *Tout va bien*, se dit-elle. *Tout va bien se passer.*

Peu après qu'elles eurent quitté le Texas et pénétré au Nouveau-Mexique, la pluie se transforma en grésil, et l'asphalte devint lisse et brillant comme du verre. La route prit soudain un virage inattendu, la voiture dérapa et finit dans un fossé.

Tout se passa très vite. Charlotte sentit la voiture planer

sous elle, puis le volant lui échappa des mains. Joan tomba à la renverse sur Rosemary, qui culbuta sur le chien, qui se réveilla en sursaut et aboya une seule fois, de façon hésitante.

Le fossé était peu profond, une soixantaine de centimètres maximum, mais le nez de la voiture avait l'air de pointer droit vers le haut. Tout ce que Charlotte apercevait à travers le parebrise, c'était le long capot couleur mastic de la voiture et un ciel vide du même ton. Le moteur ne tournait plus, et le silence bourdonnait à ses oreilles.

— Vous allez bien ? demanda Charlotte aux filles.

— Qu'est-ce qui s'est passé ? s'enquit Rosemary.

— Les filles ! Est-ce que ça va ?

— Oui, répondit Rosemary.

— Joan ?

— Oui.

Les fillettes grimpèrent sur la banquette afin de pouvoir regarder au dehors. Elles étaient toutes rouges et surexcitées.

— On a eu un accident de voiture ! s'exclama Rosemary.

Charlotte ouvrit sa portière. Elle remonta la pente du fossé pour se rendre compte de leur situation. Elle n'était pas bonne. La voiture semblait définitivement bloquée ; les pneus arrière étaient complètement embourbés, et ceux à l'avant, suspendus en l'air à une trentaine de centimètres au-dessus du sol, tournaient dans le vide, paresseusement.

Inspire à fond. Ce n'était rien. Tout allait bien se passer.

— On est coincées, maman ? demanda Rosemary.

— Attendez-moi ici, dit Charlotte. Enfilez vos manteaux et blottissez-vous contre Lucky. Faites comme si c'était un gentil ours dans les bois.

Les voitures passaient les unes après les autres, sans même ralentir, soulevant de grandes gerbes d'eau. Charlotte resta au bord de la route, trempée jusqu'aux os et toute tremblante. *Prends une autre grande inspiration.* Il était 1 heure de l'après-midi, c'était une autoroute très fréquentée. Quelqu'un allait bien finir par s'arrêter. D'après la carte, la prochaine ville, Santa Maria, ne se trouvait qu'à quelques kilomètres de là.

Enfin, une dépanneuse qui passait par là freina et s'arrêta sur la bande d'arrêt d'urgence. « Santa Maria Enlèvement d'épaves et Réparations ». Un mécano au visage impassible descendit du camion. Il examina la voiture sous différents angles, grommela à plusieurs reprises, secoua la tête. Il alla pêcher dans sa joue le tabac à chiquer qu'il était en train de mâcher et jeta la petite boule noire et hérissée sur la route que la neige fondue avait transformée en patinoire.

— C'est pas votre jour de chance, fit-il.

Charlotte avait si froid que ses dents commençaient à claquer. Elle avait toujours cru que ce n'était qu'une façon de parler, cette histoire de claquement de dents.

— Est-ce que vous pouvez nous tirer de là ? demanda-t-elle.

— Les gens prennent toujours ce virage trop vite, dit-il. Ça fait marcher mon commerce.

— Pouvez-vous nous sortir de là ?

— Quinze dollars.

Il ne pouvait pas être sérieux.

— Quinze dollars ? répéta-t-elle.

— Si vous trouvez un meilleur prix, tenez-moi au courant.

Il tourna les talons et commença à repartir vers son camion.

— Attendez.

Le garagiste fit reculer son véhicule et y enchaîna leur voiture. Il fit ronfler son moteur, et leur voiture commença à s'ébranler. Enfin, elle s'arracha à la boue avec un bruit de succion mouillée.

Charlotte vit que l'aile arrière avait été méchamment enfoncée dans la chute ; par ailleurs, un feu arrière était écrasé, et le pot d'échappement, complètement déformé.

La petite boule de tabac à chiquer du garagiste gisait sur la route, gluante et visqueuse ; on aurait dit un organe arraché à un corps, puis jeté là, un cœur qui battrait une dernière fois. Le mécano fit lentement le tour de la voiture. Il secouait la tête.

— C'est toujours pas votre jour de chance, pas vrai ? dit-il.

Charlotte, les filles et le chien s'entassèrent à côté de lui dans la cabine de la dépanneuse. Une fois en ville, il les déposa devant un motel dont les bungalows en adobe blanchis à la chaux étaient disposés autour d'une piscine vide. Il annonça à Charlotte qu'il ne pourrait pas s'occuper de la voiture avant mercredi.

— Mercredi ? s'exclama Charlotte. Mais c'est dans deux jours. Il n'y a pas un moyen de… ?

— Mercredi, peut-être, précisa même le garagiste. Passez dans l'après-midi, et je vous dirai ce qu'il en est. Sinon, ce sera le lundi suivant, à cause de Thanksgiving.

Il repartit dans sa dépanneuse. Il était presque 14 heures, à présent. Les filles mouraient de faim. À un distributeur automatique, Charlotte acheta deux briques de lait chocolaté, et elles se partagèrent le dernier sandwich au rosbif. Les nuages s'éclaircirent un peu, et la pluie cessa. Leur chambre n'était pas plus agréable que celle de McLean, mais au moins elle ne sentait pas le chou bouilli. Charlotte attendit que les filles soient absorbées dans la lecture de leurs albums Disney des « Merveilles de la nature », puis elle leur recommanda de n'ouvrir la porte à personne d'autre qu'elle (« À *personne*, tu as compris, Rosemary ? ») et s'en alla, en suivant le chemin de pierre qui menait au bâtiment principal.

Il y avait un téléphone à pièces sous le porche, devant la réception du motel. Charlotte feuilleta son carnet d'adresses jusqu'à retrouver le numéro dont elle espérait qu'il était toujours celui de tante Marguerite à Los Angeles. Elle décrocha le combiné et dit à l'opératrice qu'elle voulait passer un appel longue distance. L'opératrice lui enjoignit d'insérer cinquante cents.

Charlotte composa le numéro et attendit. Elle compta les sonneries. Une, deux, trois. Charlotte ne s'inquiéta pas. Quatre, cinq, six. Marguerite était peut-être sortie faire des courses, ou partie déjeuner avec des amis, ou dehors, en train de s'occuper de ses rosiers. C'était très probable. C'était fort possible. Sept, huit, neuf.

Au beau milieu de la douzième sonnerie, Charlotte raccrocha. Elle fouilla dans son sac à main pour trouver ses cigarettes. Le Nouveau-Mexique – cette région, du moins – était plat, marron et désertique. Exception faite des bungalows en adobe chaulé, des cactus décoratifs en forme de moignons qui longeaient l'allée du motel, et de la masse floue, dans le lointain, qui devait sans doute être des montagnes à l'horizon, Charlotte avait l'impression d'être encore en Oklahoma.

Elle décrocha de nouveau le combiné et dit à l'opératrice qu'elle aimerait passer un appel en PCV.

— Charlie ? répondit Dooley.

— Bonjour, chéri, dit Charlotte.

— Mais que diable se passe-t-il, Charlie ? Je suis rentré à la maison hier soir, et tu étais partie, et les filles étaient parties aussi, et j'ai failli avoir une crise cardiaque !

— Je sais, je suis désolée. Est-ce que tu as vu le mot que je t'ai laissé ?

— Je suis allé dans leur chambre, et leurs petits lits étaient vides, et tu ne t'imagines pas ce que ça m'a fait, Charlie.

La culpabilité qu'elle avait réussi, jusqu'à présent, à garder frémissante sous le couvercle, tout au fond de son être, se mit à s'agiter, à bouillonner, et déborda en sifflant par-dessus le rebord de la marmite.

— Je sais, je suis désolée, répéta-t-elle. Est-ce que tu as vu mon mot ?

— Oui, ce matin, répondit-il. Je n'ai même pas réussi à dormir, la nuit dernière, tellement j'étais mort d'inquiétude.

— Nous allons bien, les filles vont bien, dit Charlotte. Nous sommes au Nouveau-Mexique. Nous avons eu un petit accident avec la voiture, mais…

— Au Nouveau-Mexique ! s'exclama Dooley. Qu'est-ce qui t'a pris, Charlie ?

— Je pense que c'est mieux ainsi, chéri, je le pense vraiment. Pour nous tous. Je crois…

— Qu'est-ce qui est arrivé à la voiture ? Charlie, tu ne veux pas divorcer. Je sais que tu ne le veux pas.

— Je ne peux pas continuer ainsi, Dooley. Ce n'est pas ce que…

Charlotte ne pouvait même pas se l'expliquer à elle-même. Comment pouvait-elle espérer le lui expliquer, à lui ?

— Je ne suis pas… Je ne suis pas la personne que je veux être. Je ne le serai peut-être jamais, mais j'ai besoin de m'en laisser l'opportunité. Je veux que les filles aient la possibilité, elles aussi, de devenir celles qu'elles veulent être. Si je ne pars pas, j'ai bien peur que…

— Partir ? Tu veux dire que tu as besoin de vacances ?

— Non. Je…

— Tu ne peux pas me faire ça, Charlie, dit Dooley. Un divorce, comme ça, sorti de nulle part. Sans même m'en parler avant ?

— Dooley…

— Ce n'est pas juste, Charlie, de prendre une décision comme ça toute seule, sans même que j'aie mon mot à dire dans l'affaire. C'est comme si tu te glissais dans mon dos sans crier gare et que tu me tapais sur la tête avec une planche en bois. Les gens mariés discutent de leurs problèmes.

Pendant toutes ces années, elle avait essayé des centaines de fois de l'amener à discuter de leurs problèmes. Et pourtant, malgré cela, elle se demanda s'il n'y avait pas du vrai dans ce que Dooley disait. Elle avait fait preuve de lâcheté, en s'enfuyant de la maison alors qu'il n'était pas là et ne pouvait pas tenter de la convaincre de rester. Elle aurait au moins dû attendre son retour. Ou elle aurait pu proposer une période de séparation temporaire. Elle pouvait en proposer une maintenant.

Le divorce, c'était le bord de la falaise. Une fois qu'on se jetait dans le grand bleu qui s'étendait au-delà, il n'y avait pas de retour possible…

Cela faisait enrager Charlotte de sentir le doute s'insinuer dans chacune de ses pensées, chacune de ses décisions. C'était exactement cela que Charlotte voulait dire, un instant plus tôt : *Je ne suis pas la personne que je veux être.*

— Dooley, je pense…

— Tu *penses*. Tu *penses*, Charlie. C'est bien ce que je veux dire. Tu penses, mais tu ne *sais* pas. Dis-moi que tu sais avec certitude. Dis-le à voix haute. Dis : « Je veux divorcer. J'en suis sûre à cent pour cent. » Tu es capable de dire ça ?

— Je… Je ne sais pas s'il existe une chose qui soit sûre à cent pour cent, dans la vie, répondit-elle. Est-ce que ça existe ?

— Oui, le mariage, affirma Dooley. C'est ce qu'on a juré devant le prêtre, n'est-ce pas ? Jusqu'à ce que la mort nous sépare. Nous avons fait le serment de…

Elle l'entendit ouvrir les portes du placard.

— Où est le sucre pour le café, Charlie ?

— Sur l'étagère près du réfrigérateur.

Il se mit à pleurer.

— Oh ! mon Dieu, Charlie, qu'est-ce que je ferai sans toi ? Les filles et toi, vous êtes la meilleure chose qui me soit jamais arrivée.

— Tu pourras toujours voir les filles, dit-elle. J'y veillerai, je te le promets. Je…

— Je ne suis qu'un minable, un raté. Je le sais.

— Non, Dooley, ce n'est pas vrai. Mais tu n'écoutes pas ce que je te dis.

Le ciel s'était de nouveau assombri ; les nuages anthracite s'amoncelaient, comme des blocs gigantesques. Charlotte pensa aux murailles d'une forteresse effondrée, à d'antiques pierres tombales. Elle se sentit soudain épuisée, trop fatiguée pour réfléchir.

Quelques gouttes de pluie rebondirent sur le toit de tôle du surplomb, puis, sans autre préambule, un véritable déluge tomba du ciel. Un homme en costume, un autre client de l'hôtel, réussit à s'abriter juste à temps.

— Je ne suis qu'un minable, répéta Dooley, mais je t'aime. Personne ne t'aimera jamais comme je t'aime. Pourquoi veux-tu détruire tout ça ?

— Il faut que j'y aille, chéri, dit Charlotte. Quelqu'un d'autre a besoin du téléphone.

— Tu ne veux pas divorcer, Charlie, ce n'est pas vraiment ce que tu veux. Tu ne veux pas tout balancer. Rentre à la maison. Nous en discuterons. C'est tout ce que je veux faire.

— Je te rappelle bientôt.

— Rentre à la maison, Charlie, insista Dooley. Tu sais que tu vas revenir. Tu le sais. Je ne suis pas en colère. Juste…

Charlotte raccrocha avant que l'un ou l'autre puisse ajouter quoi que ce soit. L'homme en costume lui adressa un sourire bienveillant lorsqu'ils se croisèrent.

— Quand il pleut, ici, c'est du sérieux, n'est-ce pas ? fit l'homme.

Elle hocha la tête et parvint à lui renvoyer un sourire.

— Oui, c'est le moins qu'on puisse dire.

13

Ils quittèrent Houston aux environs de 23 heures et roulèrent toute la nuit. Ou plutôt, le gamin de couleur roula toute la nuit. Barone resta éveillé, pour s'assurer que le gosse restait bien éveillé, lui aussi. Theodore. C'était son nom. « Theodore, ne m'appelez pas Ted, ne m'appelez pas Teddy non plus. » Il râlait à cause de la Pontiac qui ne se laissait pas manœuvrer, à cause du temps qu'il faisait, de la route, du lycée qu'il fréquentait à Houston et de ses quatre sœurs aînées qui le traitaient encore comme un bébé alors que c'était un homme, un vrai, maintenant, du haut de ses seize ans. Il râlait parce qu'il avait faim et qu'il était fatigué. Ils écoutaient une émission de radio qui émettait depuis Dallas et diffusait de la soul – que des chanteurs de couleur. Sam Cooke ne dérangeait pas trop Barone. Il n'arrivait pas à trouver une station qui passait du jazz, de toute façon.

— Vous cherchez qui, au fait ? demanda le gamin.

— Un homme.

— Pourquoi vous en avez après lui ? Il a piqué votre femme ?

— Il me doit de l'argent.

— Combien ? demanda le môme.

— Pas mal, répondit Barone.

— Moi, je veux devenir avocat.

— Avocat ?

— Y a des avocats de couleur, affirma le gamin.

— Je n'ai jamais dit le contraire.

— Quel genre de boulot vous faites ?

— Je suis un avocat de couleur, répondit Barone.

— Tu parles, fit le gosse. Vous êtes vendeur, ouais. C'est c'que je crois, moi. Ou vous bossez dans une entreprise.

— C'est ça.

— Et vous aimez ça ? Le genre de boulot que vous faites ?

Barone ne s'était jamais vraiment penché sur la question. C'était comme demander : *Vous aimez qui vous êtes ?* Personne n'avait son mot à dire là-dessus.

— Je connais une avocate de couleur, dit Barone. Enfin, c'est un genre d'avocate.

Le gamin pivota sur lui-même et le regarda avec des yeux ronds.

— *Une* avocate ? Une *femme* de couleur avocate ?

— J'ai dit que c'était *un genre* d'avocate.

— You hou !

Ils arrivèrent à la ville à 7 heures du matin, lundi. Goodnight, au Texas. Il faisait toujours noir dehors. Barone dit au gamin de se garer en face du petit poste de police.

— Je reviens dans une minute, annonça-t-il.

— Tu parles, fit le môme. Je reviens dans une minute. C'est ce que vous avez dit la dernière fois. Une minute.

— Et ensuite, on ira prendre le petit déjeuner.

— D'accord, répondit le gamin.

Barone sortit de la voiture dans le mugissement d'un vent humide et froid. Le nord du Texas en plein mois de novembre. Sa main suturée allait mieux, mais il ne parvenait toujours pas à refermer les doigts. Cela ne poserait pas de problème. Il pouvait tirer de la main gauche, à condition de ne pas devoir se précipiter. Il sortit le Browning calibre .22 de sa poche de pantalon et le rangea de l'autre côté, afin de pouvoir le dégainer plus facilement.

Il y avait deux flics dans le commissariat, un vieux et un jeune. Le shérif et son adjoint. Le shérif était à son bureau, les bottes posées sur la table. L'adjoint, à l'autre bout de la pièce, à la gauche de Barone, était en train de remplir une espèce de tableau de service épinglé au panneau d'affichage en liège. Un fusil à double canon était posé debout contre le bureau du shérif, à portée de main.

Le shérif hocha la tête.

— 'Jour.

— Où est-il ? demanda Barone.

— Là-bas, au trou.

Il n'y avait qu'une seule cellule. À l'intérieur, un homme couché sur un lit de camp, recroquevillé sous une couverture en laine, le visage tourné vers le mur. Barone avança et le regarda à travers les barreaux. L'homme dormait ou faisait semblant de dormir.

Barone tendit le doigt en direction de l'adjoint.

— Versez-moi une tasse de ce café, vous voulez bien ? demanda-t-il.

Il voulait que le député aille se mettre à côté du shérif, devant le même mur. Derrière le bureau du shérif étaient accrochés plus d'une dizaine de tableaux représentant des phares, des ponts et des personnages religieux. Barone était entré dans de nombreux postes de police, mais il n'en avait encore jamais vu un seul avec des peintures au mur.

L'adjoint regarda le shérif, qui inclina la tête vers la cafetière. Alors, l'adjoint traversa la pièce en prenant tout son temps. Il voulait montrer à Barone qui était le chef, ici.

Barone siffla à l'intention de l'homme dans la cellule.

— Debout, lui intima-t-il.

Il vit la couverture remuer un peu.

— Mon adjoint ici présent l'a arrêté hier, pour excès de vitesse, déclara le shérif. À trois kilomètres à l'est de la ville. Il prétend s'appeler Watkins, mais il n'a pas l'ombre d'un papier sur lui. La voiture qu'il conduisait est bien enregistrée sous le nom de Watkins, mais je soupçonne qu'elle soit volée.

— Si vous voulez de la crème ou du sucre, vous viendrez en chercher vous-même, dit l'adjoint à Barone.

Il posa la tasse sur la table, avec un air suffisant.

Barone siffla de nouveau, plus fort. L'homme dans la cellule faisait juste semblant de dormir.

— Debout, répéta Barone.

L'homme s'assit sur la paillasse, bâilla et serra davantage les pans de la couverture autour de lui.

— Laissez-moi sortir d'ici, lança-t-il. J'ai aucune idée de qui vous êtes, bon Dieu, mais moi, j'suis pas celui que ces abrutis de fils de putes croient que je suis.

Cet homme n'était pas Guidry. Barone s'en rendit compte au premier coup d'œil.

— Alors ? demanda le shérif à Barone. C'est votre type ?

— Je m'appelle Melvin Watkins, bordel. Je sais pas qui vous cherchez. J'habite à Clarendon, au Texas, à moins de trente kilomètres d'ici, à l'est. Allez à Clarendon, demandez à la première personne que vous rencontrerez. Tout le monde vous le dira.

Barone ne perdait son calme que très rarement. Mais huit heures de route, huit heures perdues pour rien. Et maintenant, il lui faudrait à nouveau huit heures pour retourner à Houston. Il sortit le Browning de sa poche et le braqua en direction de l'homme dans la cellule. Barone entendit les bottes du shérif retomber par terre et sa chaise racler le sol tandis qu'il se levait.

— Hé, du calme, fiston, fit le shérif.

L'homme dans la cellule regardait fixement Barone, les yeux exorbités. Il avait le même âge et la même taille que Guidry, presque les mêmes cheveux et le même teint. Ses yeux étaient un peu étirés en amande, eux aussi. À moitié indien, probablement. Les yeux étaient noirs, et non clairs, mais Barone se dit qu'il comprenait comment les flics, en toute bonne foi, avaient pu commettre cette erreur.

Barone rangea son arme.

— Ce n'est pas lui, déclara-t-il.

L'homme dans la cellule cligna des yeux. L'adjoint restait debout, immobile, sa tasse dans une main et la cafetière dans l'autre. Le shérif se réinstalla lentement dans son fauteuil.

— Vous en êtes sûr ? demanda-t-il.

Une seconde plus tôt, Barone était sur le point d'exploser de rage. À présent, il se sentait froid comme la glace.

— Ce n'est pas lui, répéta-t-il.

— Nous n'avions pas de photo de lui pour vérifier, dit le shérif. Mais vos gens de Dallas, ils m'ont dit qu'il valait mieux pécher par excès de prudence.

— Vous êtes sûr que c'est pas lui ? demanda à son tour l'adjoint, qui l'ouvrait enfin. Allez jeter un autre coup d'œil, s'il le faut.

Le shérif lança un regard noir à son adjoint, puis se retourna vers Barone.

— Je sais que vous venez de loin, lui dit-il. Je suis désolé pour le dérangement.

Barone retourna à la voiture. Le gamin remonta la rue sur plusieurs pâtés d'immeubles jusqu'à ce que Barone repère un café-restaurant. Le gosse commanda des œufs brouillés, du bacon, des petites galettes à la saucisse, des biscuits au jus de viande et une pile de petits pancakes. Il ne cessait de surveiller Barone du coin de l'œil, comme s'il le mettait au défi de faire le moindre commentaire.

— Et un grand verre de lait chocolaté, ajouta le gamin.

— On n'a que du lait normal, ici, répondit la serveuse.

— Vous avez même pas de chocolat en poudre à mélanger dans du lait ?

— On n'a que du lait normal.

La serveuse n'avait pas l'air très heureuse de voir un gamin de couleur installé à son comptoir. Barone remarqua son petit air pincé. Il y avait fort à parier qu'elle se disait chrétienne et allait à l'église tous les dimanches matin.

Ils étaient seuls dans le café. Ils étaient arrivés juste après la foule du petit déjeuner et avant celle du déjeuner. La radio diffusait un reportage en direct de Washington, DC. Une procession de chefs d'État du monde entier suivait le cercueil de Kennedy, de la Maison-Blanche jusqu'à la cathédrale St. Matthew.

Le gamin avalait son petit déjeuner sans trouver aucune raison de râler, pour une fois. Barone mangea un œuf au plat baveux et but deux tasses de café noir. Il se sentait chaud et fébrile. La grippe, sans doute. Ce n'était vraiment pas le moment de l'attraper, mais il avait déjà eu la grippe auparavant, et ça ne l'avait jamais tué.

La serveuse revint les voir.

— C'est une journée de deuil national, dit-elle. Et pourquoi, moi, je dois travailler quand même ? On se le demande…

— Tu as fini ? demanda Barone au gosse.

— Tu parles, fit ce dernier. Un blanc se fait tuer, c'est un jour de deuil national. Si c'est un mec de couleur, c'est un lundi matin comme un autre.

— Seigneur, comment peux-tu manger autant et rester si maigre ? s'enquit la serveuse.

Elle donna un coup de coude amical au gamin tout en empilant les assiettes. Peut-être que Barone s'était trompé à son sujet, finalement.

— Vous aussi, vous allez à Amarillo pour la vente aux enchères d'automobiles ?

— Non, répondit Barone.

Elle commença à s'éloigner.

— Attendez, fit-il. Revenez par ici.

— Encore du café ? demanda la serveuse.

Barone posa la main sur sa tasse.

— Pourquoi vous nous demandez ça ? dit-il. À propos de la vente aux enchères ?

— C'est là-bas qu'allait l'autre type, répondit-elle. Celui qu'est passé par ici, hier. On voit pas beaucoup d'étrangers par ici, alors je me suis dit que vous alliez peut-être à cette vente aux enchères, vous aussi.

Elle devait parler de l'homme qu'il avait vu dans la cellule. Mais le shérif avait dit que son adjoint avait appréhendé ce Melvin Watkins à quelques kilomètres à *l'est* de la ville. Or, le café se trouvait à l'ouest. Amarillo aussi était à l'ouest. Peut-être le shérif avait-il encore fait une erreur, toujours de bonne foi, bien sûr.

— À quoi ressemblait-il ? demanda Barone.

— Le type d'hier ? Je ne sais pas. Il était très sympathique, en tout cas.

— Il était beau ?

Elle rougit.

— J'imagine que oui.

Que l'adjoint du comté ne reconnaisse même pas un homme de la ville d'à côté, c'était une bizarrerie qui n'avait pas frappé Barone jusqu'ici. Il aurait au moins dû reconnaître son nom, se dit-il. Et pourquoi le shérif n'avait-il pas tout simplement téléphoné à Clarendon pour vérifier son identité ? Quand il s'était aperçu que l'homme dans la cellule n'était pas Guidry, Barone avait laissé la colère obscurcir son jugement.

— Il avait les yeux marron foncé, n'est-ce pas, dit Barone. Comme les miens.

— Marron ? Non. Les siens étaient verts comme du verre de bouteille.

Elle rougit de nouveau.

— Je sais plus. P'têt' bien qu'ils étaient marron, après tout. Je vous sers autre chose ?

Quand Barone retourna au poste de police, Melvin Watkins avait été libéré de sa cellule, mais il était encore là, à boire du café et à rigoler avec l'adjoint. Le shérif était en train d'enfiler sa veste matelassée, sur le point de rentrer chez lui.

Barone tira sur l'adjoint avant même que ce dernier puisse songer à attraper le pistolet à sa ceinture. Le coup emporta une partie de sa tête, qui alla éclabousser les tableaux accrochés au mur. Le shérif eut le temps de saisir la crosse de son revolver, mais pas de le dégainer. Barone lui logea deux balles dans le ventre. Comme il tirait de la main gauche, il devait se concentrer. Le shérif glissa le long du mur et s'immobilisa, assis par terre, les jambes écartées devant lui, son chapeau de cow-boy tout de travers et cabossé.

Melvin Watkins levait les mains le plus haut possible et parlait si vite que Barone le comprenait à peine. Barone fourra le Browning calibre .22 dans son pantalon et sortit le pistolet de l'adjoint de son étui. Un revolver Colt Trooper.

— Le shérif m'a appelé et m'a dit qu'il lui fallait quelqu'un qui ressemble à un autre gars, lâcha précipitamment Melvin

Watkins. Je voulais pas le faire, moi, mais le shérif m'a dit qu'il me coffrerait si j'obéissais pas, et je sais pas pourquoi…

Barone l'abattit avec l'arme de l'adjoint. Puis il se dirigea vers le shérif et se tint au-dessus de lui, en veillant à ne pas poser le pied dans la mare de sang qui se formait au sol. Le shérif essayait de sortir son revolver de son étui, mais était trop faible pour y arriver ; par ailleurs, sa main et la crosse de son arme, recouvertes de sang, étaient toutes glissantes.

Un dur à cuire, ce vieux briscard. Il levait la tête vers Barone, le regardait droit dans les yeux, sans la moindre intention de le supplier.

— Est-ce qu'il vous a acheté ? demanda Barone.

— Allez au diable, rétorqua le shérif.

— Combien ? demanda encore Barone. Quoi qu'il vous ait donné, ce n'était pas assez. Est-ce qu'il vous a dit où il allait ?

— Allez… au… diable.

À chaque mot, on avait l'impression que le shérif était en train de sortir un corps sans vie d'une rivière et le traînait jusque sur la berge.

— Tous… autant… que vous… êtes, ajouta-t-il.

— C'est à cause de lui que vous allez mourir. Regardez autour de vous, regardez tout ça. C'est Frank Guidry qui a fait ça, pas moi. Vous ne voulez pas que je le retrouve et que je lui passe le bonjour de votre part ?

La respiration du shérif se fit sifflante, pleine de gargouillis, et il renonça enfin à dégainer son revolver.

— Je… sais pas… où, dit-il.

— Il allait vers l'ouest ? demanda Barone.

Le shérif donna un coup de menton. Oui.

— Et quoi d'autre ?

— Une Dodge, fit le shérif. Bleue… et blanche.

— Vieux modèle ou récent ?

— 1957… ou 58. Une Dodge… Coronet.

— Quand est-il parti ?

— Il y a… quelques… heures.

Peut-être que Guidry se débarrasserait de la voiture, peut-être que non. Guidry penserait que son plan avait marché, que Barone avait mordu à l'hameçon et était en train de retourner à Houston, à l'heure qu'il était. Il penserait que Barone appellerait Seraphine pour lui dire que la piste de Goodnight était une impasse.

— Et quoi d'autre ? s'enquit Barone.

Le shérif fit un autre signe du menton. Rien d'autre.

— Pourquoi avez-vous tous ces tableaux accrochés au mur ? demanda Barone.

— Va… au… diable, fit le shérif.

Barone reprit le Browning en main. Il recula d'un pas pour ne pas être éclaboussé et tira une balle dans la tête du shérif. Ensuite, il plaça le Browning dans la main de Melvin Watkins et le pistolet de l'adjoint dans la main de celui-ci, puis il changea les douilles afin qu'elles correspondent. Non, cela ne bernerait pas tous les Texas Rangers de l'État, mais peut-être au moins les premiers chargés de l'enquête. Il leur faudrait sans doute un peu de temps pour se gratter la tête.

Il essuya soigneusement tout ce que Guidry avait été susceptible de toucher dans la cellule. Comme Barone portait des gants, ses propres empreintes n'étaient pas un souci.

Le gamin s'était endormi lorsque Barone retourna dans la voiture. Barone le réveilla d'un coup de coude.

— On y va, dit-il.

— Vous avez trouvé c'que vous cherchiez, cette fois ? demanda le môme. Ou il va encore falloir qu'on fasse demi-tour pour revenir ?

— On y va, répéta Barone.

Et la serveuse ? Barone réfléchit. Non. C'était bientôt l'heure du déjeuner. Il y aurait trop de clients. Et il n'avait pas le temps d'attendre la fin de son service pour aller s'occuper d'elle à ce moment-là. Il devait laisser tomber. Guidry l'attendait.

14

Ce n'était que maintenant, à 1 heure de l'après-midi, et à six cent quarante kilomètres de Goodnight – six cent quarante kilomètres de son trépas quasi certain –, que Guidry commença enfin à respirer un peu mieux. Il quitta l'autoroute pour entrer dans la ville de Santa Maria, au Nouveau-Mexique. Une ville ? Les quelques bâtiments agglutinés dans la plaine verte qui s'étendait à perte de vue ressemblaient plutôt à une poignée de poils de barbe oubliés par un rasoir.

Quand Guidry sortit de la voiture, il avait encore les jambes en coton. *Mon vieux, tu l'as échappé belle. Est-ce que tu te rends compte à quel point ?*

Oh que oui, je m'en rends compte !

L'Old Mexico Motor Court était le seul motel de la ville. Guidry se rendit à l'accueil et demanda une chambre. Le gamin derrière le comptoir le regarda à peine.

— Nous avons des *casitas*, répondit-il. C'est comme ça que j'suis censé les appeler.

— Est-ce qu'une *casita*, c'est la même chose qu'une chambre ? s'enquit Guidry.

— Oui.

— Dans ce cas, je prends, dit Guidry.

L'employé nota le nom que Guidry lui donnait. *Frank Wainwright.* Toujours sans lui jeter le moindre coup d'œil suspicieux. Guidry observa le gamin de près, pour s'en assurer. Après ce qui s'était passé à Goodnight, il ne pouvait pas se permettre de baisser la garde. Qui sait combien de personnes entre ici et Las Vegas avaient reçu l'ordre de le guetter ? De chercher un homme voyageant seul, la trentaine finissante, de taille et de corpulence moyennes, aux cheveux noirs, aux yeux verts, et dont la fossette au menton faisait se pâmer les petites pépées ?

Et à Vegas même, qui sait combien de personnes l'attendaient de pied ferme ? Vegas était aux mains de la pègre. Le mot d'ordre allait se répandre. Guidry suerait à grosses gouttes dès qu'un serveur ou une danseuse de cabaret lui jetterait un regard un peu trop insistant.

Seraphine supposait certainement qu'il se dirigeait vers Vegas ou Miami. Peut-être même Los Angeles. Mais pas Chicago, en tout cas, ni New York, c'était sûr. Comment faire en sorte d'influencer ses hypothèses ? Telle était la question.

Dans la douche, l'eau chaude ne coulait qu'au goutte à goutte, et la serviette était assez rêche pour poncer les visages des présidents du mont Rushmore jusqu'à les faire disparaître. Guidry commençait à en avoir ras le bol des logements merdiques, des chambres de motel, des cellules de prison et des *casitas*. Il en avait eu suffisamment ces derniers jours pour l'intégralité de sa vie.

Il se vida les boyaux. Dix-huit mois dans le Pacifique et pas un soupçon de dysenterie. Alors même qu'aucun autre GI de sa compagnie n'avait été épargné.

À la télé, la procession funèbre se déroulait. Il y avait Jackie, les traits tirés, chancelante, abasourdie. Guidry savait exactement ce qu'elle ressentait. Trois jours plus tôt, seulement, le monde de Jackie était encore bien en ordre, bien rangé. L'avenir semblait radieux.

Il fit une sieste de deux heures. L'employé du motel lui fit la monnaie sur un dollar. Il inséra une pièce de dix cents dans le téléphone et composa le numéro de son vieil acolyte Klaus, à Miami. Klaus, le plus sournois, le plus fourbe, le plus assurément déloyal des ex-catholiques, ex-cocos, ex-nazis de l'hémisphère ouest. Il travaillait pour Santo Trafficante, mais monnayait ses informations à quiconque avait les moyens de les payer.

— Mon petit Klausie, fit Guidry.

— *Ja*. Qu'y a-t-il ? répondit Klaus avant de comprendre qui il avait au bout du fil. Oh. C'est Guidry ?

— Tu peux parler ? Tu es seul ?

— *Ja*. Bien sûr. Guidry. Salut, salut mon vieux copain.

Klaus se remit de sa surprise et vit immédiatement l'opportunité qui s'offrait à lui. Il débloqua sa mâchoire de reptile et se mit à ramper vers Guidry aussi vite qu'il pouvait.

— Quel plaisir de t'entendre, mon vieux copain !

— Klausie, est-ce que je peux compter sur ta discrétion ? demanda Guidry.

— *Ja*, bien sûr.

— J'ai besoin de changer d'air. Tu vois ce que je veux dire. Il me faut la chaleur des tropiques.

Il fallait croire au mensonge qu'on racontait. Il fallait le vivre comme si c'était la vérité. Guidry avait connu une jolie petite actrice, autrefois. Elle était à Hollywood à présent, où elle jouait les femmes fatales de seconde zone dans un navet télévisé. Elle lui avait dit qu'on ne pouvait pas berner le public si on ne se bernait pas d'abord soi-même. Mais ça, Guidry n'avait pas besoin qu'on le lui explique.

— J'ai déjà prévu le taxi, dit Guidry. Un type avec qui j'ai fait l'armée outre-mer, mon ancien sergent, qui loue des bateaux de pêche aux Keys. C'est un vrai connard, mais je pense pouvoir lui faire confiance, et il a un bateau qui peut m'emmener au Honduras.

Guidry se représentait le type, le bateau, il sentait presque les embruns iodés lui fouetter le visage.

— Mais il me faut des papiers, ajouta-t-il. Et une ou deux recommandations, pour quand je serai dans le Sud.

— Tu es à Miami, là ? demanda Klaus.

— C'est pas tes oignons, Klausie, rétorqua Guidry.

Il fallait le faire turbiner un peu, quand même – juste un peu.

— Tu peux m'aider pour la paperasse ? Je peux te payer, bien sûr. Et tu as bien des anciens *Kamaraden* planqués dans la jungle, n'est-ce pas ?

146

Klaus pouvait se montrer un peu susceptible quand il était question de ses vieilles fréquentations de guerre. Mais pas cette fois. Il s'empressa de rassurer Guidry.

— *Ja, ja*, bien sûr, Guidry. Je peux t'aider. Ça me fait plaisir, mon vieux copain.

Guidry dit à Klaus qu'il le recontacterait bientôt pour lui fixer un rencard à Miami, puis il raccrocha. Seraphine serait sans doute sceptique, quand Klaus l'appellerait – en des circonstances normales, Guidry ne mettrait jamais sa vie entre les mains de quelqu'un comme lui. Mais là, mon vieux copain, les circonstances étaient loin d'être normales. Guidry était désespéré. Seraphine le savait. Elle allait devoir arroser cette graine et la regarder pousser, pour voir si elle fleurissait.

L'appel suivant n'était pas un paravent. Las Vegas. Pourquoi Seraphine accepterait-elle de croire que Guidry mettait sa vie entre les mains d'un homme comme Klaus ? Parce que Guidry était sur le point de la mettre entre celles d'un homme comme Big Ed Zingel.

Un homme à l'accent britannique répondit au téléphone.

— Résidence Zingel, bonjour.

— Passez-moi Ed.

— M. Zingel est absent. Voulez-vous laisser un message ?

— Dites-lui que M. Marcello de La Nouvelle-Orléans aimerait lui demander un service, en souvenir du bon vieux temps, dit Guidry.

Il raccrocha. Il pleuvait de nouveau, un déluge digne de l'Ancien Testament. Il attendit dans sa chambre que l'orage cesse, puis se rendit en ville à pied.

Santa Maria, Nouveau-Mexique. Ce patelin valait le coup d'œil. On aurait dit une ville miniature, avec laquelle un gamin aurait pu jouer le matin de Noël. Une réclame en couleur pour de la margarine, dans un magazine. Deux adolescentes se promenaient sur le trottoir, leurs queues-de-cheval balançant de droite à gauche. L'une avait une jupe corolle mi-longue à pois, l'autre en avait une ornée de marguerites. On était soudain revenus en 1955, et personne n'en avait informé Guidry.

Il ne compta pas moins de trois églises en l'espace de deux pâtés de maisons. Deux adolescents en blouson de cuir qui traînaient à un coin de rue le saluèrent en souriant. Dans cette petite bourgade sans histoire, même les voyous avaient de bonnes manières.

Guidry trouva un « grand magasin » qui n'était pas si grand que ça : il n'y avait qu'une seule section, qui proposait un peu de tout. La sélection de vêtements pour homme était conforme à ses attentes. Il acheta deux pantalons de ville en tissu synthétique (du Dacron, grands dieux) et deux paires de chaussures Florsheim bon marché, ainsi qu'une veste de sport à motif pied-de-poule. La veste était un peu courte aux manches – il y manquait un bon centimètre – et trop grande partout ailleurs. Et, touche finale, un fédora en laine grise, dont le ruban arborait un vilain motif pied-de-poule, lui aussi.

Il se regarda dans le miroir et eut envie de pleurer. Il n'était plus Frank Guidry. Il avait l'air d'un vendeur d'assurances vie qui vivrait à Santa Maria, Nouveau-Mexique.

En même temps, c'était bien l'effet recherché, n'est-ce pas ?

Le petit rayon des vins et spiritueux proposait deux sortes de scotch : du pas cher, et du moins cher encore. Mais Guidry n'était pas en position de se plaindre.

Mardi matin, les nuages avaient disparu. L'air était clair, vif, et le ciel, d'un beau bleu vibrant. Debout devant la fenêtre, il mangea le pain aux raisins rassis qu'il avait acheté au distributeur automatique et but du scotch accompagné d'un café qui ressemblait plutôt à du jus de chaussette. Deux petites filles assises au bord de la piscine sans eau balançaient leurs jambes dans le vide. Leur mère était étendue sur une chaise longue, non loin d'elles. La veille, alors qu'il se rendait en ville, Guidry avait vu une dépanneuse les déposer toutes les trois ici, à l'Old Mexico Motor Court. Il se dit que cette femme devait être celle qu'il avait aperçue sur l'autoroute, debout à côté d'une voiture en panne.

Mardi matin. 9 heures. Guidry avait survécu une nuit de plus. C'était comme cela qu'il mesurait la marche du progrès, désormais.

La femme près de la piscine n'était pas mal. Il l'avait observée, la veille, quand ils s'étaient croisés au téléphone à pièces. De grands yeux graves, des lèvres en bouton de rose. Elle ferait mieux de se lâcher les cheveux, d'opter pour un rouge à lèvres plus vif et de se débarrasser de cette robe – un modèle austère, à taille haute, que même Donna Reed considérerait comme ringard. À un autre moment, en des jours meilleurs, cela n'aurait pas déplu à Guidry de la réchauffer un peu et de la sentir fondre dans sa paume. Dans une autre vie, peut-être.

La veste de sport mal coupée, le fédora. Peut-être qu'il pourrait aussi trouver une paire de lunettes. Teindre ses cheveux ? Bien sûr, mais Guidry resterait toujours Guidry. C'était le dilemme insurmontable. Il serait toujours un homme voyageant seul, la trentaine finissante, de taille et de corpulence moyennes, avec les yeux verts et une fossette au menton. Il ne pouvait rien changer à cela.

Ou le pouvait-il ? Une idée commença à germer dans son esprit. Il se dirigea vers la réception du motel et acheta un second pain aux raisins au distributeur. En retournant à sa chambre, il s'arrêta près de la piscine pour admirer la vue sur le désert.

— Belle journée, n'est-ce pas ? lança-t-il.

La femme le regarda. Elle portait une alliance, mais Guidry n'avait vu aucune trace d'un mari.

— Oui, en effet, répondit-elle.

— Bonjour, à nouveau. Nos chemins se sont croisés près du téléphone, hier. Je m'appelle Frank. Frank Wainwright.

— Oui, je me souviens. Charlotte Roy.

Charlotte Roy. Une provinciale, sans doute, venue d'un patelin exactement comme Santa Maria, aussi saine et ennuyeuse qu'un champ de maïs, avec un Nouveau Testament aux pages cornées dans son sac à main et des idées simples sur le bien et le mal. Guidry ne voulait pas lui flanquer la

frousse, aussi devait-il la jouer en douceur. Il en était capable.
Il était capable de tout, si c'était nécessaire.

Il repoussa son chapeau en arrière pour découvrir son
front et s'appuya contre la barrière en fer qui entourait la
piscine. Une petite brise froide soufflait, mais les rayons
du soleil étaient agréables.

— On dirait qu'elles sont plus proches qu'hier, dit-il.
Les montagnes, je veux dire. Comme si elles s'étaient
approchées de nous en douce pendant la nuit.

La femme s'abrita les yeux avec la main et balaya
l'horizon du regard.

— Je suis sûre qu'on peut les semer, répondit-elle.

Guidry rit et lui jeta un coup d'œil, portant sur elle un
regard nouveau. Il aimait les femmes qui savaient saisir la
balle au bond.

Les fillettes, une petite blonde et une brune toute bouclée,
s'étaient retournées pour le regarder.

— Je m'appelle Rosemary, lança la gamine à bouclettes.
Et elle, c'est Joan.

Celle-ci avait le teint de sa mère. La blondinette avait
de grands yeux graves.

— Nous habitons en Oklahoma.

— J'en ai déjà entendu parler, répondit Guidry.

— Nous allons à Los Angeles pour rendre visite à
tante Marguerite. Elle habite à Santa Monica, juste à côté
de l'océan.

Ainsi, elles se dirigeaient vers l'ouest, comme Guidry
l'espérait. Il imagina ce que cela donnerait : Frank Wainwright,
vendeur d'assurances, voyageant avec sa femme et leurs
deux filles. Si Guidry réussissait ce coup-là, il deviendrait
quasi invisible.

— C'est là que je vais, moi aussi, dit Guidry. À Los
Angeles. La Cité des Anges. Savez-vous que c'est ainsi que
les anciens Espagnols l'appelaient ?

— C'est vrai ? demanda la gamine aux bouclettes.

— Parole d'honneur, répondit Guidry.

Il se demanda quand la voiture de cette femme serait

réparée. Il était optimiste. La voiture avait l'air bien amochée, et Guidry n'avait jamais rencontré de garagiste trop pressé de finir le boulot.

— Bon, je ferais mieux d'y aller, dit-il.

Tout en douceur, ne pas leur forcer la main, surtout lors de la première conversation. Il toucha son chapeau pour saluer ces dames.

— À la prochaine, ce fut un plaisir. Peut-être qu'on se recroisera.

15

Mardi, à l'heure du déjeuner, Charlotte et les filles traversèrent l'autoroute et allèrent se promener dans Santa Maria. Cela faisait deux jours que les filles étaient enfermées dans la voiture et les chambres de motel. Elles avaient besoin de courir, sauter et tourner sur elles-mêmes jusqu'à s'en étourdir. C'est donc ce qu'elles firent. Charlotte pensa aux dessins animés pédagogiques que les enseignants leur montraient, au lycée (*A comme Atome !*), dans lesquels des électrons tout excités tourbillonnaient en tous sens autour du noyau.

— Doucement, les filles, s'il vous plaît ! lança-t-elle.

Avec cet instinct infaillible propre aux enfants, Rosemary et Joan menèrent Charlotte directement au parc, où se trouvaient quelques jeux. Les filles se ruèrent sur la cage à écureuil, et Charlotte avisa un banc.

Elle avait plutôt le moral, ce jour-là. Plus que la veille, en tout cas. Elle avait eu une bonne nuit de sommeil, la pluie avait cessé, le soleil était sorti, et elle avait réussi à négocier une trêve, un cessez-le-feu temporaire, entre les deux armées ennemies qui se livraient bataille dans son esprit. Comme la voiture ne serait pas réparée avant le lendemain, elle n'avait à penser ni au passé ni à l'avenir pour l'instant. En route pour la Californie, ou retour à la case départ ? Pour le moment, elle n'avait pas à prendre de décision.

— Viens, maman ! s'exclama Rosemary.

— Je suis bien ici, merci, répondit Charlotte.

— Maman ! l'appela Joan.

Cela faisait presque vingt ans que Charlotte n'avait pas

fait de balançoire. Mais les filles refusèrent d'écouter ses arguments, et Charlotte put se rendre compte que c'était aussi amusant aujourd'hui qu'autrefois. Le ciel qui s'approchait à toute vitesse, le sol qui se dérobait sous les pieds, l'impression que, pendant un quart de seconde, on échappait à la personne qu'on était. Les filles riaient à gorge déployée, et le chien se sentit mis à l'écart. Il posa la tête sur sa patte et se mit à les surveiller, l'air indigné.

À l'épicerie, Charlotte acheta suffisamment de provisions pour quelques jours : une miche de pain de mie Wonder Bread, du fromage, des pommes, des céréales, des saucisses de Vienne en boîtes, et un paquet de cookies aux pépites de chocolat. Elles pique-niquèrent – des sandwichs au fromage, des pommes – sur un banc devant une banque encore plus petite que celle de Woodrow. Charlotte vit une femme d'environ le même âge qu'elle avancer d'un pas rapide, sur le trottoir. En retard pour le travail, sans doute, après avoir passé l'heure du déjeuner à faire des commissions.

En rentrant au motel, elles passèrent devant la vitrine d'un magasin, où s'entassait tout un bric-à-brac poussiéreux d'appareils ménagers de seconde main : grille-pain, radios, aspirateurs, percolateurs, grils électriques. Des objets à réparer, ou à vendre ? Les deux, sans doute, mais il était impossible de distinguer la première catégorie d'objets de la seconde. Charlotte remarqua un appareil photo sur l'étagère tout en bas – un petit Kodak Brownie Cresta pas cher – et s'arrêta pour le regarder de plus près.

Le boutiquier réussit à apercevoir Charlotte à travers tout le fatras de sa vitrine et la salua d'un geste de la main. Elle tendit la laisse du chien à Rosemary et entra.

— Bonjour, dit-elle. L'appareil photo dans la vitrine, là, tout en bas, est-ce qu'il est à vendre ?

— Ce vieux machin ?

Le commerçant, voûté, chauve et rabougri, avec sa longue dent grise et pointue comme la canine d'un animal, lui rappela un personnage d'histoire pour enfants. Le troll sous le pont, mais en plus aimable.

— Je ne sais même pas s'il fonctionne encore, poursuivit le vieil homme. Mais dites-moi combien vous pouvez vous permettre de dépenser, et je vous le laisserai sans doute à ce prix.

En vérité, Charlotte ne pouvait rien se permettre de dépenser du tout.

— Un dollar ? suggéra-t-elle, tout en sachant que l'appareil devait certainement valoir plus que cela. Je suis désolée. Je sais que ce n'est pas beaucoup.

— C'est suffisant, répondit le commerçant. Ce sera la promotion du jour.

Il lui offrit aussi un rouleau de pellicule. Charlotte apprécia ce geste, qui vint lui rappeler que tout le monde sur Terre n'était pas aigri, vicieux ou méchant. Il y avait même des personnes – comme cet homme, ou leur voisin à l'hôtel, M. Wainwright – qui étaient sympathiques, généreuses et tout à fait agréables.

Pendant que les filles et le chien faisaient la sieste, Charlotte inspecta le Brownie. Vitesse d'obturation fixe, ouverture fixe, mise au point fixe – typiquement le genre de lot qu'on gagnait en envoyant chez Campbell quinze étiquettes de leurs soupes en conserve. Quoi qu'il en soit, il semblait en bon état. Charlotte sortit de la chambre et prit une photo de la cour du motel. La piscine arrondie sans eau dedans, la voûte du ciel sans aucun nuage et, entre les deux, la ligne d'horizon, comme la charnière articulant les deux moitiés d'un médaillon vide.

C'était incroyable, l'effet qu'un simple changement de lumière produisait sur un sujet. Les murs blanchis à la chaux des bungalows, si nus et blêmes sous la pluie, prenaient à présent une nuance crème profonde et riche. Les tuiles d'argile rouge, auparavant si ternes, se révélaient joyeuses et éclatantes.

Pour le dîner, Charlotte décida qu'elles pouvaient faire une folie et aller manger au snack-bar de la ville. La serveuse les fit asseoir dans un box près de la fenêtre. À la table d'à côté, il y avait leur voisin du motel, M. Wainwright.

— Il va falloir qu'on arrête de se croiser tout le temps, dit-il.

Charlotte sourit. Les filles partirent en courant pour examiner le juke-box. Il diffusait la chanson *Moody River*. Charlotte fit la grimace quand Pat Boone, de sa voix de crooner, se lança dans le grandiloquent et sirupeux final de sa chanson.

M. Wainwright leva les paumes en l'air.

— Je suis innocent, je le jure, déclara-t-il. Le crime était déjà en cours quand je suis arrivé.

— Des témoins oculaires ? demanda-t-elle.

— Il va falloir me croire sur parole. Trouvez-moi une bible, et je jurerai dessus.

La serveuse apporta un menu à Charlotte. M. Wainwright avait terminé son repas. Il repoussa l'assiette vide dans laquelle il avait mangé sa part de tarte et but une gorgée de café.

— Un petit oiseau m'a dit que vous veniez d'Oklahoma, fit-il.

— Rosemary vous racontera toute sa vie, si vous lui en donnez l'occasion, répondit Charlotte. Non, en fait, elle le fera même sans que vous lui en donniez l'occasion, ajouta-t-elle.

— Et ça vous plaît là-bas ? Je n'ai jamais été en Oklahoma.

— Même si vous y étiez allé, je ne suis pas sûre que vous vous en souviendriez.

— C'est vrai que je l'ai traversé en venant, maintenant que j'y pense.

— Vous voyez ?

Les filles revinrent à la table.

— Maman, dit Rosemary, est-ce qu'on peut avoir une pièce pour le juke-box ?

— Et vos manières, les filles, la reprit Charlotte. Dites bonjour à M. Wainwright.

— Bonjour, monsieur Wainwright.

— Bonjour, monsieur Wainwright.

— Si vous me permettez, fit-il.

Il mit la main dans sa poche et en ressortit une pièce de cinq cents.

— Est-ce que vous vous êtes décidées ? Quelle chanson allons-nous écouter ?

Charlotte hocha la tête pour lui donner la permission, et Rosemary prit les cinq cents.

— Merci, dit Rosemary. Joan va choisir la lettre, et moi, le chiffre. Je vais choisir le numéro sept, parce que j'ai sept ans. Joan a huit ans. Nous avons exactement onze mois d'écart. Pendant un mois tous les ans, en septembre, on a le même âge. Joan va choisir la lettre J, parce que son nom commence par un J. N'est-ce pas, Joan ?

— OK, répondit Joan.

— Rosemary et Joan, déclara M. Wainwright. J'aime bien ces noms-là. Vous savez, ma grand-mère s'appelait Aiglentine, qui signifie « rose » en français. Elle était trapéziste là-bas, en France. C'est une histoire vraie. Un soir, elle a glissé et est tombée. Le filet a retenu sa chute, mais elle a rebondi et a été projetée à l'extérieur. On aurait pourtant cru que les filets n'étaient pas censés avoir autant de rebond, pas vrai ?

Les filles l'écoutaient, captivées.

— Bref, poursuivit-il, toujours est-il que ma grand-mère est sortie du filet et a heurté l'un des mâts du chapiteau. Elle s'est fracturé tous les os de la jambe. Mais c'est comme ça qu'elle a rencontré mon grand-père. Il était médecin et assistait au spectacle, assis dans les gradins. Il est descendu sur la piste et lui a rafistolé la jambe.

Charlotte rit.

— Est-ce qu'elle s'est levée pour finir son numéro, avant ?

— Vous êtes sceptique, dit-il. Je vous comprends. Ma grand-mère était une menteuse merveilleuse. Mais je sais de source sûre qu'elle a vraiment été trapéziste, à un moment de sa vie. J'ai vu les photos. Ou peut-être qu'elle en avait juste la tenue.

Charlotte demanda aux filles d'aller choisir leur chanson et de se laver les mains avant de dîner. J-7 se révéla être *Will You Love Me Tomorrow*, des Shirelles. C'était largement mieux que Pat Boone.

— Alors, pourquoi allez-vous à Los Angeles, M. Wainwright ? demanda Charlotte. Si ce n'est pas une question indiscrète.

— Frank, s'il vous plaît, la reprit-il.

— Pourquoi allez-vous à Los Angeles, Frank ?

— Je vais là-bas pour vendre des assurances. Ma compagnie à New York ne s'arrêtera de sévir qu'une fois qu'elle aura conquis le monde – d'où mon voyage. Mais pas de panique, je ne serai en service que dans une semaine à partir de demain. Donc je n'essayerai pas de vous vendre quoi que ce soit.

— Est-ce que ce n'est pas justement ce qu'un bon vendeur dirait ? rétorqua-t-elle.

— Puisque c'est vous qui le dites, répliqua-t-il, laissez-moi vous expliquer la différence entre une assurance vie temporaire et une entière. Et, si vous me le demandez gentiment, je vous ferai peut-être un prix. Je peux être bonne pâte.

La serveuse fit un clin d'œil à Charlotte en douce, en passant. Charlotte l'ignora. Elle se dit que la plupart des femmes devaient considérer ce M. Wainwright comme une belle prise, avec ses yeux, son menton, et ses cheveux noirs bien peignés — mais Charlotte n'était certainement pas en train de pêcher.

— Ainsi, vous venez de New York ? demanda-t-elle.

— Du Maryland, à l'origine, répondit-il. Mais cela fait vingt ans que j'habite l'Upper West Side.

— Je meurs d'envie de voir New York. Les musées, les pièces de théâtre…

— Cela me déplaît de devoir vous annoncer une mauvaise nouvelle, dit-il, mais vous allez dans la mauvaise direction.

— En fait, je meurs aussi d'envie de voir la Californie. Même si, comme Rosemary vous l'a appris ce matin, nous ne pouvons aller nulle part pour l'instant.

— Je me disais bien que c'était vous que j'ai vues hier, en train de vous faire remorquer par une dépanneuse.

— C'était nous, en effet.

— Comme c'est dommage ! Quand est-ce que vous pourrez reprendre la route ?

— Demain, j'espère. Je dois voir le garagiste dans l'après-midi.

— Vous ne voulez pas fêter Thanksgiving à Santa Maria ?

— Pas vraiment, non.

— Avez-vous déjà entendu parler du karma ? demanda-t-il.

— Le karma ? répéta Charlotte.

— C'est un mot qu'utilisent les bouddhistes, en Orient. J'ai appris ça quand j'étais dans l'armée. Les bouddhistes croient à l'équilibre de toute chose. L'univers bascule, penche, s'incline, le poids se déplace, mais le karma en rétablit toujours l'équilibre. Pour chaque mal, il y a un bien. Vous me suivez ?

— Je ne suis pas sûre.

— Votre voiture tombe en panne alors que vous conduisez vers la Californie, et vous vous retrouvez coincée ici, à Santa Maria, dans le Nouveau-Mexique, pour quelques jours. Un coup dur. Mais maintenant, l'univers vous doit une faveur.

— Ah vraiment ? fit Charlotte en arquant un sourcil.

La notion ne lui déplaisait pas, cependant. Le karma. Elle imaginait cela comme du mercure dans un thermomètre, montant et descendant, toujours à la recherche d'un juste milieu.

— Je suis très flattée que l'univers fasse attention à moi, ajouta-t-elle. Mais il a certainement des problèmes bien plus importants à résoudre, à mon avis.

— Je ne fais que vous répéter ce que disent les bouddhistes, déclara Frank.

— Vous n'y croyez donc pas vous-même, au karma ?

Il réfléchit à la question un instant. Elle aimait bien le voir prendre son temps ainsi. Très souvent, les idées qu'avaient les gens étaient tellement enracinées en eux qu'ils avaient toujours des réponses toutes prêtes à n'importe quelle question. La plupart des gens de Woodrow, en tout cas.

— Je ne sais pas si j'y crois ou pas, répondit-il enfin. Mais je sais que je *veux* y croire.

Les filles revinrent auprès d'eux. Les plats arrivèrent. Pendant qu'elles mangeaient, Rosemary et Joan firent une liste des moments les plus importants de la journée, selon un ordre croissant qui allait de un à dix. Les filles aimaient bien la liste qu'elles venaient de faire. M. Wainwright, Frank, régla sa note, laissa un généreux pourboire à la serveuse et se leva.

— On se verra au ranch, dit-il.

Tandis que Charlotte bordait les filles dans leur lit, Rosemary lui posa maintes questions au sujet des trapézistes, de la France, des os cassés, et : « Est-ce que le docteur est tombé amoureux de la grand-mère de M. Wainwright en la regardant faire son numéro ou seulement quand il l'a rafistolée ? » Joan ne disait rien. Charlotte avait vu la question se former sur son visage, pendant le dîner.

— Pourquoi est-ce que papa ne vient pas avec nous en Californie ? demanda Joan. Pour rendre visite à tante Marguerite ?

— Chut ! fit Charlotte. Fais dodo. On en parlera plus tard.

— Papa n'est pas venu avec nous parce qu'il a du travail, Joan, intervint Rosemary, appuyée sur un coude.

Rosemary ne connaissait pas l'hésitation, lui préférant de loin les déclarations emphatiques.

— Voilà pourquoi, bien sûr, ajouta-t-elle.

— Ah, fit Joan.

Charlotte vit bien qu'elle n'était pas convaincue. Elle allait devoir faire attention. Une fois que Joan était sur une piste, elle n'abandonnait jamais, et sa patience était à toute épreuve.

Quand les filles se furent assoupies, Charlotte sortit le chien pour sa promenade du soir. La lune avait encore grossi – elle était plus qu'à moitié pleine à présent –, et le ciel était complètement dégagé. On aurait dit que tout le paysage alentour était recouvert d'un vernis argenté.

M. Wainwright, Frank, se tenait à son emplacement habituel, près de la barrière de la piscine, les yeux levés vers la lune. Elle sentit poindre un soupçon en elle – n'était-il pas resté un bon moment ici à l'attendre ? Mais non, bien sûr, c'était idiot.

Elle se dirigea vers lui.

— J'imagine que c'était inévitable, n'est-ce pas ? dit-elle.

— L'Old Mexico est un tout petit monde, répondit-il. Mais notez que je ne m'en plains pas.

— Vraiment ?

— Non, parce qu'on n'a jamais eu l'occasion de terminer notre conversation au sujet de l'assurance vie temporaire, vous savez.

Elle sourit. Il flirtait de façon si sympathique, il était si chaleureux et spontané qu'elle ne s'en formalisait pas. Mais elle se demanda si elle devait le prévenir que tous ses efforts resteraient vains.

— Quand on vit à New York, on oublie à quoi ressemble le ciel, dit-il encore.

— Je vais devoir vous croire sur parole, répondit-elle.

— J'imagine qu'on voit bien le ciel, en Oklahoma.

— Ça oui, on ne peut pas le rater.

Il se pencha pour caresser l'oreille du chien, et son épaule effleura la hanche de Charlotte. La poussée de désir qui monta en elle la prit par surprise, comme un courant électrique sournois et crépitant. Elle s'imagina glissant la main le long du ventre de Frank et sous la ceinture élastique de son pantalon, pour le prendre dans sa main, le serrer et le sentir durcir dans sa paume. Sa bouche pressée contre la sienne, ses jambes nouées autour de sa taille, son dos contre la barrière, le poteau métallique enfoncé entre ses omoplates. Il ne tiendrait pas longtemps. Il la supplierait de le libérer. Et le lendemain, elle s'en irait. Charlotte se souviendrait peut-être de lui, ou peut-être pas.

Le chien ferma les yeux, pencha la tête et grogna béatement.

— Les chiens m'aiment bien, en général, déclara-t-il. Je ne me l'explique pas.

— Pensez-vous que les gens peuvent changer ? demanda Charlotte.

La question le prit de court.

— Changer ?

— Qui ils sont, dit-elle. Leur caractère, je suppose. La

façon dont ils agissent, ce à quoi ils croient. Après avoir été un certain type de personne pendant des années, peut-on décider de devenir quelqu'un d'autre ?

Frank médita la question. Charlotte fut saisie d'un nouveau doute. Peut-être que, derrière son sourire, il cherchait à l'évaluer, à choisir la réponse qu'il pensait qu'elle voudrait entendre.

— La plupart des gens ne changent pas, répondit-il enfin.

— C'est vrai, admit Charlotte, je suis d'accord.

— Mais peut-être qu'ils le peuvent. S'ils en ont vraiment envie.

Elle pensa un instant qu'il allait peut-être l'embrasser, juste à ce moment-là. Au lieu de quoi il fit une dernière caresse au chien.

— Bon, fit-il, j'imagine qu'il vaut mieux que je rentre. Bonne nuit.

16

Cette femme, Charlotte, requérait un peu plus d'efforts que Guidry ne l'avait envisagé – il s'avérait plus difficile de lire en elle qu'il ne l'aurait cru. Mais il prépara le terrain du mieux qu'il put. Il fit en sorte que leurs chemins ne cessent de se croiser, il se propulsa au milieu de sa vie, en un mot il se rendit… *familier.* La moitié de la bataille se jouait là. Et ensuite, il fallait passer à la séduction, faire monter la température. Mais pas trop. Il avait besoin qu'elle lui fasse confiance. Quand, lors de cette soirée romantique au clair de lune, l'occasion propice se présenta – ou plutôt, quand Guidry fit en sorte qu'elle se présente –, il ne tenta pas de lui faire des avances. D'ailleurs, l'idée ne lui effleura même pas l'esprit. Il était un parfait gentleman.

Il dormit d'un sommeil agité. À chaque fois qu'il commençait à se sentir partir à la dérive, une inquiétude persistante lui tapotait l'épaule et le ramenait à l'état de veille. Et s'il se trompait ? Et si les hommes de Seraphine ne s'étaient pas laissé duper, à Goodnight ? Et s'ils savaient qu'il était sur la Route 66, en direction de l'ouest ? Et s'ils étaient en train de resserrer leur étau autour de lui à cet instant même, lentement mais sûrement ?

Mercredi matin, il remplit sa tasse de scotch et l'agrémenta d'une rasade de café. Il passa prendre le journal d'Albuquerque à la réception du motel – CAROLINE SE REND SUR LA TOMBE DE SON PÈRE – et demanda à l'opératrice de le mettre en relation avec Las Vegas, s'il vous plaît, Evergreen 6-1414.

Ce fut encore le majordome à l'accent anglais qui répondit au téléphone : « Résidence de M. Zingel. »

Guidry hésita. Et s'il raccrochait et appelait Seraphine, à la place ? Pour lui dire quoi, au juste ? Pardonnons tout et oublions le passé, de l'eau a coulé sous les ponts. Il savait ce qu'elle répondrait. Elle dirait à Guidry : « Mais bien sûr, *mon cher*. Rentre à la maison. Je t'attends les bras grands ouverts. » Et ensuite, elle enverrait quelqu'un le cueillir à la sortie de l'avion. Seraphine aimait beaucoup Guidry, il le savait, mais cette affection était comme une pièce de cinq cents : elle ne lui donnait droit qu'à une seule chanson sur le juke-box.

— C'est encore moi, Jeeves[1], dit Guidry. J'ai appelé hier.

— Ah oui, monsieur Marcello, répondit le majordome d'Ed. Un instant, s'il vous plaît.

Une demi-seconde plus tard, Big Ed était au bout du fil.

— Écoute-moi bien, sale traître de merde, beugla Ed. Misérable Rital de mes deux. Alors, comme ça, tu veux que je te rende un service ? Je vais rendre service à l'humanité tout entière, ouais. Je vais t'enfoncer le canon de mon flingue dans ton trou d'balle de Rital et appuyer sur la détente. Non, attends, je vais même te coller *deux* flingues dans le cul et appuyer sur les *deux* détentes, qu'est-ce que tu penses de ça ?

— Salut, Ed, fit Guidry.

— Un service ? En souvenir du bon vieux temps ? C'est une blague, sale enfoiré de…

Ed s'interrompit. Guidry l'entendit faire les cent pas en soufflant comme un bœuf.

— Frank ?

— Je me suis dit que ce message attirerait ton attention, répondit Guidry.

— Frank Guidry. Nom de Dieu !

Guidry ne savait pas pourquoi Ed haïssait tant Carlos. Mais il était soulagé de pouvoir le confirmer.

1. Célèbre personnage fictif de valet de chambre britannique, tiré des romans de P.G. Wodehouse.

— Comment ça va, Ed ?

— Satané Frank, fit Ed. T'as bien failli me faire avoir une crise cardiaque, fiston, tellement j'étais remonté. C'est dans *ton* cul à toi que je devrais coller le canon d'un flingue.

— Je vais bien, merci, répondit Guidry.

Guidry entendit Ed ordonner au majordome d'aller voir ailleurs s'il y était. Une porte se referma. Et maintenant, ils allaient se mettre à danser. Guidry allait mentir. Ed allait mentir. Ils allaient tourner et virevolter, chacun espérant apercevoir chez l'autre quelques centimètres de peau nue – la vérité, ou au moins un fragment de celle-ci. *Fais attention, surveille tes pas et ne perds pas le rythme.*

— Alors, dis-moi tout, commença Ed. Qu'est-ce que tu as bien pu faire pour mettre ce gros tas de graisse dans une telle rogne ? D'après la rumeur, il ne se calmera que quand tu seras mort et enterré. Tu étais pourtant son petit chouchou.

— J'ai été pris la main dans le sac, déclara Guidry.

— Foutaises. Tout ce raffut pour un peu d'argent ? Foutaises, je te dis. Carlos a lancé sa guenon et le monde entier à ta recherche. Qu'est-ce qui s'est réellement passé, dis-moi ?

— Qui a dit que le sac où j'avais la main était plein d'argent ?

Ed rumina cela un moment, puis éclata de rire.

— T'as baisé sa fille ?

— C'est *elle* qui m'a baisé, Ed. Je le jure devant Dieu. Je suis juste resté allongé là, tout tuméfié de peur, pendant qu'elle faisait tout le boulot, ou presque. J'ai bien essayé de me barrer, ne crois pas que j'y ai pas pensé !

Ed rit si longtemps et si fort qu'il se mit à partir d'une quinte de toux. Il ne gobait peut-être pas l'histoire de Guidry, mais elle était amusante, en tout cas, et pour Ed cela avait son importance.

— J'aurais bien aimé voir la tronche de ce salopard quand il l'a appris, dit Ed. Et tu l'as mise en cloque, en plus ? Je te file dix plaques tout de suite si tu l'as mise en cloque. Je sors mon chéquier du tiroir.

— Je ne l'ai pas mise en cloque, répondit Guidry. Et d'ailleurs, je te serais reconnaissant de ne pas lancer de rumeurs aussi moches.

— Il ne peut te tuer qu'une seule fois, fit remarquer Ed.

— C'est plutôt la partie avant la mort qui m'inquiète.

— Où es-tu ?

— À Miami.

— Foutaises.

— Il faut que je sorte du pays, Ed. Est-ce que tu vas me filer un coup de main ou pas ?

— J'ai dit que je le ferais, pas vrai ?

— Tu as dit ça ? fit Guidry. J'ai dû rater un épisode.

— Je vais te filer un coup de main, fiston, dit Ed. Tu peux compter là-dessus.

— Qu'est-ce que ça va me coûter ?

— Ne m'insulte pas. Je le ferai avec plaisir. C'est la maison qui régale.

C'était peu probable. Certes, Ed détestait Carlos et il aimait bien Guidry, mais cela ne suffirait pas. Guidry devrait cracher au bassinet, jusqu'à son dernier cent.

— Je suis au courant de quelques entreprises juteuses que les Marcello prévoient de lancer, reprit Guidry. Et dans le menu détail. Carlos est en train d'étendre son empire. Un gars bien tuyauté pourrait se faire une vraie petite fortune, Ed.

— Hmm.

Hmm. Dans le langage qu'ils parlaient tous les deux, cela signifiait *qu'est-ce que tu as d'autre ?* Le problème, c'était que Guidry n'avait rien d'autre à offrir.

— Ed…

— Oublie tout ça, fiston, l'interrompit Ed. J'ai de plus grands projets pour toi.

Cela n'étonna pas Guidry qu'Ed ait déjà réfléchi à un prix en l'espace de ces quelques minutes au téléphone. Ou alors, Ed avait commencé à cogiter plus tôt, quand Guidry avait laissé le premier message à son intention. Il savait depuis le début que c'était Guidry, et non Carlos, qui l'appelait. Et il avait parfaitement deviné *pourquoi* Guidry l'appelait.

— J'aimerais beaucoup en entendre davantage, Ed, dit Guidry.

— L'Indochine, lâcha Ed.

— L'Indochine ?

— Aujourd'hui, c'est à Vegas que l'argent travaille, mais demain, où est-ce qu'il ira, tout ce pognon ? Voilà la question qui pique ma curiosité. Maintenant qu'il est Président, LBJ va vouloir faire tourner sa grosse queue de Texan. Pas à Cuba, c'est de l'histoire ancienne. Le Vietnam, fiston, c'est là-bas le nouveau point chaud. La CIA a besoin d'une véritable guerre. Hughes aussi. Les contrats militaires ne poussent pas sur les arbres.

Jusque-là, Guidry n'avait élaboré ses plans qu'avec un seul objectif : rester en vie. Et pour ce faire il fallait quitter le pays, partir loin de Carlos. Ce n'était qu'après avoir échappé à la peste qu'il pourrait songer au choléra, après avoir faussé compagnie à Charybde qu'il pourrait affronter Scylla.

— Tu veux que je travaille pour toi ? demanda Guidry.

— Non, *avec* moi, plutôt, le corrigea Ed. Tu es intelligent, tu sais y faire et tu vendrais ta propre mère aux Gitans. C'est un homme comme ça qu'il me faut, pour représenter mes intérêts. Cette boule de graisse débile de La Nouvelle-Orléans a gaspillé tes talents. Tu seras aux commandes, depuis là-bas. Et à Saigon, on sait sacrément bien faire la fête, à ce qu'on m'a dit. C'est pile dans tes cordes. Tu y seras avant tout le monde et tu nous dégoteras les meilleures places pour voir le spectacle. Qu'est-ce que tu en dis ?

Guidry trouvait ça bien. Il trouvait ça beau. Il trouvait que ça ressemblait à un solo d'Art Pepper au saxophone ou au soupir de plaisir d'une femme. Cela signifiait qu'il appartiendrait corps et âme à Ed, envers qui il aurait une dette éternelle, mais qu'est-ce que ça pouvait bien faire ? Ed proposait à Guidry de lui rendre sa vie. Pas exactement celle qu'il avait à La Nouvelle-Orléans, mais une vie qui y ressemblait beaucoup, plus brillante et plus belle encore.

Bien sûr qu'il trouvait ça bien. Mais n'était-ce pas un peu *trop* bien, même ?

— Ed, tu es un vrai prince, dit Guidry. Merci.

— Dans combien de temps peux-tu arriver à Vegas ? demanda Ed. Tu as un passeport ?

— D'ici à deux jours. Vendredi. Non, je n'ai pas mon passeport.

— D'accord, ce n'est pas un problème. Appelle-moi dès l'instant où tu arrives ici. Je m'occuperai de tout.

Guidry raccrocha. Il se sentait toujours dans le même état d'incertitude que celui dans lequel il était avant de passer ce coup de fil, il avait toujours l'impression d'être au-dessus du vide – sauf qu'il était suspendu encore plus haut, à présent, et contemplait fixement un trou sans fond.

Faire confiance à Ed, donc. Faire confiance à Ed ? Guidry devait bien admettre qu'il n'avait pas de meilleure carte à jouer. Las Vegas, me voilà ! Et maintenant, tout ce qui lui restait à faire, c'était réussir à aller jusque là-bas sans se faire reconnaître, et sans se faire tuer.

Huit heures et demie du matin. Guidry ne voulait pas tomber accidentellement sur Charlotte en ville, aussi se rendit-il à sa *casita* pour voir si elle était là. La blondinette ouvrit la porte.

— Coucou, Joan, dit Guidry.

La fillette observa un bref silence solennel.

— Bonjour, répondit-elle enfin.

La gamine aux boucles brunes, Rosemary, se faufila devant elle.

— Bonjour, monsieur Wainwright, lança-t-elle. On est au Nouveau-Mexique.

— Oui, en effet. Tous autant que nous sommes, et en un seul morceau.

Charlotte apparut derrière ses filles, tout sourire. Quand elle aperçut les clés de voiture dans la main de Guidry, son sourire – Guidry fut ravi de le constater – s'estompa.

— Oh ! fit-elle, est-ce que vous partez ?

— Si je pars ? répondit-il. Non, pas avant demain ou vendredi. Je pensais juste aller faire quelques courses en ville. Et rapporter un sachet de donuts à la confiture, si quelqu'un ici promet de m'aider à les manger.

— Oui ! s'exclama Rosemary.

— C'est très gentil de votre part, dit Charlotte.

— Alors que personne ne bouge, lança Guidry. Je reviens.

Il roula dans Santa Maria. Il ne lui fallut pas longtemps, dans une ville aussi minuscule, pour trouver le garage. Le mécano était dans l'atelier, en train de travailler sur une voiture ; il y branchait un nouveau bloc de feux arrière. C'était la voiture que Guidry avait aperçue, en panne au bord de l'autoroute. Celle-là même qu'il avait vue, plus tard, accrochée à la dépanneuse qui avait déposé Charlotte à l'Old Mexico Motor Court.

Le mécano dévisagea Guidry. Ce dernier guetta sa réaction. Elle était à peu près neutre. Une légère irritation, tout au plus, une indifférence renfrognée. Bien. De toute évidence, ce type n'était pas à l'affût d'un Guidry de passage.

— Chuis occupé, grommela le mécano.

— J'espérais que vous pourriez régler le moteur de ma Dodge avant que je reprenne la route demain, expliqua Guidry. Ou que vous jetiez un œil aux courroies, au moins.

— Chuis occupé, répéta le mécano.

— Vous m'en direz tant ! Et sur quoi est-ce que vous travaillez, là ?

Guidry sortit un billet de dix de son portefeuille et le posa sur un établi. La température de la pièce se réchauffa d'un coup. Le mécano se redressa et jeta un coup d'œil à l'oseille.

— Je crois bien que c'est la voiture que j'ai vue à l'arrière de votre camion avant-hier, dit Guidry. Elle appartient à une dame et ses deux filles, pas vrai ?

— En effet, répondit le mécano.

— Elle avait l'air salement amochée, quand je l'ai vue. Alors, quel est le verdict ?

— C'était pas si grave, finalement. J'en aurai terminé avec elle d'ici quelques heures.

— Voilà une excellente nouvelle, lança-t-il sans ranger son portefeuille, toutefois.

168

17

Au déjeuner, Charlotte et les filles mangèrent des saucisses de Vienne et des crackers. Et pour le dessert, le reste des donuts que Frank leur avait livrés, le matin même. Après le repas, elles retournèrent se promener en ville. La journée était magnifique, comme la veille, on se serait presque cru au printemps. Charlotte se demanda à quoi ressemblerait l'hiver en Californie. Du soleil, de douces brises océanes, des paysages vert émeraude. À Woodrow, quand le mois de décembre approchait, le froid vidait le ciel de toute couleur, et le vent dénudait les arbres.

Un petit mot scotché à la porte du garage indiquait :

De retour dans 5 min.

Charlotte suggéra donc aux filles d'aller jouer dans le parc en face. Elle alla à la cabine téléphonique du coin de la rue, pour réessayer de joindre tante Marguerite.

— Cinquante cents, s'il vous plaît, dit l'opératrice.

Charlotte inséra les pièces. Elle commença à compter les sonneries, mais une voix féminine répondit presque aussitôt.

— Allô ?

— Marguerite ? demanda Charlotte.

— C'est moi. Qui est à l'appareil ?

— Tante Marguerite, c'est Charlotte.

— Charlotte.

— Ta nièce, Charlotte. D'Oklahoma.

— Oui, bien sûr, dit Marguerite. Je sais qui tu es. Charlotte. Ça, c'est une surprise.

La voix de Marguerite avait un timbre métallique et saccadé, comme un marteau frappant la tête d'un burin – Charlotte s'en souvenait à présent. Et elle se rappela également ce que sa mère avait dit un jour : si on manquait de glaçons pour l'apéritif, il suffisait de demander à Marguerite de tremper un doigt ou deux dans les verres.

— C'est bon d'entendre ta voix après tout ce temps, Marguerite, déclara Charlotte.

— Oui.

Puis, le silence. Charlotte avait espéré que la conversation viendrait naturellement, qu'elle pourrait aborder en douceur la raison de son appel et tirer le maximum du moindre penny de ses cinquante cents. Mais elle n'aurait pas cette chance, de toute évidence.

— Tante Marguerite, je t'appelle parce que les filles et moi pensions nous rendre bientôt en Californie. Mes filles et moi. À Los Angeles. Et je me disais, si ce n'est pas trop abuser de ta gentillesse… je me disais que nous pourrions peut-être venir te rendre visite.

— Venir habiter chez moi, tu veux dire ? demanda Marguerite.

— Si ça ne te dérange pas trop, dit Charlotte.

— Ce n'est pas une très bonne idée. Ma maison est petite, je travaille à domicile, tu comprends. Je ne peux pas me permettre d'avoir des enfants bruyants qui courent partout et traînent dans mes pattes.

Charlotte s'était préparée à l'éventualité que Marguerite dise non, mais la promptitude de son refus, le caractère catégorique et définitif de sa décision – comme une branche cassée en deux d'un coup sec – la prirent au dépourvu.

— Allô ? fit Marguerite. Tu es toujours là ?

— Oui, pardon, répondit Charlotte. Je comprends, bien sûr.

— Je peux te recommander un bon hôtel. Combien de temps comptez-vous rester à Los Angeles ?

— Combien de temps ? En fait... Mon mari et moi, Dooley, on est... Il se peut qu'on divorce.

— Un divorce. Je vois.

— Et j'ai pensé... à la Californie. J'ai toujours voulu vivre là-bas. Ce que je veux, ce qu'il nous faut, je pense, aux filles et à moi, c'est un nouveau départ, une page vierge. Je sais que ça doit avoir l'air bête.

Marguerite ne s'empressa pas de la contredire. Elle se contenta de soupirer.

— Los Angeles est une ville difficile, dit-elle. Ça n'a rien à voir avec ce que les gens s'imaginent – les plages dorées, les orangeraies partout, les studios de cinéma...

— Non, évidemment, concéda Charlotte, même si, à bien y repenser, ce n'était pas très éloigné de ce qu'elle s'était imaginé.

— Bref, reprit Marguerite, comme je te l'ai dit, je peux te recommander un bon hôtel quand tu seras prête. Cela dit, si tu veux un conseil, je t'encouragerais plutôt à essayer de louer un appartement avant votre arrivée. Les hôtels peuvent être assez chers, ici.

Il fallut un moment à Charlotte pour comprendre que la conversation – une autre branche cassée en deux, tout aussi sèchement – était terminée.

— Merci, répondit-elle.

— Bonne chance, Charlotte, conclut Marguerite.

Charlotte reposa le combiné. Habiter chez tante Marguerite avait toujours été une perspective incertaine, se rappela-t-elle. Elle en était consciente depuis le début. Bon. Si elle décidait de continuer sa route vers la Californie, il y avait d'autres possibilités. Il y aurait certainement d'autres possibilités.

Elle retourna au garage et mit un coup sur la sonnette. Elle la fit retentir une seconde fois. Enfin, le mécano apparut, s'essuyant les mains sur un chiffon graisseux. Du jus de tabac s'échappait du coin de ses lèvres.

— Bonjour, dit Charlotte. Je suis ici pour ma voiture.

— Ouaip, fit le garagiste.

— Pensez-vous qu'elle sera réparée pour demain ? Combien est-ce que ça va coûter ?

Il fit passer la boule de tabac à chiquer d'une joue à l'autre. Il ne la regardait pas dans les yeux. Elle se prépara mentalement à de mauvaises nouvelles. Cinquante dollars ? Soixante-quinze ? Pas cent, tout de même.

— L'essieu avant est cassé en deux, à la verticale, et le châssis est tout bousillé, déclara le mécano. Mais le pire, c'est que la boîte de vitesses a sacrément morflé, elle aussi. Vous avez dû foncer dans ce fossé à la vitesse d'une bombe. Elle est fichue.

— La boîte de vitesses est fichue ? demanda Charlotte.

— Non, la voiture. La voiture est fichue.

Le mécano refit passer la boule de tabac dans son autre joue.

— La réparer, ça vous coûterait plus que la valeur de la voiture tout entière. Je vais pas vous mentir.

Charlotte sentit des fourmillements au bout de ses doigts. Une sensation de chaleur déferla sur sa nuque, et les odeurs entêtantes qui se mêlaient à l'intérieur du petit bureau exigu – le tabac, la graisse de moteur, la sueur, celle du mécano et la sienne – lui firent tourner la tête.

— Est-ce que vous… Puis-je m'asseoir un instant ? demanda-t-elle.

Il retira de la chaise pliante la pile de catalogues de pièces détachées et de magazines de charme entassés dessus. Il apporta à Charlotte un gobelet en carton rempli d'eau et lui trouva une pochette d'allumettes afin qu'elle puisse allumer sa cigarette.

Il refusait toujours de la regarder dans les yeux.

— Désolé, m'dame, dit-il.

Quand Charlotte ressortit, les filles essayaient d'attirer le chien sur la balançoire à bascule, de l'autre côté de la rue. Elle resta debout et les regarda. Elle se sentait engourdie, sur le point de se briser, comme la mue sèche d'une cigale craquant sous la chaussure du promeneur.

Elle fouilla dans son sac à main à la recherche d'une

autre cigarette. Une larme roula le long de son menton et tomba sur son carnet d'adresses, formant une tache sur l'encre de la couverture. Elle ne s'était pas rendu compte qu'elle pleurait.

Ce qu'elle avait été idiote de croire qu'elle aurait vraiment le courage d'aller jusqu'au bout, qu'elle quitterait l'Oklahoma et Dooley pour de bon, pour un nouveau départ, toute seule. Après tout, le courage, ce n'était pas son point fort. Son talent à elle, c'était la capitulation. Quand M. Hotchkiss refusait de la laisser prendre des photos pour le journal, elle renonçait. Quand Dooley refusait d'admettre qu'il avait un problème d'alcoolisme, elle lâchait prise. Quand le pompiste de la station-service l'avait reluquée, elle avait baissé les yeux, regardé ses mains et dit « merci ».

Elle se souvint de l'histoire des trois petits cochons, que les filles adoraient lorsqu'elles étaient plus jeunes. Dans l'histoire de sa vie, Charlotte n'était pas faite de briques, ni même de bois – elle était tout en paille, comme la maison que le loup faisait s'envoler en un seul souffle.

Dooley la connaissait mieux qu'elle ne se connaissait elle-même, n'est-ce pas ? « Rentre à la maison, Charlie, avait-il dit à la fin de leur conversation, ce lundi. Tu sais que tu vas revenir. »

Elle regarda les filles. Rosemary et Joan se rappelle-raient-elles tout cela, dans quelques années ? Comment s'en souviendraient-elles ? Quel souvenir garderaient-elles de leur mère ?

Le chien sauta du siège de la balançoire, et les filles se précipitèrent vers lui, en riant aux éclats, pour essayer de le rattraper. Il se tortilla sur le dos et mordilla joyeusement l'herbe sèche.

Charlotte se rendit compte qu'il n'avait pas eu de crise d'épilepsie depuis leur départ de Woodrow. Le nouveau traitement fonctionnait. Elle voyait qu'il se sentait mieux, qu'il était plus vif, plus semblable à lui-même qu'il ne l'avait été depuis longtemps.

Était-il définitivement guéri ? Non. Le vétérinaire

l'avait prévenue que, même dans le meilleur des cas, il était probable que le chien connaisse toujours des crises occasionnelles. Mais ces rechutes seraient moins violentes et moins fréquentes. Le chien serait plus résistant, il aurait la capacité de rebondir plus rapidement, à chaque fois que la vie le mettrait K-O.

Et soudain, Charlotte se sentit résolue. Elle n'allait pas retourner en Oklahoma. Elle ne retournerait pas auprès de Dooley. Advienne que pourra. La voiture fichue était un méchant coup, certes. Elle s'en prendrait d'autres, pour sûr. Mais elle ne devait pas laisser cela la décourager. Elle choisirait tout simplement, à chaque fois, de rebondir et de se relever.

Charlotte ne savait pas trop comment elles parviendraient à aller jusqu'en Californie, mais elle trouverait un moyen. Et une fois arrivées ? Comment réussiraient-elles à s'en sortir ? Charlotte trouverait un moyen. Et peut-être que Frank avait raison. Peut-être que l'univers lui devait une faveur, après tout.

Un instant plus tard, comme si elle l'avait fait apparaître par magie en pensant à lui, Charlotte vit Frank qui se promenait dans la rue. Lorsqu'il s'approcha, le sourire qu'il arborait s'évanouit, et son front se plissa d'inquiétude. Elle savait qu'elle devait avoir l'air d'une épave, avec son mascara qui coulait sous ses yeux.

— Qu'est-ce qui ne va pas ? demanda Frank. Comment puis-je vous aider ?

18

En quittant le poste de police, Barone fit conduire le gamin de couleur d'une seule traite vers Amarillo. Guidry foncerait sans doute sur la Route 66. Barone lui emboîterait le pas. Mais d'abord, il devait se débarrasser de la Pontiac.

— Là-bas, indiqua Barone.

Une petite allée qui partait de la grand-rue d'Amarillo. Deux radins qui voulaient éviter le parcmètre dans la rue principale s'étaient garés là.

Le gamin y casa la Pontiac.

— Laisse la clé sur le contact, dit Barone.

Viens-là, minou, minou. Avec un peu de chance, un voyou ou un clochard faucherait la Pontiac et filerait avec jusqu'au Canada.

— Que je fasse quoi ? demanda le gamin.

— Fais ce que je te dis. Ne pose pas de questions.

— On va juste la laisser là et se tirer à pied ?

— C'est l'idée.

— Tu parles.

Mais le gamin eut la sagesse de ne pas ajouter d'insolence supplémentaire. Barone ne pouvait pas en dire autant de la plupart des soi-disant professionnels avec lesquels il travaillait depuis toutes ces années.

Ils attrapèrent un bus qui allait jusqu'à l'autoroute. Ils remontèrent à pied la 66 sur deux pâtés de maisons, jusqu'à un motel absolument identique au Bali Hai de Houston. Le même bâtiment de parpaing en forme de L, avec un escalier exactement comme celui dans lequel le tireur de

San Francisco avait dégringolé. En revanche, ce motel-ci n'avait pas de décoration tropicale, ni aucune thématique du tout, d'ailleurs. C'était juste l'Amarillo 66.

— Il était temps qu'on s'arrête, dit le gamin. Réveillez-moi pour le petit déjeuner.

Barone était fatigué, lui aussi. Il avait mal partout et il avait chaud. On était lundi, il était 13 heures, et il était réveillé depuis… il ne parvenait même pas à se souvenir depuis combien de temps. Un peu de repos lui ferait du bien. Il risquait de devoir passer au crible tous les motels entre ici et la Californie. Très bien. Il allait falloir quelques heures à Seraphine pour lui dégoter une nouvelle voiture.

En entrant dans l'enceinte du motel, Barone examina chaque véhicule garé dans le parking. Il ne vit aucune Dodge Coronet bleue et blanche 1957 ou 1958.

Il interrogea le réceptionniste au sujet de Guidry. Il le lui décrivit. Barone se présenta comme un détective privé et expliqua qu'il recherchait un type qui avait abandonné femme et enfants chez lui, mais qu'il ignorait quel nom d'emprunt le bonhomme utilisait. Barone doutait fort que Guidry se soit arrêté à Amarillo, mais mieux valait s'en assurer.

Le réceptionniste était désolé, personne ne s'était enregistré depuis la veille, dans l'après-midi. Il donna à Barone et au gamin deux chambres côte à côte. Barone dit au gosse de se tenir prêt à repartir d'ici à trois heures, puis il sortit chercher une cabine téléphonique.

— Alors ? fit Seraphine.

— Rien, répondit Barone.

— Rien ?

— Il a réussi à les baratiner et à s'en tirer, d'une façon ou d'une autre.

— Ah !

Elle n'avait pas l'air trop surprise.

— Le shérif m'a dit qu'il est parti vers l'ouest, annonça Barone. J'ai la marque et le modèle de la voiture qu'il conduit. J'ai été obligé de les bousculer un peu.

Barone attendit qu'elle dise quelque chose. Seraphine avait le chic pour lui mettre les nerfs en pelote.

— Je n'aurais pas pu arriver là-bas plus vite, ajouta-t-il.

— Ce n'est pas ta faute, *mon cher*, répondit-elle.

— Je n'ai pas dit que ça l'était.

— Au moins, nous savons où il va, maintenant. À Las Vegas ou à Los Angeles.

Las Vegas *ou* Los Angeles ? Barone avait plutôt l'impression qu'ils ne savaient pas du tout où Guidry allait.

Mais, dans un cas comme dans l'autre, la route était longue. Barone repensa à la tactique qu'avait utilisée Guidry à Houston. La façon dont il avait essayé de duper Seraphine, en revenant sur ses pas et en ne prenant pas le premier vol qui décollait de Municipal.

— Mets tes gars de Vegas et de Los Angeles sur le coup, dit Barone, mais il risque de s'arrêter en chemin pour passer la nuit quelque part. Voire plusieurs nuits. Dans l'espoir qu'on le dépasse sans le repérer.

Seraphine resta de nouveau silencieuse. Cette fois, c'était parce qu'elle se rendait compte que Barone avait sans doute raison.

— Peut-être. Oui.

— Est-ce que tu peux me trouver une voiture rapidement ? demanda-t-il. Et un nouveau flingue ?

— Je passe un coup de fil tout de suite.

Il lui donna le nom de son motel et raccrocha, puis il retourna dans sa chambre. La fièvre le martelait de coups. Uppercut, direct, il avait froid, il avait chaud. Il ne s'inquiéta pas. Même la pire des grippes ne durait jamais trop longtemps. Une douche lui ferait du bien. Mais Barone n'arriva pas à se redresser dans son lit ; tout tournait si vite autour de lui qu'il en était comme épinglé au matelas. Il n'avait aucun souvenir de s'être allongé. Il essaya de déboutonner sa chemise. L'instant d'après, sans savoir comment, il se retrouva à genoux sur le sol carrelé de la salle de bains, tandis que l'eau chaude qui coulait dans la douche embuait le miroir.

Ensuite, il se vit debout sur la berge d'un lac de montagne – le lac peint sur l'un des tableaux accrochés au mur du poste de police. Mais le lac était en feu, à présent, et la chaleur de fournaise qui s'en dégageait était en train de le réduire en cendres. Barone sentait sa peau cloquer et éclater. Il savait que ce n'était qu'un rêve. Mais, quand les rêves sont plus vrais que la réalité, quelle différence cela fait-il ?

Une brise glacée souffla sur lui et le libéra. Il courait, maintenant. Le gamin de couleur courait à côté de lui. *Theodore, ne m'appelez pas Ted. Theodore, ne m'appelez pas Teddy non plus.* Le gosse braillait. *Dépêchez-vous !* Que fuyaient-ils, le gamin et lui ? Vers quoi couraient-ils ? Barone n'avait rien contre les Allemands. Il entendait le hurlement des bombes balancées depuis le ciel. *Sautez !* beuglait le gamin à Barone. Maintenant ? *Sautez !*

Une chambre. Un canapé rouge en mohair. Une femme aux pieds relevés sur un traversin. Et Barone, qui avait de nouveau cinq ou six ans. La femme lui souriait. Ses cuisses étaient nues sous la robe. Elle penchait la tête vers une porte. *C'est là-dedans*, disait-elle. Quoi donc ? Elle refusait de le lui dire. *Va voir par toi-même. N'aie pas peur.*

Quand Barone se réveilla, il était de nouveau dans le lit du motel, à Amarillo, sous les couvertures. Un homme chauve au visage rond, avec des lunettes à monture ronde, était assis dans un fauteuil près du lit et se curait les dents avec le coin d'une pochette d'allumettes.

— Bonjour, monsieur Roberts, dit l'homme. Comment se sent-on, ce matin ?

Barone ne voyait pas les yeux du type à cause de la façon dont la lumière venue de la fenêtre se réfléchissait sur les verres de ses lunettes.

— Qui êtes-vous ? demanda Barone.

— On a l'air considérablement plus en forme, je dirais.

Il tendit un verre d'eau à Barone. Celui-ci parvint à peine à lever la tête. Il dut tenir le verre à deux mains. Mais il se sentait mieux. Il avait juste un peu chaud et était encore un

178

peu étourdi. L'eau était bonne. Il la but jusqu'à la dernière goutte.

— Qui diable êtes-vous ? demanda encore Barone.

— Je suis le médecin qui vous a sauvé la vie, répondit l'homme. Et, au cas où vous croiriez que j'exagère, je peux vous garantir que ce n'est pas le cas, nom d'un petit bonhomme !

Le môme surgit de derrière le médecin, prit le verre vide des mains de Barone et l'emporta dans la salle de bains. Barone entendit l'eau couler.

— Votre main était méchamment infectée, dit le médecin. Vous aviez 40 de fièvre, la première fois que je suis venu ici.

Barone but le second verre d'eau. La chambre ne tanguait plus.

— Votre garçon a eu le bon sens de harceler le gérant de l'hôtel jusqu'à ce qu'il m'appelle. Au fait, je serais très honoré de rencontrer le singe capucin dressé qui vous a fait ces points de suture dans la main. Il a malheureusement oublié de nettoyer la blessure au préalable, semble-t-il, mais c'est le travail de suture le plus réussi que j'ai jamais vu de la part d'un singe apprivoisé.

— Vous étiez par terre, intervint le gamin, qui restait à bonne distance, comme s'il craignait la colère de Barone. Tout étendu par terre, tout empêtré dans vos habits, avec le maillot de corps sur la tête. La porte était ouverte. J'ai cru qu'vous étiez mort.

— Quelle heure est-il ? demanda Barone.

— 11 heures du matin, répondit le médecin. Ouvrez la bouche, s'il vous plaît, monsieur Roberts.

Le médecin coinça un thermomètre sous la langue de Barone. 11 heures du matin. Cela ne pouvait pas être vrai. Ils étaient arrivés à Amarillo à 13 heures. Le temps ne revenait jamais en arrière, même quand on le souhaitait très fort.

— Très bien, fit le médecin en examinant le thermomètre. Juste un poil au-dessus de 37,7 degrés. On fait des progrès, monsieur Roberts.

— Quel jour sommes-nous ?

— Mardi.

— Non. Nous sommes lundi.

— Nous sommes le mardi 26 novembre, en l'année du Seigneur 1963, répliqua le docteur. Je vous ai administré des antibiotiques hier et aujourd'hui, dans la matinée. J'ai désinfecté votre plaie et changé le pansement.

— Qu'est-ce que j'pouvais faire d'autre ? demanda le gamin.

Il se tenait toujours en retrait, mais semblait moins méfiant, maintenant, que sur la défensive.

— J'ai cru qu'vous étiez mort, jusqu'à ce que j'me mette à vous secouer. Et alors, vous avez presque essayé d'me tuer, avant de vous écrouler à nouveau en p'tit tas.

— Si vous voulez un avis médical, il faudrait enlever les sutures et soigneusement irriguer et drainer cette blessure sur-le-champ, dit le médecin. Mettre en culture le drainage et immobiliser la main. Faire de nouveaux points et poser un plâtre, le plus vite possible. Si vous venez à mon cabinet demain matin, je vous aiderai.

— Sortez, dit Barone.

— Il est primordial que vous gardiez le repos. Il faut boire beaucoup – mais, bien sûr, vous devez éviter toute boisson alcoolisée. Et il est absolument indispensable que vous preniez ceci pendant les deux prochaines semaines. Est-ce que vous voyez ?

Le médecin montra à Barone un flacon rempli de comprimés, le secoua, puis le reposa sur la table de chevet. Il saisit un second flacon et le secoua à son tour.

— Prenez cela si vous ressentez la moindre douleur, ajouta le médecin. C'est assez puissant, donc la modération est de mise. Puis-je vous demander comment vous est venue cette blessure ?

— Il s'est coupé en se rasant la paume, répondit le gamin.

Le médecin laissa échapper un gloussement.

— Formidable, fit-il.

— Viens là, dit Barone au gamin. Aide-moi à me relever.

Le môme aida Barone à se rendre, clopin-clopant, jusqu'à

la salle de bains. Barone dut s'agripper à l'épaule du gosse pendant qu'il pissait. Il avait l'impression qu'on avait mis ses os dans une marmite et qu'on les avait fait bouillir jusqu'à ce qu'ils deviennent tout mous. Quand il se laissa retomber dans le lit, il était hors d'haleine.

Le médecin se curait toujours les dents avec le coin de sa pochette d'allumettes.

— Sortez, répéta Barone.

— Avec la plus grande promptitude, monsieur Roberts. Il ne reste que la question mineure de mon paiement.

Quand le médecin eut reçu son argent et quitté la chambre, Barone demanda au gamin de l'aider à ressortir du lit.

— Mais vous êtes censé vous reposer, dit le garçon. C'est c'que le docteur vient de dire.

— Viens là, ordonna Barone.

Une fois habillé, Barone envoya le gosse lui chercher des cigarettes, du whisky et une barre chocolatée « 5th Avenue ». Barone marcha jusqu'à la porte. Il compta jusqu'à dix en retenant sa respiration, puis l'ouvrit et sortit.

Le parking. Il y avait une Ford Fairlane garée à l'écart, dans un coin. Dans la boîte à gants, Barone trouva un Police Positive calibre 38, semblable à celui que Fisk avait sur lui, sauf que la crosse en bois de celui-ci était usée.

Barone parvint à retourner dans la chambre. Tout juste. Le gosse revint avec les cigarettes et la barre chocolatée, mais sans whisky. Barone était trop faible pour pester contre lui. Il arriva à peine à se hisser de nouveau dans son lit.

— J'vous avais dit d'vous reposer, fit le gamin. Pas vrai ?

— Chut ! réussit seulement à lâcher Barone.

— J'vous l'avais pas dit ? Tenez. Prenez votre cachet.

Le gamin fit couler de l'eau froide sur un gant de toilette, puis le posa sur le front de Barone. Barone mangea la moitié de la barre chocolatée et prit deux pilules contre la douleur. Il sombra dans le sommeil. Le garçon le réveilla dans la nuit pour lui faire avaler un comprimé du premier flacon avec un verre d'eau.

Quand Barone ouvrit de nouveau les yeux, c'était le matin. Neuf heures et quart.

— Quel jour on est ? demanda Barone.

— Mercredi, répondit le gamin. La veille de Thanksgiving.

Mercredi. Barone avait foutu en l'air presque deux jours entiers.

Il se redressa dans le lit. Avec précaution. Il posa un pied par terre. Puis il alla se raser et prendre une douche. Le gamin s'agitait autour de lui, râlait à n'en plus finir, disant que Barone devait continuer de se reposer, c'était ce que le docteur avait dit, exactement ce qu'il avait dit.

— Toujours rien, dit Barone quand Seraphine décrocha. Et toi ?

— Non plus, répondit-elle d'une voix sèche.

— Qu'est-ce qui ne va pas ?

— Les bousculer un peu.

— Quoi ?

— C'est ce que tu m'as dit, à propos du Texas, lâcha Seraphine. Que tu avais été obligé de « les bousculer un peu ».

Ainsi, elle avait eu vent de l'affaire du poste de police de Goodnight. Elle avait raison d'être en pétard. Barone l'était aussi envers lui-même. Tout ça, c'était à cause de la fièvre. Il n'aurait jamais dû perdre son sang-froid. Il aurait dû attendre que le shérif quitte le poste et il l'aurait suivi jusque chez lui. Il aurait obtenu le tuyau sur Guidry tout aussi rapidement, mais de façon beaucoup plus discrète.

Mais que Seraphine aille se faire foutre. Seraphine, dans son bureau bien confortable, avec sa vie bien confortable, ses cocktails tous les soirs avant le dîner et ses petites promenades au parc. C'était Barone qui se tapait tout le sale boulot. Qui risquait sa vie pour Carlos. Le seul risque que courait Seraphine, c'était d'écailler son vernis à ongles sur la machine à additionner.

— Et alors ? demanda-t-il.

— Je ne suis pas sûre que tu te rendes vraiment compte de la situation, dit-elle. On m'a assuré que les autorités fouilleraient le pays de fond en comble jusqu'à ce que les responsables soient retrouvés.

— Dans ce cas, ils risquent de chercher longtemps.

— À quelle distance es-tu ?

Barone n'aurait pas dû s'arrêter à Amarillo. C'était à cause de la fièvre. Il n'avait pas prévu de s'arrêter à Amarillo plus de quelques heures.

— Je suis à Albuquerque, annonça-t-il.

Il ignorait si elle pouvait savoir qu'il mentait.

— Bien, répondit-elle. Mais tu vas quand même devoir faire preuve de prudence. Et ne retourne au Texas sous aucun prétexte. J'espère ne pas avoir à te le rappeler. Plus vite tu retrouveras notre ami, mieux ça vaudra pour tout le monde.

De retour dans la chambre, Barone vit le môme, qui regardait la télé en chaussettes. D'un coup de pied, il lui envoya ses chaussures.

— On s'en va, dit-il.

— Maintenant ? fit le gamin. Et le petit déjeuner, alors ? Et vous devez prendre votre cachet, d'abord. Le docteur a dit…

— Tout de suite.

19

C'était le jour de Thanksgiving. En engageant sa voiture sur l'autoroute, Guidry remercia silencieusement sa bonne étoile de lui avoir permis de dire adieu pour toujours à Santa Maria, Nouveau-Mexique, et de se remettre en marche.

— Allez, en route, lança-t-il à son public – Charlotte, dans le siège passager à côté de lui, ses filles et leur chien sur la banquette arrière.

Le mécano avait rechigné, au début, quand Guidry lui avait proposé cinquante dollars pour dire à sa cliente que sa voiture était fichue. Il avait protesté que jamais il ne pourrait faire un truc aussi bas, et surtout pas à une gentille dame comme ça et à ses deux filles. À d'autres. Il voulait juste faire monter les enchères. Guidry, mis au pied du mur, n'avait pas eu le choix. Au bon vieux temps, il n'avait jamais à marchander. « Oui, monsieur. Tout ce que vous voudrez, monsieur. Mes salutations à M. Marcello, monsieur. »

Mais il fallait voir le bon côté des choses. Si Big Ed Zingel tenait parole, l'argent ne serait plus un souci pour Guidry dès qu'il serait à Las Vegas. Et si Ed ne tenait pas sa parole ? Dans ce cas, l'argent ne serait plus un souci, non plus, exception faite de la pièce d'un cent que Guidry devrait payer à Charon pour qu'il lui fasse traverser le Styx jusqu'au pays des morts. Le mécano avait tenu sa part du marché. Charlotte ressortit du garage avec l'air d'avoir été percutée par un bus.

Guidry avait calculé son coup à la seconde près pour tomber du ciel et lui porter secours.

— Comment puis-je vous aider ? demanda-t-il.

Elle lui expliqua son problème de voiture. Il prêta une oreille attentive. Guidry devait lui reconnaître une indéniable force. Elle avait sans doute pleuré une minute auparavant, mais on ne l'aurait jamais deviné, à présent. De toute évidence, elle encaissait le coup comme une vraie championne de boxe : aucun tremblement dans la voix, ni le moindre vacillement dans le regard.

— Eh bien, Charlotte, dit-il, c'est une bonne chose que vous ayez prévu un plan B.

Elle s'efforça de sourire.

— Eh bien, Frank, je ne suis pas sûre d'en avoir un.

— Moi aussi, je vais à Los Angeles, n'est-ce pas ? fit-il. Il y a plein de place dans ma voiture. Et vous avez vu la cote que j'ai auprès des chiens.

Elle l'observait. Il y avait plus d'étonnement que de méfiance dans son expression, mais pendant une seconde Guidry fut certain qu'elle voyait clair dans son jeu.

— Vous êtes très gentil, répondit-elle enfin, mais je ne pourrais vraiment pas…

— Alors passons en revue les raisons pour lesquelles vous ne pourriez pas. Je vous écoute.

— Parce que…

— Le bus mettra trois jours à arriver là-bas, l'interrompit-il. Il s'arrête dans chaque ville entre ici et l'océan Pacifique. Et puis, ça risque de vous revenir cher, trois personnes et un chien.

Guidry l'observa tandis qu'elle tirait ses propres conclusions de ce qu'il venait de dire. Combien le bus lui coûterait-il ? Le chauffeur accepterait-il de laisser monter un chien à bord ?

Il se frotta la joue, comme pris d'une inspiration soudaine.

— Vous aurez besoin d'une voiture à Los Angeles, n'est-ce pas ? Alors, écoutez-moi. J'ai un vieil ami à Las Vegas. C'est pile sur notre route pour aller à Los Angeles. Ed dirige une ou deux affaires, là-bas. Et l'une d'elles est justement un concessionnaire automobile.

— Je n'ai vraiment pas assez d'argent pour acheter une voiture, rétorqua Charlotte.

— Vous en avez largement assez pour en emprunter une, répondit Guidry. Ed est un bon Samaritain en chair et en os. Il a des filles, lui aussi.

Guidry ne savait pas si Big Ed avait des enfants ou non. Eh bien, maintenant, il en avait. Il avait des filles, un magasin de voitures, et le cœur gros comme ça.

— Mais vraiment, je ne pourrais pas…, objecta encore Charlotte.

Elle essayait tour à tour de se convaincre et de se dissuader.

Il avait presque ferré le poisson. Maintenant, il fallait donner un peu de mou à la ligne, relâcher la pression, le laisser s'éloigner. Le premier oui d'une femme devait venir tout seul. Il fallait qu'elle s'habitue à le dire.

— Veuillez m'excuser, dit Guidry. J'avais pourtant promis de ne pas essayer de vous vendre quoi que ce soit. Alors, que dites-vous de ça ? Je ne pars pas avant demain. Est-ce que vous allez au moins y réfléchir avant de prendre votre décision ? La nuit porte conseil.

Elle hésitait encore. Guidry n'aurait pas été capable de dire s'il s'était planté ou non. Avait-elle vraiment vu clair en lui et jusque dans le tréfonds obscur de son âme corrompue ?

Non. Bien sûr que non. Mais elle avait suffisamment de jugeote pour sentir qu'il ne fallait pas entièrement se fier à ce qu'il laissait paraître.

— Oui, répondit-elle. La nuit porte conseil. Vous êtes très généreux, Frank.

— Eh bien, Charlotte, je suis ravi que vous soyez de cet avis.

Et à présent, ils étaient tous ensemble, roulant tranquillement sur la Route 66. Charlotte était tendue ; le poing posé sur ses genoux n'arrêtait pas de se serrer, de se crisper, à intervalles plus ou moins réguliers. Elle n'était sans doute pas entièrement convaincue d'avoir fait le bon choix en acceptant de monter en voiture avec cet inconnu. Mais Guidry percevait aussi des signes qui montraient qu'elle commençait à se détendre. Comme le coup d'œil occasionnel qu'elle s'autorisait à jeter par la fenêtre, pour contempler le désert qui y défilait. Ou le sourire qui s'esquissait sur ses lèvres quand la radio diffusait une chanson qui lui plaisait.

— On est en train de faire une liste, déclara la petite aux cheveux bouclés, Rosemary.

Guidry se rendit compte qu'elle lui parlait. Elle avait posé le menton sur le dossier de son siège, tout près de son épaule. Il n'aurait pu dire depuis combien de temps elle était installée ainsi.

— Rosemary, dit Charlotte, ne dérange pas M. Wainwright.

— Ça ne fait rien, répondit Guidry. C'est très bien, les listes. C'est la preuve d'un esprit organisé.

Rosemary lui montra leur livre Disney sur la nature. Sur la couverture, on voyait un hibou, une araignée, un animal qui était sans doute un coyote, et une pieuvre.

LES SECRETS DU MONDE CACHÉ.

— C'est à propos des animaux, des poissons, des oiseaux et des insectes qui ne sortent que la nuit, expliqua-t-elle. On fait une liste de nos animaux préférés dans le livre. Le coyote vient en premier, bien sûr, parce qu'il ressemble à un gentil chien. N'est-ce pas, Joan ? On a fait une liste à part pour les poissons, une pour les oiseaux, et une pour les insectes.

Charlotte lança un regard amusé à Guidry.

— « Vous qui entrez ici, laissez toute espérance », cita-t-elle.

— À ce propos, répondit-il aux filles, vous feriez mieux d'ouvrir l'œil et de surveiller le désert, là-bas à droite. Il arrive aux coyotes de sortir le jour, de temps en temps. Vous en verrez peut-être un.

Les deux fillettes se ruèrent sur la même fenêtre, leurs petites paumes posées à plat contre la vitre. Le soleil baignait leur visage, où se lisait une concentration si intense, si pure, que si les fillettes l'avaient relâchée la Terre se serait sans doute arrêtée de tourner. Un souvenir lointain revint à l'esprit de Guidry. Sa sœur, Annette, à quatre ou cinq ans, agenouillée sur une chaise derrière la fenêtre, regardant leur mère marcher en direction de la maison. Guidry devait donc avoir huit ou neuf ans. Leur mère les avait aperçus tous deux derrière la fenêtre et leur avait souri. Le soleil baignait leur visage. Surtout, ne pas ciller, ou elle disparaîtrait à jamais.

Le pire, dans une enfance malheureuse, ce sont les rares bons moments, qui laissent entrevoir un aperçu de la vie qu'on aurait pu avoir à la place.

— Tu crois qu'on va voir un coyote, Joan ? demanda Rosemary. Moi, je crois que oui.

Les petites filles eurent besoin de faire une pause pipi à Coolidge. Ensuite, on s'arrêta encore pour déjeuner, à Gallup, à un stand de hamburgers. La serveuse qui circulait en patins à roulettes d'une voiture à l'autre était d'humeur bavarde. Guidry essaya de faire bonne impression auprès d'elle et de passer pour un bon père de famille. Juste au cas où l'un des hommes de Seraphine se pointerait par ici, plus tard, et l'interrogerait au sujet d'un séduisant célibataire.

On est en route pour Los Angeles. Les deux gamines, à l'arrière, n'ont jamais été à Disneyland. Tiens, Rosemary, tiens, Joan. Qui a commandé le lait malté à la vanille ? Et celui au chocolat ? Et si j'allais promener le chien avant qu'on redémarre ?

Mais le stratagème du chien faillit lui revenir en pleine figure. Pendant qu'il se tenait là, à attendre que le chien finisse d'expulser un étron de la longueur d'un tuyau d'arrosage, la serveuse arriva vers lui, se pencha et lui demanda comment s'appelait son gentil chien-chien. Guidry aurait bien aimé le savoir, lui aussi.

— Eh bien, répondit-il, en général, il croit qu'il s'appelle « Viens manger ».

La serveuse gloussa. Le chien, qui continuait de pousser péniblement, jeta à Guidry un coup d'œil plein de reproche.

Je t'ai dans le collimateur, mon vieux.

Rosemary dut à nouveau faire pipi à Lupton. Joan, à Chambers. À ce rythme-là, Guidry aurait aussi vite fait d'aller à Las Vegas à pied. D'un autre côté, la lenteur de leur progression jouait sans doute en sa faveur. Seraphine devait déjà être loin devant lui, à prendre d'assaut toutes les villes et les ports, à scruter les horizons lointains.

Les filles chantaient des chansons, à voix basse. Guidry apprit le nom du chien – cela pourrait servir, à l'avenir. Il s'appelait Lucky. Charlotte s'était suffisamment détendue, à présent, pour poser une main sur le bouton de réglage de fréquences de la radio.

— Puis-je ? demanda-t-elle.

— Je vous en prie, allez-y, répondit Guidry.

Sur quelques kilomètres, ils écoutèrent sans mot dire la station de radio sur laquelle elle s'était arrêtée. Guidry ne reconnut pas le chanteur. La voix n'était pas terrible, éraillée et nasillarde, mais elle avait une personnalité bien à elle.

— Comment s'appelle-t-elle, cette chanson ? s'enquit Guidry.

— *Don't Think Twice, It's All Right*, répondit Charlotte. N'y réfléchis pas à deux fois… Un message intéressant, n'est-ce pas ?

— Il la quitte, commenta Guidry. Ou bien, c'est elle qui l'a flanqué dehors. Je ne suis pas sûr.

— Mais peut-être que la chanson ne parle pas d'un homme et d'une femme. Pas vraiment.

Il tourna la tête vers elle, l'air étonné.

— Éclairez ma lanterne, dit-il.

— Peut-être qu'il y est aussi question de nous tous, répondit-elle. En tant qu'individus, et en tant que nation. Et du courage qu'il y a à assumer ses convictions. Quand le Président a été tué, mon beau-frère a dit que le monde partait à vau-l'eau. Mais il pense ça depuis longtemps. Et je ne crois pas que l'assassinat de Dallas soit vraiment ce qui effraye les gens comme lui.

— Vous voulez dire que c'est surtout la question des Noirs,

fit Guidry. Les droits civiques et tout ça. Votre beau-frère a peur qu'on ne puisse pas remettre le génie dans sa bouteille.

— Pas seulement les Noirs, rétorqua-t-elle. Les femmes aussi. Les jeunes. Tous ceux qui ont été ignorés depuis tellement longtemps qu'ils en ont vraiment ras le bol.

— D'après la Bible, les humbles hériteront de la Terre, dit Guidry. Mais cette idée m'a toujours laissé sceptique.

— Je suis bien d'accord avec vous. Et je crois que Bob Dylan aussi. Les humbles n'hériteront de rien du tout. Il faut élever la voix. Il faut prendre ce qui nous revient de droit. Car on ne peut compter sur personne pour nous le donner.

Ce n'était pas la réponse à laquelle Guidry s'attendait. Encore une fois, cette femme n'avait rien à voir avec celle qu'il s'était imaginée. Il s'interrogea au sujet de son mari, là-bas, en Oklahoma. Un cultivateur de blé ? Un boucher, un boulanger, un fabricant de bougies ? En tout cas, avec Charlotte, cet homme avait pioché la bonne carte. Mais peut-être qu'il ne s'en rendait pas compte.

Et à ce propos, pourquoi papa ne participait-il pas à cette petite virée en famille ? D'ailleurs, le moment de l'année n'était-il pas bizarrement choisi pour aller rendre visite à une tante en Californie ? On n'était qu'à un mois environ des vacances de Noël. Rosemary et Joan auraient dû passer ces trois derniers jours dans une salle de classe, théoriquement.

— Combien de temps allez-vous rester à Los Angeles ? demanda-t-il.

Charlotte hésita. Guidry en prit note. Il ne s'était pas trompé. Charlotte était en cavale, tout comme lui.

— Maman ? Est-ce qu'on peut en parler maintenant ?

C'était Joan qui avait posé la question, mais Rosemary était tout ouïe également.

— Combien de temps on va rester en Californie ? demanda-t-elle.

— Oh ! regardez, les filles ! s'exclama Charlotte.

Elle avait le doigt pointé vers une affiche publicitaire qui vantait les beautés de la Forêt pétrifiée et du Désert peint. Un Indien à coiffe de plumes se tenait debout sur une crête et surveillait les promontoires et les *mesas* qui s'étendaient devant lui – un paysage fripé aux couleurs de sang vif et d'or fondu, baigné de la même lumière orangée, artificielle et malsaine, que la peau de l'Indien lui-même.

Les fillettes allèrent de nouveau s'écraser le nez contre la vitre. Charlotte lissa sa jupe et fit semblant d'être aussi fascinée que ses filles par la pancarte.

Lorsqu'elle se retourna vers Guidry, il lui lança un regard d'excuse. *Désolé, je fermerai mon clapet, dorénavant.*

— Maman ! Est-ce que le désert est vraiment peint ? demanda Rosemary. Qui l'a peint ? Est-ce que toute la forêt est pétrifiée ? Est-ce qu'on peut grimper aux arbres ? Pourquoi est-ce qu'ils sont pétrifiés ? Pourquoi est-ce que le désert est peint ? Est-ce qu'il y aura des Indiens, dis ?

Ils atteignirent d'abord la Forêt pétrifiée. Guidry s'arrêta à un point de vue panoramique. Quelques familles, et un vieux loup solitaire assis sur le capot de son vieux camion déglingué. Un pantalon chino sale, une veste *mackinaw* en flanelle, sale également, une barbe de trois jours poivre et sel. Quand Guidry sortit de la voiture, l'homme l'observa longuement. Guidry l'ignora. Il suivit Charlotte et les filles jusqu'à la balustrade.

La Forêt pétrifiée était décevante. Une forêt, ça ? Non, juste des petits amas noirâtres disséminés sur une vaste étendue de gravier, comme des mégots de cigare dans un cendrier. Mais les fillettes étaient ravies. Ou du moins, Rosemary.

— Regarde, Joan ! s'exclama-t-elle. Une forêt entière transformée en pierre ! Par un magicien ! Parce que la princesse qu'il aimait lui a brisé le cœur. C'est ce que je crois, moi, Joan. Et toi, tu crois ça aussi ?

Guidry avait l'impression d'avoir déjà vu ce connard en veste *mackinaw*. Il avait l'air louche. Avait-il aperçu son camion pourri à Gallup, près du stand à hamburgers ? Il n'en était pas sûr. Est-ce que l'homme l'observait encore ? Il n'en était pas sûr non plus.

Le Désert peint était encore moins impressionnant que la Forêt pétrifiée, si c'était possible. Par cette fin d'après-midi nuageuse, tout avait une couleur de vieux savon. Même Rosemary n'arriva pas à y voir monts et merveilles. Quelques kilomètres plus loin, ils s'arrêtèrent devant un gigantesque Indien de plâtre, de trois mètres de haut. « Comptoir de commerce et restaurant du Grand Chef ».

Les filles tournèrent autour du Grand Chef, ébahies. Il avait l'air de sortir de quinze rounds épuisants contre un autre Chef, encore plus Grand que lui. Il penchait d'un côté, il lui manquait une oreille et quelques doigts, et le vent du désert avait emporté une bonne partie de la peinture qui le décorait. Un de ses yeux était vide, comme aveugle, hébété. Cela rappelait quelqu'un à Guidry, mais qui ? Voyons, réfléchissons un peu.

Guidry observa Charlotte en train de regarder ses filles. Elle souriait, et pendant quelques instants il ne parvint pas à la quitter des yeux.

Ce voyage – sa sortie d'Égypte – avait laissé des traces sur son visage. Comment aurait-ce pu ne pas être le cas ? Deux petites filles, une voiture bousillée, un avenir que l'on pouvait considérer comme incertain, dans le meilleur des cas. Une pesanteur dans l'expression de son visage, la peau sous ses yeux trop délicate, presque translucide. De nouvelles rides, quasi invisibles pour l'instant. Elle était encore jeune, mais ne le resterait pas très longtemps. Cela ne la rendait pas moins séduisante pour autant. Certains sourires embellissaient avec les ans.

Mais Guidry avait été attiré par de nombreuses femmes par le passé. Et jamais cela n'avait affecté sa faculté de juger. Pourquoi cette fois-ci serait-elle différente des autres ?

Le camion déglingué vint se garer dans le parking en se traînant laborieusement. Guidry le suivit du coin de l'œil. Le salopard à l'air louche en sortit, avec sa veste *mackinaw*. Il s'étira, bâilla et se gratta le cul.

Du calme. Cet homme ne suivait pas Guidry. Le comptoir de commerce et restaurant du Grand Chef attirait pas mal de monde, c'était le seul endroit où manger à des kilomètres à la ronde. On ne pouvait pas reprocher à ce type d'avoir faim.

Ils s'assirent dehors, à l'une des tables de pique-nique. Guidry décida de faire preuve d'audace et commanda des *tamales* pour son dîner de Thanksgiving. Ce n'était pas mauvais – un pain de maïs avec un peu de viande hachée à l'intérieur. La sauce piquante lui fila le hoquet, mais Rosemary connaissait un remède infaillible et lui prodigua ses conseils, une main posée sur son genou.

— Fermez les yeux, retenez votre souffle, comptez à rebours à partir de dix. Oh ! regardez, il y a un monstre horrible, vraiment horrible ! Bouh ! Juste derrière vous !

Et ce fut efficace, qu'est-ce que vous dites de ça ? Le hoquet de Guidry cessa.

Le connard louche, à quelques tables de là, tendit la main vers sa moutarde et lança à Guidry un regard encore plus long et plus appuyé, cette fois.

Du calme. Du calme ? L'épée suspendue au-dessus de la tête de Guidry ne tenait, comme dans le mythe, qu'à un fil. Il en faudrait si peu pour condamner Guidry : un souffle de vent, une rencontre hasardeuse, un éclair de reconnaissance. Un seul homme, un seul coup de fil à La Nouvelle-Orléans, et tout était fini.

Le type louche termina son repas et retourna à l'intérieur du restaurant. Guidry se leva, sa bouteille de bière vide à la main.

— Et si j'allais nous chercher un dessert ? suggéra-t-il à Charlotte et aux filles. Oui, c'est une bonne idée, à mon avis.

Dans la boutique, le bonhomme se frayait un chemin entre les touristes, passant devant les curiosités locales, les couvertures navajos et les authentiques têtes de flèche. Il bifurqua dans un couloir et disparut.

Qu'est-ce que tu fabriques, espèce de salopard ?

Il cherchait une cabine téléphonique. C'était sûr.

Guidry le suivit. Le couloir était désert, la porte de derrière, ouverte. Guidry soupesa la bouteille vide dans sa main. On pouvait utiliser à peu près n'importe quoi pour défoncer la tête d'un type. Guidry avait appris cela dans le Pacifique. Si on trouvait le bon angle et qu'on y mettait du sien, le crâne s'ouvrait comme les pétales d'une fleur.

Il sortit derrière le bâtiment. L'homme se retourna et le vit.

— Vous cherchez le téléphone ? demanda Guidry.

Cogne-le maintenant, avant qu'il voie le coup venir, se dit-il. *La lumière baisse, on est tout seuls. Traîne le corps là-bas, derrière les bennes à ordures. Avec un peu de chance, personne ne le trouvera avant des heures.*

— Quoi ? fit l'homme.

Guidry ne voyait aucun téléphone à pièces dans les parages. Mais il y en aurait un au prochain arrêt sur la route, ou à celui d'après, et le type passerait son coup de fil à ce moment-là. Seraphine pourrait épingler Guidry à même la carte. Elle devinerait exactement où il se rendait.

— Je cherche un endroit où pisser, si ça vous dérange pas, rétorqua l'homme. La pissotière à l'intérieur est occupée, et j'ai une envie pressante, non pas que ce soit vos oignons.

Guidry ne pouvait pas courir le risque. Il n'avait qu'une seule règle de conduite, dans la vie. *Si le choix doit se faire entre toi et moi, mon vieux, c'est moi que je choisis. À tous les coups.*

Il fit un pas vers le type. Celui-ci ne le regardait pas. Il fixait plutôt un point au loin, sur la gauche de Guidry. Guidry commença à se retourner – mais qu'est-ce qu'il pouvait bien lorgner, bon sang ! – quand il se rendit compte que l'autre œil du type était toujours braqué sur lui.

Grands dieux, se dit Guidry en comprenant qu'en fait l'homme ne le regardait absolument pas, tout à l'heure – il avait un œil qui disait merde à l'autre, pire qu'une mante religieuse.

Guidry lança sa bouteille de bière vide au loin.

— Pourquoi vous rigolez ? demanda l'homme.

— Pour rien, répondit Guidry. Excusez-moi.

— Rigolez tant que vous voulez, espèce d'enfoiré. J'ai l'habitude.

Guidry commanda des tartes à la patate douce pour Charlotte et les filles. Et une autre bière pour lui. Il en avait bien besoin. De retour dans la voiture, tandis que le Grand Chef disparaissait au loin, dans le crépuscule derrière eux, Guidry se remit à rire. Rosemary posa le menton sur le dossier du siège, près de son épaule.

— Est-ce que vous pensez à une blague drôle ? s'enquit-elle.

Guidry but une longue gorgée de sa bière.

— Oui, en effet, répondit-il.

20

La route montait, la voiture peinait. Ils atteignirent Flagstaff un peu après 21 heures. Il faisait trop noir pour qu'ils puissent voir les pins qui les entouraient, mais Guidry sentait leur odeur. L'air, piquant et froid, allait en se raréfiant, il y en avait à peine assez pour emplir les poumons. C'était comme se retrouver sur la lune, sur une autre planète.

Guidry s'arrêta en ville, au premier hôtel qu'il vit. Une vieille relique en briques et en pin noueux, qui craquait et grinçait de partout et avait l'air de dater de l'époque des pionniers. Elle n'avait sans doute pas été dépoussiérée depuis, d'ailleurs. Le papier peint rebiquait, le carrelage était ébréché, et l'un des lustres en roue de chariot penchait dangereusement. Le registre était un gros pavé d'au moins soixante centimètres de long pour trente centimètres d'épaisseur. Le réceptionniste, dans sa loge à barreaux de cuivre, devait se servir de ses deux mains pour en tourner les pages.

Les petites étaient K-O. Guidry porta Rosemary et Joan, une sur chaque hanche, jusqu'en haut de l'escalier qui gémissait sous ses pas. Leurs petits corps contre le sien, leur chaleur, leur haleine à la patate douce. Il sentit un frisson le parcourir alors qu'un souvenir refaisait surface, un frisson qui le renvoyait à quelque chose de lointain.

Non. Arrête, arrête. Guidry ne voulait pas se rappeler. Il avait passé un marché avec lui-même, longtemps auparavant.

Il dit bonne nuit à Charlotte et ferma la porte de sa chambre à clé derrière lui. Il mit la chaîne et coinça une chaise sous la poignée. C'était son nouveau rituel du coucher.

Le verrou, la chaîne et la chaise n'arrêteraient pas celui que Carlos lui enverrait, mais Guidry aurait peut-être le temps de sauter par la fenêtre, chuter de trois étages, se rompre le cou et connaître une fin rapide et clémente.

Il aurait tant voulu savoir où en était Seraphine. Avait-elle envoyé ses meilleurs éléments à Miami ? Ou bien Guidry avait-il quelqu'un sur les talons, qui se rapprochait de plus en plus ?

La chambre était un véritable frigo. Guidry s'enroula dans la couverture du lit et resta debout près de la fenêtre. Les nuages avaient disparu, et les étoiles formaient de larges halos dans le ciel, comme de la margarine fondant sur un toast.

Au milieu du chemin de notre vie, je me retrouvai par une forêt obscure, car la voie droite était perdue.

C'étaient les seuls vers de Dante dont Guidry se souvenait. Si sa mémoire était bonne, Dante avait eu quelques frayeurs en chemin. Mais il avait finalement réussi à sortir de l'enfer sain et sauf, direction le paradis. Alors, si Dante l'avait fait, Guidry le pouvait peut-être, lui aussi – sans l'ombre de Virgile pour lui indiquer le chemin, cela dit.

Saigon. Guidry, seul maître à bord de son propre navire. Big Ed ne viendrait certainement pas y fourrer le nez. Comment le pourrait-il, à des milliers de kilomètres de là ? Carlos avait maintenu Guidry enfermé dans une boîte. Guidry montrerait à Ed ce dont il était capable, quand on en soulevait le couvercle. Le gouvernement, l'armée, les entrepreneurs civils. Le fric, les arnaques, toute cette effervescence. Bourbon Street au centuple, sans doute.

Il se mit au lit. Peu de temps après, il entendit le grincement des ressorts d'un autre lit. C'était Charlotte, dans la chambre voisine de la sienne, juste de l'autre côté du mur. Il l'écouta se tourner, se retourner. Il l'entendit s'éclaircir la gorge.

La vie n'était pas compliquée. Les femmes n'étaient pas compliquées. Alors, pourquoi Guidry n'arrivait-il pas à décider une fois pour toutes s'il avait envie de Charlotte ou non ? S'il la désirait, ne la désirait pas, ou s'il était simplement heureux d'être tranquillement étendu dans le noir juste à côté d'elle ?

Pendant la nuit, la température à l'intérieur de l'hôtel ne cessa de fluctuer. Au matin, la chambre était glaciale. Guidry se réveilla en claquant des dents et suivit à la trace l'odeur de café chaud, qui le mena droit à l'accueil. *Un verre de scotch, mon royaume pour un verre de scotch !* Le bar de l'hôtel n'ouvrait qu'à midi.

Il prit place près de la cheminée. À travers la fenêtre, il aperçut Charlotte, qui avait un appareil photo à la main et photographiait… quoi au juste ? Il n'aurait su le dire. Son objectif était orienté vers le bas, en direction du trottoir. Le vent faisait danser et claquer ses cheveux. Lorsque d'une main elle coinça une mèche derrière son oreille, elle parvint à garder l'appareil photo bien stable, sans écarter un seul instant l'œil du viseur.

Il versa du café dans une tasse pour elle et sortit. C'était une matinée radieuse et froide.

— Laissez-moi hasarder trois hypothèses, déclara-t-il. Non. Tout compte fait, il vaut mieux m'en accorder cinq.

— Décalez-vous sur votre droite, s'il vous plaît, dit-elle en pointant le doigt vers le sol.

— Vous allez prendre une photo de mon ombre ? demanda-t-il.

— Je me suis lassée de la mienne. Un petit peu plus à droite. Voilà.

— Je ne suis pas aussi conciliant, d'habitude, répondit Guidry après s'être exécuté.

— Et moi, pas aussi exigeante.

Elle prit sa photo, puis baissa l'appareil. Guidry lui tendit son café. Elle garda un moment la tasse pressée contre le menton, pour se réchauffer, puis en but une gorgée.

— Je ne peux pas l'expliquer, reprit-elle. Pourquoi les ombres me fascinent-elles autant ? Regardez la vôtre, par exemple. On dirait qu'elle essaye de s'enfuir. Merci pour le café.

Le soleil du matin était encore bas dans le ciel, l'ombre de Guidry s'étirait, s'allongeait, tendue en travers du trottoir, et se repliait le long de la façade en briques de l'hôtel. Si Guidry levait un pied, elle s'envolerait.

— Maintenant je ne vois plus rien d'autre que des ombres partout, dit-il. Regardez ce que vous m'avez fait.

— De rien, répondit-elle.

Guidry releva son col, mais il ne faisait pas aussi froid qu'il l'aurait cru ; les rayons du soleil lui frappaient le visage de plein fouet.

— Vous êtes très matinale, fit-il remarquer.

— Je suis bien la seule. Rosemary dormirait jusqu'à midi, si je la laissais faire.

— Je suis désolé pour hier. J'aurais dû réfléchir avant de parler.

— J'aurais dû le dire aux filles avant. Que nous ne rentrerons pas en Oklahoma.

— Pourquoi ne l'avez-vous pas fait ? demanda-t-il.

— Je ne sais pas exactement pourquoi. Je me sens coupable, j'imagine.

— Coupable de quoi ?

Il alluma la cigarette de Charlotte. Même la fumée qu'elle exhalait avait son ombre bien à elle, lorsqu'elle s'envolait.

— De tout, répondit-elle. De l'avoir quitté. D'avoir emmené les filles avec moi. Je me sens coupable de me dire que je fais ça pour les filles, pour qu'elles aient une vie meilleure. C'est vrai que je le fais pour elles. Mais aussi pour moi, bien sûr. Je me sens coupable de ne pas me sentir plus coupable, aussi idiot que ça puisse paraître.

— Vous savez, commença Guidry, ma philosophie…

Il s'interrompit soudain. L'espace d'un instant, il avait presque oublié qu'il était censé être Frank Wainwright, vendeur d'assurances, et non Frank Guidry, ex-expert en règlement de problèmes en tout genre pour le compte de l'organisation Marcello.

— Oui ? fit-elle. Je suis tout ouïe.

Mais il était peut-être plus prudent de parler avec sincérité, se dit Guidry. Il ne voulait pas donner à une femme aussi vive d'esprit que Charlotte la moindre occasion de repérer une imposture.

— Ma philosophie, c'est de penser que la culpabilité est une habitude malsaine, dit-il. C'est ce que les gens essayent de vous faire ressentir afin de vous pousser à faire ce qu'ils veulent. Mais on n'a qu'une seule vie, pour autant que je sache. Pourquoi la gaspiller ainsi ?

— Mon mari, quand je l'ai appelé de Santa Maria…, déclara-t-elle. Il m'a dit que j'étais égoïste.

— Évidemment, qu'il a dit ça. Il ne veut pas que vous le quittiez. Et évidemment que vous l'êtes. Parce que vous savez ce qui est important pour vous et que vous n'allez pas… Quel est le titre de cette chanson, déjà ? *Don't Think Twice*, n'allez pas y réfléchir à deux fois.

Elle médita ses paroles en tirant sur sa cigarette.

— C'était une conversation intéressante, dit-elle enfin.

— Je suis bien d'accord, répondit Guidry.

Dix minutes plus tard, à l'étage, Guidry était en train de faire sa valise en écoutant la radio, lorsqu'on tambourina à sa porte. Il ne paniqua pas. Paul Barone ne frapperait pas avant d'entrer.

Paul Barone. C'était la première fois que Guidry s'autorisait à penser à ce nom-là. Il fit une courte prière. À Dieu ou à Carlos ? Cette distinction importait peu, à présent. S'il te plaît, Dieu ou Carlos, ne m'envoie pas Paul Barone. Envoie quelqu'un d'autre – n'importe qui, mais quelqu'un d'autre.

Il ouvrit la porte. C'était Charlotte. Il sut tout de suite que quelque chose n'allait pas.

— Frank, fit-elle d'une voix grave et éraillée. Joan est partie.

— Quoi ?

— Je suis retournée à la chambre et…

Elle s'efforçait de garder son calme.

— Rosemary ne sait pas où elle est passée, poursuivit-elle. Elle dormait quand Joan est partie. Joan était en colère à cause de la Californie, je crois. Je ne suis restée en bas qu'une demi-heure, Frank.

— Ne vous inquiétez pas, dit-il. Nous allons la retrouver. Elle n'a pas pu aller bien loin.

Joan avait dû se faufiler dehors par la porte de derrière pendant qu'ils buvaient le café devant l'hôtel. Guidry et Charlotte se séparèrent. Il partit vers la gauche, sur l'allée derrière l'hôtel, et Charlotte alla vers la droite. Guidry vérifia toutes les entrées, derrière les fûts de bière vides. Un homme qui jetait des pelures de patates et des coquilles d'œuf à la poubelle lui répondit que non, désolé, il n'avait vu aucune petite fille blonde.

Guidry passa la tête dans toutes les boutiques et tous les restaurants ouverts. Si une gamine se retrouvait en pays étranger et avait envie de rentrer chez elle, qu'est-ce qu'elle ferait ?

Eh bien, cela tombait sous le sens, elle chercherait à rentrer chez elle. Il y avait un dépôt de bus, à deux pâtés de maisons de là où se trouvait Guidry – ils l'avaient dépassé en voiture, la veille au soir. Guidry y fonça tout droit, et bien sûr Joan y était – assise sur un banc près du guichet, toute petite dans son manteau boutonné jusqu'au col, un petit sac à main sur les genoux. Pas un seul habitant de cette ville d'abrutis ne s'était arrêté pour voir si elle avait besoin d'aide.

Il s'assit à côté d'elle.

— Salut, Joan. Où est-ce que tu vas ?

— À la maison, répondit-elle.

Grave, impénétrable, comme les bouddhas de pierre que Guidry avait vus dans les temples en ruine de l'île de Leyte.

— C'est bien ce que je me disais. Est-ce que tu as déjà acheté ton billet ?

Elle leva les yeux vers lui.

— Ne t'inquiète pas, reprit-il. Je vais m'en occuper pour toi.

— Merci.

— Tu es une jeune demoiselle très polie.

— Merci.

— Je ne connais pas d'autres enfants, alors, si ça ne te fait rien, je vais te parler comme je parlerais à un adulte.

Joan hocha la tête.

— Tu penses que si tu rentres chez toi, en Oklahoma, tout redeviendra comme avant, résuma Guidry. C'est tout ce que tu veux, n'est-ce pas ? Tu ne demandes pas grand-chose, juste que tout redevienne comme avant.

— Oui, répondit-elle.

— Je te comprends. Bon sang, comme je te comprends ! J'ai dû quitter mon foyer, moi aussi, tu sais.

— Pourquoi ?

— Pour les mêmes raisons que toi. Des circonstances auxquelles je ne pouvais rien. Et je vais te dire une vérité qu'aucun d'entre nous n'a envie d'entendre : la Terre tourne. Le temps poursuit son cours. La vie ne sera plus jamais la même qu'avant. Même si tu montes dans ce bus et que tu rentres en Oklahoma. Quel âge as-tu ?

— Huit ans.

— Rosemary est plus jeune, mais elle pense que c'est elle qui commande, dit-il.

— Oui.

— Ce serait dommage que vous soyez séparées, toutes les deux, et qu'elle ne t'ait plus sous la main pour te donner des ordres. Elle s'ennuierait, tu ne crois pas ?

— Si.

— Tout ça va être nouveau, fit Guidry. Pour toi comme pour moi. À partir de maintenant, et où qu'on aille. Et qui sait ? Peut-être que ce nouveau monde sera encore mieux que l'ancien ? On ne le saura qu'en le découvrant.

Elle se mit à pleurer. Guidry ne savait pas quoi faire. Passer un bras sur ses épaules ? Tapoter sa petite tête blonde ? Il glissa un bras autour d'elle. Elle écrasa le visage contre sa poitrine. Une tache s'élargit sur sa chemise, chaude et humide.

— Vas-y, dit-il, je ne t'en voudrai pas.

Près de sa chaise, il y avait un présentoir métallique

tournant rempli de brochures touristiques. De sa main
libre, il le fit pivoter.

Les célèbres ranchs de l'Arizona vous accueillent.

Le Monument national de Saguaro.

Le Grand Canyon et l'Empire indien.

— Tu ne veux pas voir le Grand Canyon, d'abord ?
demanda-t-il. Avant de rentrer chez toi ?

Joan secoua la tête.

— C'est dommage, quand même. Venir jusqu'ici sans
aller voir ça. Le Grand Canyon, ancienne demeure des
puissants dinosaures.

Charlotte arriva dans le dépôt. Quand elle aperçut Joan,
elle s'effondra presque de soulagement. Pendant quelques
secondes, Guidry crut qu'elle allait faire un infarctus.

— Joan ! s'écria-t-elle. Oh ! Joan.

Guidry fit passer Joan de ses bras à ceux de Charlotte.

— Je crois que ceci vous appartient, madame.

Joan avait plus ou moins cessé de pleurer. Charlotte
embrassait chaque centimètre de son petit visage baigné
de larmes et de morve.

— Nous allons voir le Grand Canyon, déclara Joan.

Charlotte regarda Guidry.

— C'est vrai ?

Il s'était baissé pour ramasser le petit sac à main en vinyle
rouge, qui avait glissé par terre. Oh, Joan… Un jour, elle
apprendrait à ne jamais prendre au mot les hommes de son
espèce. Mais il ne s'agissait pas de se tirer dans le pied,
pas à ce stade. Il aurait besoin de sa nouvelle famille à Las
Vegas, quel que soit le moment où il y arriverait.

— Bien sûr que nous allons au Grand Canyon, répondit
Guidry. Frank Wainwright tient toujours ses promesses.

Le Grand Canyon, c'était cent quarante kilomètres aller,
cent quarante kilomètres retour. Guidry demanda donc au

réceptionniste de l'hôtel de retenir leurs chambres pour une nuit de plus. Ils se mirent en route juste avant midi. Contrairement au Désert pas si peint que ça et à la Forêt pétrifiée qui n'avait de forêt que le nom, le Grand Canyon était vraiment grand, en effet. Grandiose, même. Guidry, qui pensait pourtant avoir tout vu, n'avait encore jamais rien vu de tel. Sous une fine couche de neige s'ouvraient des profondeurs inimaginables. À se tenir là, au bord du précipice, on se sentait vraiment tout petit, un grain de sable à peine. On ne pouvait que faire face à l'amère vérité de notre propre existence : dans le grand ordre des choses, on ne pesait vraiment pas lourd.

Charlotte maintenait les filles à une distance raisonnable du bord, mais cela rendait tout de même Guidry nerveux, de les voir sautiller et galoper dans tous les sens.

— Regarde, Joan ! dit Rosemary. Je vois une rivière, tout en bas !

— Moi aussi ! répondit Joan.

Pendant quelques heures, Guidry en oublia presque Carlos, Seraphine et Big Ed Zingel. Il oublia même l'imprévisible destin qui l'attendait à Vegas. Mais ensuite, sur le chemin du retour vers Flagstaff, ils entendirent à la radio un présentateur expliquer que le président Johnson avait créé une commission spéciale, dirigée par Earl Warren, afin d'enquêter sur l'assassinat de Kennedy.

On y était. Le gouvernement fédéral mettait tout son poids dans la balance. Sur Airline Highway, à Metairie, en Louisiane, Carlos Marcello devait faire les cent pas dans son bureau, tandis que Seraphine s'efforçait très certainement de paraître imperturbable. Guidry imaginait la scène comme s'il y était.

Depuis son passage à Houston, Guidry nourrissait un espoir secret. Quelques semaines s'écouleraient, le FBI mettrait tout sur le dos d'Oswald, et l'affaire serait close. Carlos respirerait et déciderait que Guidry ne représentait pas une véritable menace, après tout.

Bon, alors tant pis. Earl Warren était le président de la

Cour suprême des États-Unis d'Amérique. Personne ne se l'était jamais mis dans la poche, autant que Guidry le sache. Quelle influence aurait Bobby Kennedy ? Peu importe. Carlos ne cesserait de faire les cent pas que lorsque Guidry serait mort.

— Est-ce que tout va bien ? demanda Charlotte.

Guidry se tourna vers elle et lui sourit.

— Bien sûr. Et si on mettait un peu de musique ?

À l'hôtel, Charlotte borda les filles dans leur lit, puis revint dans le couloir pour dire bonne nuit à Guidry. Elle referma doucement la porte derrière elle.

— Merci pour votre aide, ce matin, dit-elle. Avec Joan.

— Je pense qu'elle n'essayera plus de filer, fit Guidry. Je crois que ça va aller.

— Vous êtes très doué avec les enfants, vous savez.

— Vraiment ? Écoutez, pourquoi est-ce que vous ne descendriez pas prendre un verre avec moi ?

— Non.

Elle tendit la main et effleura la joue de Guidry du bout du pouce. L'endroit près de son œil droit, où sa pommette saillait.

— Vous savez que vous avez une petite cicatrice ici ?

— Je sais, répondit-il.

Une petite entaille pâle, de la taille et de la forme d'une rognure d'ongle. Guidry ne se rappelait pas exactement comment elle était arrivée là. La boucle de ceinture de son père, peut-être ? Il se souvenait des circonstances générales.

— Je grimpais à un arbre, quand j'étais petit. La branche a rompu, et tout est tombé, le bébé et le berceau[1].

— J'aimerais bien la photographier, à l'occasion, dit-elle, si cela ne vous dérange pas.

— Ma cicatrice ?

Elle se tenait tout près de lui, la main encore posée sur la joue de Guidry, et l'autre main sur son épaule.

— Allons dans votre chambre, souffla-t-elle.

1. Paroles de la berceuse *Rock-a-Bye Baby*.

— Vous voulez la photographier tout de suite ?

Elle l'embrassa. Sûre d'elle, sûre de son baiser. Son pouce appuyait doucement sur la cicatrice tandis qu'elle l'embrassait.

— Non, répondit-elle. Pas tout de suite.

21

Charlotte eut un sentiment familier en le tenant dans sa main. *Une queue est une queue est une queue,* se dit-elle[1]. Tout le reste – les autres parties du corps de Frank, ses mains, sa bouche, le rythme de sa respiration, l'odeur, inconnue jusqu'alors, de sa peau – lui donnait l'impression de s'être endormie et d'avoir fait irruption dans le rêve d'une autre femme.

Oups ! Désolée ! Mais ne vous dérangez pas, je connais le chemin de la sortie.

Enfin, euh, pas tout de suite, pas encore, si ça ne vous ennuie pas.

Car c'était un rêve très agréable. Charlotte garda les yeux ouverts tandis que Frank pesait sur elle et la pénétrait. Elle regarda son visage, ses yeux. Au moment du contact, elle sentit les muscles du ventre de Frank se contracter. Puis il lui sourit. L'espace d'une seconde, elle crut même qu'il allait lui faire un clin d'œil, mais il ne le fit pas.

Qui es-tu ?

Mais ce n'était pas vraiment ce qu'elle était en train de penser ; ce n'était pas la véritable question à laquelle elle voulait trouver une réponse.

Qui suis-je ?

Elle était à la fois terrifiée et exaltée – mais, par-dessus tout, elle était curieuse. *Qui suis-je ?* Le repas dominical

---

1. Allusion au poème de Gertrude Stein *Sacred Emily*, dans lequel apparaît le vers « Rose est une rose est une rose est une rose ».

avec la famille de Dooley n'avait eu lieu que cinq jours plus tôt. Elle avait le sentiment qu'il s'agissait plutôt de cinq siècles. Ce moment lointain avait disparu, de même que cet endroit – sa maison en Oklahoma –, et « Charlotte Roy » avait disparu elle aussi, emportée par l'ouragan et perdue à tout jamais. Le moment présent, c'étaient la chambre de ce vieil hôtel et ce lit où, sous un luminaire en cuivre et cuir de vache suspendu au plafond, un homme qu'elle connaissait à peine lui mordillait le lobe de l'oreille.

Il se redressa et se laissa retomber aussitôt. Elle se cambra et bascula sur la gauche. D'autres souvenirs lui arrivaient en rafales : ses premières fois avec son premier petit ami, ses premières fois avec Dooley. Cette période de découverte timide, d'adaptation polie, où l'on avançait pas à pas, au lieu de danser. *Excusez-moi, madame. Permettez-moi, monsieur.* Le frottement des poils contre la peau délicate d'une cuisse, le choc inattendu d'un os contre un autre. Charlotte était avec Dooley depuis si longtemps que leurs rapports sexuels étaient devenus un enchaînement de mouvements familiers qu'ils effectuaient sans avoir à fournir le moindre effort – une sorte de glissade paresseuse. Ils avaient à peine besoin de se toucher.

Frank lui sourit de nouveau.

— Tu réfléchis trop, dit-il.

C'était vrai, elle le savait. Mais tout de même.

— C'est plutôt présomptueux de ta part de dire ça, tu ne trouves pas ?

— Arrête de trop réfléchir, répondit-il.

— Fais-moi arrêter.

Il se retira jusqu'à ce que plus rien ne les relie, puis il se réintroduisit de nouveau en elle, plus lentement encore. Elle enroula les jambes autour de sa taille et tenta de reprendre son souffle, mais il l'en empêcha. Elle se cogna la tête contre le cadre du lit – elle entendit le choc, mais ne le sentit pas. Ils dansaient sans réfléchir, à présent. Elle le renversa et se mit à califourchon sur lui. Il la souleva pour entrer plus profondément en elle. Elle oublia Dooley. Elle oublia l'Oklahoma.

Elle oublia tout et se concentra uniquement sur son plaisir. Lorsqu'elle jouit, elle voulut agripper les volutes en fonte de la tête de lit pour s'empêcher de tournoyer dans l'espace et mit un coup de poing accidentel dans le nez de Frank.

— Je suis désolée, dit-elle après être restée une minute (ou cinq ?) étendue comme une morte sur les draps frais, pour récupérer et rassembler les morceaux épars d'elle-même.

Il éclata de rire.

— J'enfilerai mes gants de boxe, la prochaine fois.

— Tu saignes, dit-elle.

— Mais non.

Il vérifia avec ses deux doigts.

— Ah si, je saigne.

Pendant que Frank était dans la salle de bains, Charlotte retourna dans sa chambre. Les fillettes dormaient à poings fermés. Le chien la suivit de son pas mollasson et s'étendit de tout son long sur le carrelage, pour superviser sa douche.

— Je te saurai gré de garder tes opinions pour toi, lui lança-t-elle.

Mais le chien s'était déjà rendormi. Charlotte rit. Parce que cet animal n'en avait rien à secouer de ce qu'elle avait fait, ou avec qui elle l'avait fait, et maintenant Charlotte n'était plus obligée de s'en soucier non plus. Cette idée l'emplit d'hélium et de rayons de soleil. Elle resta sous la douche aussi longtemps qu'elle put le supporter, laissant l'eau brûlante se déverser abondamment sur son cuir chevelu et couler le long de son dos.

En se brossant les dents, elle observa son reflet dans le miroir. *Qui suis-je ?* Elle vit les mêmes yeux familiers (trop grands, à son avis, et un tout petit peu trop écartés), le même grain de beauté dans son cou (trop gros à son goût, et horriblement gênant quand elle était adolescente, mais qui, aujourd'hui, ne lui déplaisait pas), le même nez, les mêmes lèvres, le même menton.

Mais les apparences étaient trompeuses. La femme qui était entrée dans ce garage crasseux de Santa Maria n'était pas la même femme que celle qui en était ressortie. La décision que Charlotte avait prise ce jour-là – quitter Dooley et l'Oklahoma une bonne fois pour toutes et cesser de douter d'elle-même – avait amorcé un début de changement en elle. Elle l'avait ressenti, comme le frémissement des branches d'un arbre quand le vent se lève.

Quand Frank avait proposé de les conduire jusqu'à Las Vegas, Charlotte aurait dû sentir le doute l'envahir au point de ne pas pouvoir en fermer l'œil de la nuit. Elle avait tout de même un peu hésité, il est vrai. Elle n'était pas si naïve que cela. Elle avait bien remarqué qu'elle plaisait à Frank et savait que sa générosité n'était pas totalement désintéressée. Et il y avait quelque chose chez cet homme – Charlotte ne parvenait pas à mettre le doigt dessus –, une certaine complexité de sa personnalité qui ne collait pas avec ce qu'il lui avait raconté de lui.

Au fond d'elle, néanmoins, elle avait eu une bonne intuition au sujet de Frank. Et elle s'était fiée à ce sentiment, elle s'était fiée à elle-même pour prendre la bonne décision.

Si Charlotte voulait tirer le meilleur parti de la seule et unique vie qu'elle aurait sur cette Terre, si elle voulait aider Rosemary et Joan à en faire autant, elle devait saisir toutes les opportunités qui se présentaient à elle – *don't think twice*, n'y réfléchis pas à deux fois.

Samedi matin, elle réveilla les filles de bonne heure pour qu'elles aillent promener le chien ensemble. Les fillettes râlèrent, mais Charlotte tint bon. Elle avait déjà attendu trop longtemps pour leur dire la vérité.

Quelques pâtés de maisons plus loin, une boulangerie vendait de ces palmiers au sucre qu'on appelle « oreilles d'éléphant ». Charlotte en acheta une à partager entre elles deux, et elles trouvèrent un endroit où s'asseoir sur les marches ensoleillées du tribunal. Rosemary expliqua à Joan qu'une oreille d'éléphant n'était pas *vraiment* une oreille d'éléphant, qu'elle ne s'inquiète pas, ce n'était qu'un nom, car personne n'aurait jamais envie de manger une *vraie* oreille d'éléphant.

Charlotte se demandait quand Rosemary finirait par rendre

sa sœur chèvre. Joan avait la patience de Job mais, tôt ou tard – au collège, au lycée ou le jour du mariage de Joan, quand Rosemary insisterait pour qu'on passe ce morceau de musique là plutôt que tel autre –, Joan se tournerait vers Rosemary et lui dirait : *Mais pour l'amour du ciel, tais-toi une minute, s'il te plaît !* Ou peut-être qu'elle ne le ferait pas. Peut-être que Rosemary était exactement la sœur que Joan voulait, celle dont elle avait besoin. Cette pensée rendit Charlotte heureuse.

— Les filles, commença Charlotte. Je sais à quel point votre papa vous manque.

— Il va nous retrouver en Californie, déclara Rosemary. Dans la maison de tante Marguerite, sur la plage, quand il aura fini son travail. Il va prendre un avion pour nous rejoindre là-bas. Pas vrai, maman ? On restera deux semaines en Californie et on ira à Disneyland.

Charlotte était émerveillée par les conclusions auxquelles Rosemary arrivait toujours, toute seule dans son coin, ces scénarios si détaillés, si convaincants.

— Non, répondit Charlotte. Papa ne va pas nous rejoindre en Californie. Il va vivre en Oklahoma et nous, nous allons vivre en Californie.

— Mais…, fit Rosemary.

— Parfois, il vaut mieux que les adultes, les parents, habitent dans des endroits différents. C'est mieux pour tout le monde. Vous pourrez toujours parler à papa au téléphone. Et vous pourrez toujours le voir. Il viendra vous rendre visite. Vous lui rendrez visite aussi.

— Mais…

Rosemary cherchait désespérément une faille, un rai de lumière, le passage secret qui permettait de s'échapper du château fort. Et si… ? Peut-être que… ?

Quand la vérité eut finalement raison de ses défenses, le visage de Rosemary se déforma sous le coup de la douleur, que Charlotte ressentit avec autant d'acuité que sa fille.

— Viens là, ma chérie, dit-elle.

Rosemary secoua la tête et s'éloigna en titubant, secouée

de sanglots et de hoquets. Elle parvint à faire quelques pas avant de trébucher et de s'écorcher le genou sur la marche en béton.

Joan la rejoignit avant Charlotte. Elle s'assit à côté de Rosemary et la serra dans ses bras. Rosemary tenta de se dégager de son étreinte, mais Joan, calmement, obstinément, refusa de la lâcher. Elle chuchota quelque chose que Charlotte ne put entendre à l'oreille de Rosemary, et celle-ci reprit enfin son souffle et cessa de pleurer.

Charlotte tamponna le genou écorché de Rosemary avec son mouchoir, mais elle savait qu'il valait mieux ne rien dire.

Quand elles rentrèrent à l'hôtel, Frank était dans le hall d'accueil, debout près de la cheminée, en train de boire un café. Il fronça les sourcils en voyant le genou de Rosemary.

— J'ai bien peur que Rosemary ait fait une petite chute, dit Charlotte. Nous étions en pleine discussion au sujet de la Californie.

Il comprit immédiatement de quoi il retournait et s'accroupit pour examiner le genou blessé.

— Dis-moi ce qui s'est passé, Rosemary, déclara-t-il. Raconte-moi tout en détail.

— Je suis tombée, répondit Rosemary.

— C'est tout ? Rosemary, une aventure comme celle-ci mérite une histoire intéressante. Tu n'es pas d'accord ?

Rosemary continua de renifler, mais elle aimait les aventures, elle aimait les histoires.

— Peut-être, admit-elle. Oui.

— « Je suis tombée ». Tu peux faire mieux que ça, ajouta Frank. Je te donne une heure. Deux, si tu veux. Marché conclu ?

Dans la chambre, Charlotte nettoya le genou de Rosemary avec du savon et mit un pansement dessus. Le visage de Rosemary avait bien besoin d'être lavé, lui aussi, après toutes ces larmes et les oreilles d'éléphant au sucre.

Elles firent leurs sacs et les transportèrent au rez-de-chaussée. Frank avait déjà réglé la note, aussi Charlotte ouvrit-elle son portefeuille, dont elle sortit un billet de vingt dollars.

— La chambre est déjà payée, annonça-t-il.

— Non, répondit-elle, elle ne l'est pas.

— Charlotte…

Mais, lorsqu'il vit qu'elle ne céderait pas, il accepta l'argent qu'elle lui tendait.

— Je vais chercher la voiture, dit-il.

Pendant qu'elle attendait, elle demanda au réceptionniste si elle pouvait utiliser le téléphone du bureau pour passer un appel en PCV. Dooley décrocha immédiatement, comme s'il avait été assis à côté du combiné, à le fixer en espérant qu'il sonne.

— Charlie ? fit-il. C'est toi ?

— Oui, c'est moi.

— Où es-tu Charlie, nom d'un chien ? Tu as dit que tu rentrais à la maison.

Elle n'avait jamais dit cela. Elle savait qu'elle ne l'avait pas dit.

— Je ne rentre pas à la maison, Dooley. Je vais demander le divorce. Je voulais juste que tu saches que nous allons bien. Les filles vont bien. Je ne veux pas que tu t'inquiètes.

— Tu ne veux pas que je m'inquiète ? Pourquoi est-ce que tu me fais ça, Charlie ? Je ne supporte pas ça, je ne peux pas passer une seconde de plus loin de toi et des filles.

Sa voix, écorchée, à vif, lui faisait penser au genou de Rosemary. Devant le silence de Charlotte, Dooley fit une nouvelle tentative, sur un ton plus doux, plus gentil.

— Je vais arrêter de boire, Charlie, dit-il. Je sais que je ne vaux pas un clou, mais ça, je peux le faire. Je vais arrêter de boire, je le jure. Je peux faire ça pour toi.

L'ancienne Charlotte aurait vacillé. Elle quittait le mari avec lequel elle vivait depuis près de dix ans, mais est-ce que cela faisait d'elle un monstre pour autant ? La nouvelle Charlotte était stupéfiée par la facilité avec laquelle elle reconnaissait, maintenant, à partir de cette nouvelle perspective, les diverses tactiques de Dooley.

— Est-ce que tu veux dire bonjour aux filles ? demanda-t-elle.

— Je veux que tu rentres à la maison, Charlie. Voilà ce que je veux. Maintenant, écoute-moi. Si…

— Au revoir, Dooley. Prends soin de toi, d'accord ? Je te rappellerai quand on sera arrivées en Californie.

Elle raccrocha. Elle réfléchit un moment, puis demanda au réceptionniste si elle pouvait passer un appel longue distance et lui rembourser le coût de la communication. Il accepta, et Charlotte composa le numéro de tante Marguerite.

— Tante Marguerite, fit Charlotte lorsque celle-ci décrocha. C'est encore moi. C'est Charlotte.

— Charlotte.

Un ton toujours aussi sec, aussi cassant, suivi de ce que Charlotte soupçonna être un soupir d'exaspération. Charlotte choisit de l'ignorer. Elle choisit également d'ignorer le coup de poignard que la panique lui assenait entre les côtes, la gêne qui l'envahissait, la petite voix qui lui chuchotait à l'oreille, sur un ton précipité : *Assieds-toi, tais-toi, qu'es-tu en train de faire au juste ?*

Elle découvrait que c'était possible. Elle pouvait ressentir une émotion sans la laisser lui dicter ses actions. Entendre frapper à la porte sans se sentir obligée d'aller ouvrir. Ce n'était pas la fin du monde, les montagnes ne s'écroulaient pas. La vie continuait.

— Bonjour, tante Marguerite, dit-elle. Comment vas-tu ?

— Je suis plutôt occupée en ce moment, répondit Marguerite.

— Dans ce cas, je vais essayer de ne pas trop abuser de ton temps. Mon mari et moi allons divorcer. C'est décidé. Je l'ai décidé. Et je viens à Los Angeles avec les filles. J'ai pris cette décision, également. Nous aimerions habiter chez toi un mois ou deux, jusqu'à ce que je trouve un emploi et un endroit définitif où nous installer pour de bon.

— Charlotte…

— Je sais que tu as dit que ce n'était pas une bonne idée, reprit Charlotte. Et j'en conviens sincèrement. Mais je n'ai pas de meilleure solution pour l'instant, Marguerite. Ma situation est toute nouvelle pour moi, c'est assez bouleversant, et mon projet, en l'état actuel des choses, est de mettre un pied devant l'autre et d'avancer pas à pas. Mes filles sont très bien élevées. Bon, ce sont des petites filles, il est vrai, et je ne doute pas qu'elles perturberont un peu ton quotidien. Je serai ravie de partager une chambre avec elles, bien évidemment. Je serai ravie de dormir dans un placard, s'il le faut. Je ne nourris aucune illusion sur la difficulté de la vie à Los Angeles. Je ne crois pas, en tout cas. J'aurai ma propre voiture. Du moins, je l'espère. Je ne me fais aucune illusion sur la difficulté de ce que sera ma vie, où que j'aille, et c'est la raison pour laquelle je te serais immensément reconnaissante de nous apporter ton aide. Tu es la seule famille qui me reste.

Charlotte reprit son souffle. Elle avait prévu un discours plus bref, moins confus, mais elle supposa qu'elle s'était fait comprendre. Quelle que soit la réponse de Marguerite, Charlotte se sentait soulagée.

— Eh bien…, fit Marguerite.

Et elle rit. C'était déjà une surprise en soi, mais le plus étonnant, c'était que son rire – un véritable éclat de rire, jovial et communicatif – ne ressemblait en rien au ton de voix sec et glacial que Charlotte lui connaissait jusqu'à présent.

— On dirait que tu ne me laisses pas vraiment le choix, n'est-ce pas ?

— Nous avons un chien, également, la prévint Charlotte. Il est épileptique.

— J'ai un chat borgne, répliqua Marguerite. Peut-être qu'ils s'entendront bien.

Charlotte inspira une nouvelle fois, puis se mit à rire à son tour.

— Merci, Marguerite.

— Quand est-ce que vous arrivez ?

— Nous allons passer un ou deux jours à Las Vegas, d'abord. Du coup, je pense que nous devrions être à Los Angeles d'ici à la fin de la semaine.

— Très bien. Je te prépare le placard.

Frank était revenu avec la voiture. Tout le monde s'y

entassa. Tandis qu'ils roulaient, Rosemary raconta l'histoire de son genou écorché. Il y était question d'une bande de hors-la-loi, d'un Indien gigantesque armé d'un tomahawk qui recherchait un ami, et d'une poursuite haletante à travers le désert. L'histoire semblait interminable. Dans le siège avant, Charlotte sourit, en somnolant avec contentement. Rosemary ajoutait encore des détails à son aventure lorsqu'ils prirent la direction du nord et franchirent la frontière de l'État du Nevada.

22

— J'ai jamais été ailleurs qu'au Texas, jusqu'ici, dit le gamin de couleur.

— Félicitations, répondit Barone, tu es un vrai globe-trotter maintenant.

Tucumcari, Nouveau-Mexique. Cinq ou six motels éparpillés le long de la Route 66. Barone les inspecta tous les uns après les autres.

« Je suis détective privé. Je recherche un gars. Il a abandonné femme et enfants, et c'est son épouse qui m'a embauché pour le retrouver. Il se peut qu'il conduise une Dodge bleue et blanche. Je ne sais pas sous quel nom il circule. Attendez, je vais vous le décrire. »

Et après cela, deux motels à Santa Rosa, deux à Clines Corners, un à Moriarty. Même baratin à chaque fois, suivi du même regard vide, du même « Désolé, nan nan, je l'ai pas vu. »

Barone jeta un coup d'œil dans son rétroviseur. Maintenant qu'ils avaient quitté le Texas, les flics ne l'inquiétaient plus tellement. Ils ne tenaient aucune piste pour remonter jusqu'à lui.

Ils passèrent la nuit de mercredi à Moriarty. Barone avait dépassé ses limites. Il arriva à peine à parcourir le chemin de la voiture jusqu'à la chambre. Le gamin descendit la rue à pied jusqu'à l'unique restaurant de la ville et rapporta un bol de soupe pour Barone. Il lui donna ses pilules et émietta des crackers dans sa soupe, expliquant que c'était ce que ses sœurs faisaient pour lui, à Houston, quand il était malade.

Une bonne nuit de sommeil produisit un effet miraculeux sur Barone. Jeudi matin, le jour de Thanksgiving, il se sentait à peu près rétabli. Jetant un œil sous son bandage, il se rendit compte que sa main n'était presque plus enflée.

Il passa toute la journée à faire la tournée de l'intégralité des motels, hôtels et chambres à louer d'Albuquerque. Entre leurs différentes escales, le gamin exprimait ses nombreuses opinions au sujet de tout ou presque. Il disait qu'il ne travaillerait jamais pour une boîte comme celle qui employait Barone, parce qu'elle ne lui donnait même pas un jour de congé de temps en temps. Il projetait de se trouver une jolie femme avec la tête bien sur les épaules, qu'il épouserait juste après avoir terminé le lycée, dans deux ans. Ou peut-être qu'il s'enrôlerait dans l'armée avant.

— L'armée, ce n'est pas une bonne idée, rétorqua Barone.

— Ah bon, et pourquoi pas ? s'enquit le gosse.

— Crois-moi, c'est tout. Et pourquoi es-tu si pressé de te marier ?

— Tu parles. Pourquoi je suis pressé de me marier.

— Je ne sais pas. C'est pour ça que je t'ai posé la question.

— Pourquoi vous me la présentez pas ? demanda le gamin. Cette avocate de couleur dont vous m'avez causé l'autre jour.

Vendredi, ils couvrirent le reste du Nouveau-Mexique et un bon morceau de l'Arizona. À l'approche de Holbrook, la station de radio qu'ils écoutaient commença à se brouiller, cédant progressivement la place à une autre. La mélodie à l'antenne émergea petit à petit, comme des bulles venant éclore à la surface d'une mare.

'Round Midnight. Encore ce morceau, la version piano de Billy Taylor, cette fois. On aurait dit que cet air poursuivait Barone. Ou peut-être était-ce l'inverse.

— Est-ce que tu crois en Dieu ? demanda Barone.

— Pourquoi vous voulez savoir ça ? demanda le gamin.

— Pourquoi tu ne veux pas me le dire ?

Le gamin garda un air renfrogné sur deux ou trois kilomètres. C'était un conducteur prudent et consciencieux. Ses mains ne quittaient jamais le volant, ni ses yeux, la route. Peut-être que quand toute cette histoire serait terminée Barone le présenterait à Seraphine, en effet, avec une recommandation pour lui faire décrocher un boulot fixe.

— Oui et non, répondit enfin le gamin. Si je crois en Dieu ou pas.

— Il faut choisir, dit Barone.

— Je crois que Jésus était pas blanc.

— Où est-ce que tu as entendu ça ?

— Je l'ai entendu.

Ils s'arrêtèrent à Holbrook pour y passer la nuit et prirent une chambre au Sun and Sand Motel – le sable et le soleil. Ou du moins ils essayèrent. Quand le directeur vit le gamin, il secoua la tête. Le directeur était un gros lard couperosé – un ex-flic décati, sans doute, à en juger par sa moue méprisante, caractéristique des gens de cette profession.

— Non non, dit le directeur. Non, y en a pas.

— Quoi ? fit Barone.

La moue du directeur s'accentua.

— On dirait bien qu'on est complet, en fin de compte.

Barone aurait pu le flinguer. Ou mieux, le ligoter à une chaise et le jeter dans la partie la plus profonde de la piscine. Et le regarder couler à ses pieds, à travers les profondeurs mouvantes de l'eau réfractant la lumière, les yeux presque exorbités, tandis qu'il comprenait subitement ce qui était en train de lui arriver : ça y est, c'était fini, rideau. Cet instant-là prenait souvent les gens par surprise, même quand ils auraient dû s'y attendre.

Le môme avait disparu. Barone le retrouva dans la voiture.

— Qu'est-ce que tu fabriques ? demanda Barone.

— Je dors dans la voiture. Ça m'est égal.

— Non.

Ils firent demi-tour et s'arrêtèrent au Lucille's Come On Inn, environ cinq cents mètres plus loin. Lucille, si c'était elle, ouvrit de grands yeux en voyant le gamin. Elle secoua la tête comme pour déplorer l'état navrant dans lequel le monde se trouvait : voilà que les petits Nègres erraient en liberté sur la Route 66, la *Mother Road*, voyez-vous ça. Mais elle finit quand même par leur céder une clé, à contrecœur.

Le gosse imbiba d'eau un gant de toilette pour que Barone se le pose sur le front.

— Va nous falloir un *Livre vert*.

— Un quoi ?

— Un *Livre vert*. Ça dit où les gens de couleur peuvent s'arrêter sur la route. Pour déranger personne. Les gens de couleur partent en vacances, eux aussi, vous savez. Ça alors. Vous le saviez pas ?

Barone n'avait pas la moindre idée de ce que ce satané gamin pouvait bien être en train de raconter. Mais il s'y était habitué, maintenant.

— Tiens, voilà un billet de cinq dollars, dit-il pour toute réponse. Rapporte-moi du whisky ou ne reviens pas.

— Prenez votre cachet, répliqua le gamin. Et buvez votre verre d'eau.

Le lendemain, un samedi, Barone alla faire le tour de Winslow. Pas de chance. Alors, en route pour Flagstaff.

Dans un hôtel vieillot, à l'ancienne, du centre-ville, il sortit son baratin pour la trentième ou la quarantième fois, voire la cinquantième.

« Je suis détective privé. Je recherche un gars. Il a abandonné femme et enfants, et c'est son épouse qui m'a embauché pour le retrouver. Il se peut qu'il conduise une Dodge bleue et blanche. Je ne sais pas sous quel nom il circule. »

Le réceptionniste portait une cravate bolo, à l'ancienne elle aussi, une ficelle de cuir tressé attachée par une agrafe d'argent et de turquoise. Le propriétaire de l'hôtel lui demandait sans doute de porter ce type de cravate pour que son employé soit au diapason de l'esprit de l'établissement.

— Non, je ne me souviens pas avoir vu qui que ce soit de ce genre, répondit le réceptionniste en consultant son gros registre. Non. Juste des familles et des tourtereaux.

Barone avait dû se gourer. C'était une possibilité. Le shérif texan avait menti, et Barone s'était laissé enfumer. Barone n'aimait pas devoir se l'avouer. Après tout, il se pouvait que Guidry se soit dirigé vers l'est, et non l'ouest. Ou il avait conduit d'une traite jusqu'à Los Angeles, sans même s'arrêter pour dormir en vingt-quatre heures. Et dans ce cas, il était déjà au Mexique.

Midi trente – mais Barone avait l'impression qu'il était minuit trente, plutôt. Il aurait voulu pouvoir s'allonger et dormir un an ou deux. Mais il n'avait jamais jeté l'éponge. C'était son unique qualité, et ce depuis toujours. Même sa belle-mère, qui ne pouvait pas le voir en peinture, devait bien le reconnaître. Paul Barone n'abandonnait jamais.

Et ce morceau qu'il avait encore entendu, pas plus tard que la veille, *'Round Midnight*. Peut-être que cela ne signifiait rien du tout. Ou peut-être que si.

Alors, il décrivit Guidry – pour la trentième ou la quarantième fois, voire la cinquantième – au réceptionniste à la cravate à l'ancienne. Sa taille, son poids. Cheveux noirs, yeux clairs, sourire. Cette façon qu'avait Guidry de faire comme si son interlocuteur et lui étaient déjà de vieilles connaissances.

Le réceptionniste réfléchit un instant.

— Eh bien, peut-être que… Quoique non.

Barone ressentit un picotement soudain.

— Continuez, l'encouragea-t-il.

— Ce que vous me dites me fait quand même beaucoup penser à M. Wainwright, dit le réceptionniste. Mais il était avec son épouse. Et ses filles.

— Son épouse et ses filles ?

— Oui, ils sont arrivés ensemble. Et je les ai vus repartir ensemble, également.

Ce n'était pas Guidry. Cela ne pouvait pas être lui.

— Et qu'est-ce que vous pouvez me dire d'autre à son sujet ? demanda encore Barone.

— Ce que je peux vous dire d'autre ? répéta l'employé.

— À propos de M. Wainwright. Réfléchissez.

— Eh bien, oui…, fit le réceptionniste avec un regain d'énergie. Il avait un petit accent, ça me revient maintenant. Un accent un peu comme le vôtre.

Guidry. Rusé comme un renard, cet enfant de putain. Il avait réussi, Dieu sait comment, à se dégoter une femme et des gosses en chemin, aussi simplement qu'un chapeau et un pardessus sur un portemanteau. Et le déguisement avait failli faire mouche.

— Quand sont-ils partis ? demanda Barone.

— Ce matin même. Vers 9 heures.

Barone en resta bouche bée. Guidry n'était pas au Mexique. Il n'avait que trois heures d'avance sur lui.

— Et où allaient-ils ? demanda Barone. Vous le savez ?

Le réceptionniste hésita. Barone dut se retenir de dégainer son nouveau Police Positive calibre .38 et de le coller sous le nez de son interlocuteur.

— Elle veut juste qu'il l'appelle, ajouta Barone. Son épouse. C'est tout. Elle est à ramasser à la petite cuillère. Ce n'est pas un mauvais bougre. Il est tombé amoureux d'une autre, voilà tout. Je ne vais pas le harceler. Mais, si je ne le retrouve pas pour le convaincre d'appeler chez lui, je ne serai pas payé.

L'employé céda.

— Ils vont à Las Vegas, dit-il. J'ai entendu Mme Wainwright le dire au téléphone. Ou plutôt, la… compagne de M. Wainwright.

Barone sortit. Il y avait une cabine téléphonique de l'autre côté de la rue.

— Il est en route pour Las Vegas, annonça-t-il à Seraphine. J'ai trois heures de retard sur lui.

— Je vois, fit-elle, cherchant à dissimuler le soulagement dans sa voix.

Mais Barone l'entendit. Et sans doute perçut-elle aussi le soulagement dans sa voix à lui.

— Carlos sera très content, ajouta-t-elle. Va voir Stan Contini au Tropicana. Il ne faudra pas faire de vagues, à Las Vegas. Tu as compris ?

— Je sais ce que j'ai à faire, rétorqua Barone, sur le point de raccrocher.

— Une dernière chose, *mon cher*, dit-elle.

— Qu'est-ce qu'il y a ?

— L'incident au poste de police, au Texas, ça te dit quelque chose ? Je viens d'apprendre d'une source fiable que le suspect est un homme blanc voyageant avec un jeune Noir, un adolescent.

La serveuse du snack-bar. Barone l'avait complètement oubliée, celle-là. En fait, il s'était plutôt forcé à l'oublier.

— Est-ce un problème ? demanda Seraphine.

— Pourquoi serait-ce un problème ?

— Si la police sait que…

— Je t'appellerai de Vegas.

Barone raccrocha. En sortant de Flagstaff, il demanda au gosse de s'arrêter à un *supper club* qui s'appelait le Tall Pine Inn. « Bonne atmosphère, bonne nourriture, bière et vin à emporter », promettait l'enseigne. Barone acheta de la Schlitz, deux packs de six à emporter.

— Je sais ce que le docteur a dit, lança Barone. C'est juste de la bière. Laisse-moi faire la fête.

— Filez-m'en une, demanda le gamin.

— Tu conduis. Hors de question.

Trois kilomètres plus loin, environ, Barone tendit une canette au gamin.

— Mets-nous de la musique, dit-il.

Ils ne trouvèrent rien de bon à écouter. Rien que des culs-terreux qui yodlaient, des prédicateurs apocalyptiques qui sentaient le soufre, et Lesley Gore qui chantait qu'elle pleurait à sa fête. C'était elle, la pire de tous ; sa voix lui faisait l'effet de clous plantés dans le crâne à coups de marteau.

Barone éteignit la radio. Le gamin termina sa bière et tendit le bras vers une seconde. Sans demander la permission – il s'enhardissait.

— C'est ta dernière, le prévint Barone. Tu ferais mieux de la faire durer.

— Tu parles, que je ferais mieux d'la faire durer, fit le gamin.

— C'est ce que je viens de dire.

— Et vous, alors ?

— Et moi ?

— Vous croyez en Dieu ? demanda le môme.

— Pas à celui de la plupart des gens, répondit Barone.

Ils avaient laissé derrière eux les montagnes hérissées de pins. À présent, l'immensité morte du désert s'étalait devant eux. Un panneau de métal percé d'une balle annonçait « LAS VEGAS 240 km ».

Le gamin se mit à entonner la chanson de Lesley Gore d'une voix de fausset éraillée. À peine arrivé à la moitié du premier couplet, il éclatait de rire et devait recommencer depuis le début. Il était bourré, après seulement deux canettes et demie de bibine.

— Oh oh ! fit-il. Faut qu'j'aille pisser.

— Ce n'est pas moi qui vais t'en empêcher, répondit Barone.

Il y avait un cours d'eau à sec qui courait le long de l'autoroute, à une quinzaine de mètres de la chaussée, et suffisamment en contrebas pour permettre d'y faire ce qu'on avait à faire sans être dérangé.

— Ici, lui indiqua Barone. Range-toi là.

— J'voudrais vous demander un truc, dit le gamin.

— Je croyais que tu voulais pisser. Vas-y. Je dois y aller, moi aussi.

— J'voudrais vous demander un truc.

— Quoi ?

— J'ai oublié.

Barone le suivit jusqu'au lit du cours d'eau à sec. Il avait prévu d'utiliser sa ceinture pour ne pas faire de bruit, mais il aimait bien le gosse, et la ceinture aurait trop fait traîner les choses. Par ailleurs, Barone ne se sentait pas d'attaque : il était encore affaibli par la fièvre, et sa main blessée n'arrangeait rien. Alors, il dégaina le Police Positive et tira sur le gamin, une fois à l'arrière de la tête, et deux fois entre les omoplates.

Puis il sortit du ravin. L'autoroute était vide sur des

kilomètres, dans un sens comme dans l'autre. Barone entra dans la voiture et se mit derrière le volant. L'effort qu'il avait fourni dans la montée l'avait essoufflé, mais il n'avait plus beaucoup de route à faire, à présent.

23

Big Ed Zingel. Par où commencer ? Guidry l'avait rencontré pour la première fois en 1955, au cours d'une bringue que Moe Dalitz avait organisée pour célébrer l'ouverture de l'hôtel-casino Dunes. Sinatra était là, ainsi que Rita Hayworth et son mari, Dick Haymes. Après le spectacle dans la grande salle, Vera-Ellen était passée pour se mêler aux invités et jouer au craps.

À l'époque, comme aujourd'hui, Ed était au centre de la toile d'araignée de Vegas. Les associés de Moe Dalitz, restés sur la côte Est, préféraient gagner de l'argent plutôt qu'en dépenser. Aussi avaient-ils besoin d'une personne capable de faire venir des investisseurs réglo pour construire et agrandir les casinos. Ed fit venir la Valley National Bank de Phoenix, le fonds de pension des enseignants de Californie, et la liste était loin de s'arrêter là. Il avait l'art et la manière. Il avait déjà fait fortune pendant la guerre, en achetant de vieilles mines d'argent qu'il désossait pour récupérer des matériaux de construction.

À la fête du Dunes, en 1955, Big Ed avait tendu à Guidry une carte de visite où figuraient son nom, un numéro de téléphone et deux mots en relief, rédigés dans une graphie élégante : « *Big ideas* » – « grandes idées ».

Ils avaient discuté. Ed s'était entiché de Guidry. « J'aime bien ton style, gamin. » Jusqu'à ce qu'Ed découvre que Guidry travaillait pour Carlos Marcello.

— Tu sais ce que j'aimerais voir ? lui demanda-t-il.

Ed attrapa un autre verre de champagne sur le plateau du serveur et eut un air songeur.

— J'aimerais voir la tête que fera ce faux-jeton de mes deux quand il ouvrira un colis et qu'à l'intérieur il te retrouvera en petits morceaux. Ça le mettrait en rogne, tu crois ?

Big Ed était on ne peut plus sérieux. Guidry pouvait la jouer de deux façons : la bonne et la mauvaise. Mais comment les distinguer ?

— Ça dépend des morceaux, répondit-il.

Ed éclata de rire sans pouvoir s'arrêter. Le gamin dont il aimait bien le style essuya la sueur de son front, soulagé. Car Big Ed Zingel n'était pas du genre à plaisanter. Lors de cette même soirée, il avait porté à son vieil ami et associé Maury Schiffman un toast si sincère que personne dans l'assemblée n'avait réussi à garder les yeux secs. Deux semaines plus tard, Maury et sa femme étaient retrouvés morts dans leur chalet de vacances, près du lac Tahoe – Maury étranglé, et sa femme tuée d'une balle dans la tête. D'après la rumeur, c'était Big Ed lui-même qui les avait tués, juste pour s'amuser. Des coussins du canapé avaient été disposés autour de la tête de la femme, de façon que sa cervelle ne coule pas sur le luxueux tapis d'Orient.

Plus récemment, il y avait environ un an de cela, Hoover avait voulu jeter un coup d'œil de l'intérieur à la petite entreprise d'Ed. Le FBI ne disposant d'aucun agent féminin, ils avaient pris une fille du service de dactylographie pour l'envoyer en mission d'infiltration. La fille n'avait pas eu la moindre chance. Ed l'avait reniflée à des kilomètres et avait envoyé à Hoover un message sans équivoque.

— C'est une crème, cet homme-là, et modeste, par-dessus le marché, raconta Guidry à Charlotte.

Elle n'aurait jamais à rencontrer Ed, c'est pourquoi Guidry pouvait en rajouter une couche.

— Il a construit un hôpital à Las Vegas entièrement de sa poche, mais il a refusé qu'on inscrive son nom sur la façade, poursuivit Guidry.

— Et tu crois vraiment qu'il va… me prêter une voiture, comme ça ? demanda-t-elle.

— Je le crois bien, répondit Guidry. Il ne sera pas en ville ces deux prochains jours, mais dès qu'il reviendra tu peux compter dessus.

— Comment est-ce que vous vous connaissez, tous les deux ?

— En plus des concessions de voitures, il possède la plus grosse agence d'assurances du Nevada. C'est comme ça que je l'ai rencontré, au cours d'un congrès à Minneapolis. On s'est mis à papoter de polices d'assurance.

Guidry ne venait à Vegas qu'une fois par an, environ. Ed trouvait toujours le temps de boire des verres ou de dîner avec lui. À la fin de la soirée, il donnait à Guidry une accolade d'ours. « Les gars comme nous, faut qu'ils se serrent les coudes. »

Las Vegas approchait. Dommage qu'il ne soit que 13 heures. Vegas était bien plus belle à la tombée de la nuit. Avec les montagnes striées de différentes nuances de pourpre, et les lumières du Strip qui, tels des charbons ardents, chauffaient les nuages bas et lourds.

Guidry regarda Charlotte. Il déplaça le genou de façon à toucher le sien. Elle sourit et appuya la jambe contre la sienne en retour. Au lit, la nuit dernière, il avait pris du bon temps, comme d'habitude. Mieux que d'habitude, même. Il ne s'était pas lassé en cours de route. À aucun moment il n'avait eu envie d'être ailleurs qu'auprès de Charlotte.

— J'ai lu dans une revue qu'ils font des essais de bombe atomique à côté de Las Vegas, dit Charlotte.

Les filles étaient endormies sur la banquette arrière.

— J'ai lu que des familles venaient de la ville en voiture pour regarder les essais, comme s'ils allaient voir un film au drive-in.

— Pas ces dernières années, répondit Guidry. Mais avant, oui. On voyait les explosions depuis le dernier étage des hôtels, en ville. Depuis les toits.

— Vraiment ? fit-elle.

— Embrasse-moi.

Charlotte sourit de nouveau, mais ne se détourna pas de la fenêtre.

— Une bombe atomique. Je ne crois pas que je voudrais voir une chose pareille.

— Moi non plus.

— Je sais que c'est censé être beau. Mais je prendrais sans doute des photos des gens en train de regarder l'explosion, plutôt.

Garde les yeux en face des trous, se rappela Guidry, comme pour se mettre en garde. Un type comme Big Ed requérait une attention complète. Ed vivait sa vie comme si c'était un sport, et Guidry pouvait s'attendre à une ou deux surprises de sa part, dans le meilleur des cas. Dans le pire des scénarios, Ed avait appâté Guidry à Vegas pour le revendre à Carlos. Ed était un homme d'affaires, après tout, et que sert-il à un homme de ne point faire profit ?

Et, même si Ed avait aujourd'hui la ferme intention d'honorer la promesse qu'il avait faite à Guidry, il n'était pas exclu qu'il change d'avis le lendemain. Ed était connu pour ses sautes d'humeur.

— Tu prends des photos d'ombres, déclara Guidry. Tu photographies des gens qui regardent une chose, mais pas la chose qu'ils regardent.

Elle éclata de rire.

— Tu es perplexe, dit-elle.

— Je suis intrigué, la corrigea-t-il.

— J'aime bien… ce qui manque.

— Qu'est-ce qui manque ?

— Chaque matin, quand je sors de chez moi, je regarde toujours vers la gauche, pour voir si M. Broom est sous son porche. Et je pense toujours la même chose : quel râleur, pourquoi est-ce que je m'enquiquine même à lui faire coucou ? Et alors je regarde à droite et je vois le lilas d'été, près de la barrière. Et je pense toujours la même chose, que j'aimerais qu'il reste en fleur plus longtemps que quelques semaines en été.

Il aimait ses raisonnements tortueux, dont il ne savait jamais où ils allaient l'emmener.

— *Maintenant* je suis perplexe, déclara-t-il.

— Quand j'ai un appareil photo à la main, ça me rappelle que je dois aller regarder au-delà de ce que je connais. Avoir de nouvelles pensées, en quelque sorte.

Elle rit de nouveau, mais d'un air gêné, cette fois.

— Écoute-moi, dit-elle. Ou plutôt non, s'il te plaît, ne m'écoute pas.

— Ne t'arrête pas, fit Guidry. Je t'en supplie.

L'Hacienda correspondait parfaitement aux besoins de Guidry. Le seul hôtel-casino de Las Vegas destiné aux ringards et aux familles, avec un golf miniature et un circuit de karting. Le seul hôtel-casino coincé à l'extrémité sud du Strip, en face de l'aéroport et loin de tous les clubs qui bougeaient. Le seul hôtel-casino sans aucun lien avec la mafia. L'Hacienda perdait de l'argent tous les ans, même sans être racketté. Pour les gars du milieu, cela ne valait pas le dérangement.

Mais il ne fallait jamais dire jamais, bien sûr. Le risque de tomber sur une vieille connaissance à l'Hacienda n'était pas nul, mais tout de même, c'était peu probable. Et, avec Charlotte et les filles à ses côtés, Guidry se fondrait dans le décor.

Sur l'enseigne au-dessus du parking, on voyait un cow-boy à cheval sur un mustang qui se cabrait. Le cow-boy saluait de la main les automobilistes qui passaient par là : bonjour, bonjour, faisait-il – à moins que ce ne soit un au revoir qu'il adressait à son argent. De quoi faire de l'ombre au Grand Chef resté en Arizona, en tout cas.

Rosemary et Joan poussaient des oh et des ah admiratifs. Dans le hall de l'hôtel, il y avait une boutique de vêtements Bonnie Best, et le fronton du théâtre annonçait un spectacle de marionnettes au titre français, que Guidry traduisit à leur intention : *Les Poupées de Paris*.

— Maman, dit Rosemary à voix basse comme si elle était à l'église. Tu sais à quoi ça ressemble, tout ça ?

— À quoi, ma chérie ? demanda Charlotte.

— À ce film, dit Joan, à voix basse également. *Le Magicien d'Oz.*

Le réceptionniste jeta à peine un regard au chien. À cet égard, Las Vegas ressemblait à La Nouvelle-Orléans : tout était permis, à condition d'avoir le fric pour payer. Dieu bénisse l'Amérique.

Il faisait trop frais en cette saison pour se baigner, mais assez chaud pour déjeuner dehors, à côté de la piscine à l'eau miroitante. Les hot-dogs étaient accompagnés de ketchup, de moutarde et de confit de cornichons ; chaque condiment était disposé dans un petit plat à part, avec sa cuillère attitrée. Rosemary et Joan étaient au paradis.

Des listes, encore et toujours. Les couleurs préférées. Les chansons préférées. Les plats préférés. Guidry essaya d'ajouter les œufs au plat à la liste de ses plats préférés, mais se fit dûment corriger : on avait dit les plats préférés du *midi*.

Il n'avait pas remarqué, jusque-là, à quel point les filles ressemblaient à leur mère. Elles avaient la même façon de serrer les mâchoires, la même façon de regarder la vie droit dans les yeux, comme pour lui dire : *Vas-y, essaye si tu l'oses, je te mets au défi.*

Les livres préférés. Les contes de fées préférés. Les personnages de contes de fées préférés. Le vent troublait la surface de la piscine.

Leur père ne devait pas les frapper. C'était ce que Guidry supposait, à en juger par les quelques jours qu'il avait passés en leur compagnie. Il était peut-être même raide dingue de ses filles. Guidry ne voyait pas pourquoi il ne le serait pas. Et, à présent qu'il avait perdu ses enfants, est-ce que ce type avait l'impression qu'on lui avait arraché le cœur ? Dans quel état était-on quand on ressentait cela ? Guidry avait oublié. Et il n'avait aucune envie de le redécouvrir.

— Hé, fit-il, qui a envie de faire du kart ?

Mais il fallait avoir au moins douze ans pour prendre le

volant. Alors, ils jouèrent plutôt au minigolf. Guidry découvrit qu'il était un mauvais minigolfeur. Vraiment effroyable. Il fit sauter la balle hors de la pente du volcan, l'envoya se perdre dans les buissons et rata complètement le moulin à vent. La politesse des filles était à toute épreuve : « Ne vous en faites pas, c'était un trou très difficile. »

Avant son dernier coup, Charlotte fit une pause. Elle leva les yeux et observa les alentours. Elle balaya du regard les palmiers, les tours des casinos du Strip. Et Guidry.

— Où *suis*-je ? lança-t-elle.

Guidry n'eut pas besoin de lui demander d'expliquer ce qu'elle voulait dire. Il comprenait parfaitement.

Cette nuit-là, au lit, Guidry désira Charlotte plus ardemment que jamais. On aurait dit que c'était la première femme nue qu'il avait jamais caressée, embrassée.

Après l'amour, il leva un bras, et Charlotte vint se glisser contre lui et posa la tête sur sa poitrine. C'était l'accord parfait, comme les goupilles d'une serrure s'enclenchant avec un déclic. Il plia un genou, elle y accrocha une jambe nue. Ils avaient laissé les rideaux ouverts. Le clair de lune fredonnait une chanson douce.

Avec la plupart des autres femmes, Guidry aurait déjà sauté du lit comme un boulet de canon, il serait déjà habillé et en marche vers la porte. Mais il devait jouer son rôle, n'est-ce pas ? Frank Wainwright. La peau à l'intérieur de la cuisse de Charlotte était chaude, soyeuse et moite. Il sentait le sang qui battait, juste en dessous, et le rythme de l'orchestre ralentissait, mesure après mesure. Et qu'est-ce que ça pouvait bien faire, s'il se trouvait qu'il aimait ce rôle qu'il jouait, ce personnage qu'il incarnait ? Cela n'en restait pas moins un rôle, un personnage.

Elle fit planer sa paume au-dessus de la poitrine de Frank, la touchant presque, mais pas tout à fait, comme pour vérifier la chaleur des brûleurs d'une gazinière.

— Tu es poilu, observa-t-elle.

— Tu viens seulement de le remarquer ?

Dans ce clair de lune propice à la somnolence et à la

rêverie, il n'était pas difficile pour Guidry de s'imaginer que tout cela était sa véritable vie. Il ne lui était pas difficile d'imaginer une vie différente pour Annette, également. Où était sa petite sœur, à l'heure qu'il était ? Pas coincée à Ascension Parish, en Louisiane, en tout cas, on pouvait croire Guidry sur parole.

Infirmière. Oui, c'était ça. La tête froide même en pleine crise, les bras plongés dans le sang et les tripes jusqu'aux coudes, sans ciller. C'était la guerre, et elle maintenait les gars en vie jusqu'à ce que les médecins les recousent en un seul morceau.

Elle était tombée amoureuse d'un de ces soldats, un sergent aux larges épaules et au grand sourire, un jovial au grand cœur. Une telle espèce d'hommes existait-elle vraiment ? Peut-être. Guidry allait leur rendre visite à chaque dîner de Noël, il gâtait ses neveux et nièces. Annette lui faisait affectueusement la leçon. Elle lui disait de se trouver une femme aussi intelligente que lui, ou mieux, plus intelligente encore. *N'aie pas peur, Frick, elle ne te mordra pas.* Elle continuait de l'appeler Frick, comme du temps où elle n'était encore qu'un bambin potelé, qui ne tenait pas bien sur ses jambes et n'arrivait pas à prononcer correctement le nom de son frère. Il continuait, quant à lui, de l'appeler Frack.

Un jour, il faudrait bien qu'elle meure, mais cette fois ce serait dans un lit d'hôpital, entourée de ses enfants et petits-enfants, avec des fleurs dans des vases et son grand frère qui lui tiendrait la main.

— Est-ce que tu as déjà été marié, Frank ? demanda Charlotte.

— Non.

La main de Charlotte était remontée jusqu'au visage de Frank. Du bout des doigts, elle dessinait les contours de ses lèvres, de son nez, de sa joue, de sa cicatrice.

— Je n'ai pas envie de partir, souffla-t-elle.

Il ne voulait pas qu'elle parte non plus. Quand elle quitterait la pièce, le rideau retomberait, et Frank Wainwright devrait retourner en coulisse. Il avait déjà repoussé le coup de fil à Ed plus longtemps qu'il ne l'aurait dû. Il ne pouvait pas différer davantage.

— Tu sais, tu pourrais passer la nuit ici, dit-il.

— Tu sais que je ne peux pas, répondit-elle.

— Les filles sont juste en face, de l'autre côté du couloir, et elles ont le sommeil profond. C'est toi-même qui l'as dit.

Elle s'échappa du lit et s'habilla. Quand elle eut terminé, elle souleva ses cheveux au-dessus de sa longue nuque, les enroula en chignon et les attacha en faisant claquer son élastique. Il essaya d'attraper sa main, mais Charlotte était déjà en train de se diriger vers le bureau. Elle attacha le dernier bouton de son chemisier et se lança un rapide coup d'œil dans le miroir.

— Moi aussi je suis tombée d'un arbre, un jour, lança-t-elle.

Guidry ne réagit pas immédiatement. Quand, remarquant son moment d'absence, elle se retourna vers lui, il comprit qu'elle parlait de la cicatrice sous son œil, du mensonge qu'il lui avait raconté à ce sujet. Il essaya de dissimuler sa confusion en bâillant et s'étirant. *Allez, secoue-toi, mon vieux !* songea-t-il de nouveau. S'il se laissait aller à la paresse en présence de Big Ed Zingel, il ne donnait pas cher de sa peau.

— Ça arrive à la plupart des gosses, je suppose, dit-il. Il se trouve juste que moi j'ai une balafre pour le prouver.

Elle l'observa encore un instant, puis enfila ses chaussures.

— Je me souviens m'être retrouvée allongée sur le dos, en train de regarder le ciel, fit-elle. Je n'étais pas blessée, juste complètement sonnée, le souffle coupé. Une seconde plus tôt, j'étais sur l'arbre et, l'instant d'après, j'étais par terre. Je me souviens avoir pensé : « Mais comment c'est arrivé, une chose pareille ? »

— Je suis très impressionné, commenta Guidry. Moi, je me suis mis à brailler, je crois.

Elle se pencha pour l'embrasser.

— Je ne sais pas grand-chose de toi, n'est-ce pas ?

Guidry ne fut pas pris au dépourvu cette fois : il était prêt, avec des kilos de mensonges en stock. *Alors, que veux-tu savoir de moi ?* était-il sur le point de lui demander. Mais, en la voyant se diriger vers la porte, il comprit que la remarque de Charlotte n'était qu'un constat, et non une question.

— Est-ce qu'on prend le petit déjeuner ensemble, demain matin ? demanda-t-il.

— Le rendez-vous est noté, répondit-elle.

L'Hacienda n'avait qu'un étage. Depuis sa fenêtre, Guidry ne voyait ni le Strip, ni les montagnes, ni même la piscine. Juste la lune et les silhouettes de quelques palmiers qui se découpaient sur le ciel nocturne. Debout à la fenêtre, il écouta la rumeur de l'effervescence lointaine et le *pop-pop-pop* du circuit de karting, puis il regarda de vieilles rediffusions de *Janet Dean, Infirmière* à la télévision. Pauvre Ella Raines, dont le bon cœur la mettait toujours dans le pétrin.

Presque minuit. *Arrête d'essayer de gagner du temps. Décroche ce téléphone et compose ce satané numéro.*

L'homme au soyeux accent britannique répondit :

— Résidence Zingel, bonsoir.

— Ici le vieil ami d'Ed, de La Nouvelle-Orléans, dit Guidry.

Guidry attendit. C'était parti. Sa dernière chance de lire dans le marc de café, de percer à jour les véritables intentions d'Ed, bonnes ou mauvaises, avant qu'il soit trop tard. Dans ces magazines *pulps* à dix cents que Guidry adorait, enfant, il y avait toujours un cow-boy hors la loi qui collait l'oreille sur les rails du chemin de fer pour tâcher de sentir les vibrations d'un train à l'approche.

— Où es-tu ? demanda Big Ed. Je croyais que tu avais dit que tu arriverais hier.

— Tu es pressé de me voir, constata Guidry.

— Pourquoi ne le serais-je pas ?

Guidry sourit. Certains jouaient aux cartes, d'autres couraient les jupons. Ce qu'Ed aimait, lui, c'était vous mettre sur des charbons ardents.

— Arrête de jouer avec moi, Ed. Je me fais déjà un sang d'encre pas possible.

— Que j'arrête quoi ? fit Ed. Bon, d'accord, d'accord. Tu peux compter sur moi, fiston. Je n'ai pas changé d'avis. Voilà, tu te sens mieux, maintenant ?

Guidry essaya de sentir les vibrations sur le rail en fer de la voix d'Ed. Est-ce qu'Ed pensait vraiment ce qu'il disait ? Ou croyait-il seulement le penser ? Avait-il même pris sa décision, concernant Guidry ?

— Tu sais quand je me sentirai mieux, Ed ? demanda Guidry.

— Quand tu seras à bord d'un avion en direction de la belle Indochine, répondit Ed.

Non. Quand l'avion aurait atterri en Indochine sans que Guidry ait été poussé dans le vide depuis la porte cargo, quelque part au-dessus de l'océan Pacifique.

— Il y a beaucoup de choses dont on doit discuter, toi et moi, reprit Ed. Maintenant, dis-moi où tu es installé. J'enverrai Leo te chercher. Demain à 13 heures. On se fera un bon gueuleton.

— Je prendrai un taxi, déclara Guidry. Je ne veux pas te déranger.

Ed rit.

— Où as-tu pris une chambre ?

— À l'Hacienda.

— L'Hacienda ? Quoi, tu veux mourir d'ennui ?

— Je fais profil bas, Ed. Peut-être que tu as oublié pourquoi je suis ici.

— Qui a envie d'une vie sans une pointe de piment ? demanda Ed.

Guidry repensa à cet instant, pendant la partie de minigolf, où Charlotte avait levé les yeux et parcouru les environs du regard. *Où suis-je ? Comment en suis-je arrivée là ?*

— Demain à 13 heures, dit Guidry. Je serai prêt.

24

Dimanche matin. Des pancakes au sirop d'érable pour le petit déjeuner. Une petite promenade autour de l'hôtel. Joan aperçut un lézard qui faisait bronzette sur le trottoir. Il cligna de l'œil une fois, deux fois, puis *pouf*, il disparut. Ils jouèrent aux dames, puis avec le chien – « va chercher, Lucky ! » –, puis encore au golf miniature, que Guidry commençait à apprécier. Rosemary et Joan l'acclamaient à chaque fois qu'il mettait la balle dans un trou. *Je pourrais vraiment y prendre goût,* pensa-t-il. Prendre goût à quoi, au juste ? Il n'en était pas sûr.

Après son dernier trou, Guidry dit à Charlotte qu'il devait aller voir son ami, le saint vendeur de voitures si charitable. Il fit promettre aux filles, juré, craché, qu'elles ne s'amuseraient pas trop sans lui.

— Je reviens d'ici à deux heures, annonça-t-il, souhaitez-moi bonne chance.

Une Rolls-Royce Silver Cloud attendait devant l'hôtel. Le chauffeur ouvrit la portière arrière pour Guidry. C'était un homme de soixante-dix ans environ, grand, mince, on ne peut plus débonnaire, avec une moustache en trait de crayon et un costume Savile Row intégralement noir.

— Bienvenue à Las Vegas, déclara-t-il avec ce soyeux accent britannique que Guidry avait entendu au téléphone. Je suis Leo, l'assistant de M. Zingel. J'imagine que vous avez fait bon voyage ?

Guidry examina Leo. Puis il examina la Rolls. Elle faisait

au moins un kilomètre de long, toute lisse et brillante, d'un vert métallique qui évoquait un ciel menaçant.

— Ed aime bien épater la galerie, hein ? dit Guidry.

Leo garda une mine impassible, mais Guidry remarqua la lueur ironique qui brillait dans son œil.

— Je ne vois vraiment pas de quoi vous voulez parler, répondit-il.

Ils prirent la direction du nord sur le Strip, puis bifurquèrent vers l'est sur Bonanza. Guidry n'était jamais allé chez Ed auparavant. Il imaginait un manoir en pierre de style Tudor, avec des jardins parfaitement entretenus, des pelouses taillées au cordeau, et une pièce secrète au sous-sol avec des murs carrelés et un trou d'évacuation au milieu.

— Dites-moi, Leo, fit Guidry, depuis combien de temps travaillez-vous pour Ed ?

— Presque vingt ans.

— Ça a dû être une sacrée aventure, n'est-ce pas ?

Visage impassible, lueur dans l'œil.

— En effet.

Ils traversèrent les vieux quartiers, les quartiers récents. Las Vegas était en plein essor, elle s'étendait, se répandait comme une tache dans le désert. Bien sûr, le climat en hiver était agréable. Mais quoi d'autre ? Rien du tout. La ville avait autant de charme qu'un chewing-gum qu'on vient de décoller de sous sa semelle.

Guidry aurait aimé emmener Charlotte visiter La Nouvelle-Orléans. Le Vieux Carré français par un dimanche matin tranquille, quand tout le monde dort encore, hormis les oiseaux et les vieilles dames – qui leur ressemblent furieusement, d'ailleurs. Le Garden District, le fleuve au coucher du soleil, les glaces *snowball* de Plum Street. Rosemary et Joan deviendraient dingues en découvrant le zoo d'Audubon Park.

— C'est encore loin ? demanda Guidry.

Ils étaient dans le désert proprement dit, à présent. La civilisation – si l'on pouvait parler ainsi de Las Vegas – disparaissait au loin derrière eux.

— Non, pas loin, répondit Leo.

— Ed vit à l'autre bout du monde, on dirait ?

Leo leva un doigt de son volant. Était-ce un oui ? Guidry connaissait bien le code de pureté de la pègre. Tout le business illégal de Las Vegas dépendait des jeux d'argent, parfaitement légaux au demeurant ; et ces jeux d'argent irréprochables étaient eux-mêmes fondés sur la fragile fiction selon laquelle tout le business, à Las Vegas, était réglo. Aussi les diverses factions en présence étaient-elles tombées d'accord sur un point : pas de vagues, pas de polémiques, pas de sang versé ni de cervelles brûlées devant les touristes. S'il fallait passer un type à tabac, on l'emmenait dans le désert, sans âme qui vive alentour, et on le tabassait là-bas – c'était simple comme bonjour !

— Vous êtes un beau diable, Leo, dit Guidry. Je parie qu'au bon vieux temps les dames se bousculaient au portillon.

Cette réflexion arracha enfin un sourire à Leo.

— Je me trompe ? fit Guidry.

Il avait sa petite idée au sujet de Leo.

— Les gars, alors, se corrigea-t-il. Venez faire un tour à La Nouvelle-Orléans, et je vous présenterai du monde.

Cela faisait vingt minutes qu'ils roulaient. Ils étaient à des kilomètres de la ville.

— Dans quoi suis-je en train de m'embarquer, Leo ? demanda Guidry.

— Je vous demande pardon ?

— Donnez-moi un indice. Qu'est-ce qui m'attend là-bas ? Faites appel à votre bon cœur. S'il est trop tard pour que j'y fasse quoi que ce soit, quel mal y a-t-il à ce que vous m'en touchiez un mot ?

Leo ralentit la Silver Cloud. Il bifurqua sur une route de gravier cahoteuse taillée entre les rochers. Cinq cents mètres plus loin environ, après un autre tournant, le gravier céda la place à une allée récemment pavée et bordée de cactus.

— Nous sommes arrivés, annonça Leo.

Ed avait opté pour le style *mod* futuriste plutôt que Tudor. La maison était une vaste villa sur plusieurs niveaux, aux baies vitrées gigantesques, surmontée d'un grand toit blanc orienté de façon à évoquer la voile d'un bateau ou un aileron de requin. L'entrée monumentale était flanquée de plusieurs blocs de béton disposés de manière à former un treillage décoratif complexe.

— Alors ?

Ed sortit de la maison, vêtu comme d'habitude. Un pantalon bouffant en lin, une chemise de soie au col ouvert, une paire de lunettes de soleil remontées sur le crâne. Il gratifia Guidry d'une étreinte à lui en briser la cage thoracique.

— Qu'est-ce que tu en penses ? ajouta-t-il.

— J'ai cru que Leo allait m'emmener dans le désert et me flinguer, répondit Guidry.

— Leo ? Non. Qu'est-ce que tu penses de ma bicoque ? s'enquit encore Ed, se retournant pour qu'ils puissent admirer la maison ensemble. C'est un truc dernier cri, à ce qu'il paraît. Mais toutes ces fenêtres, en plein été... Ça fait comme un four, on a l'impression qu'on va rôtir. Leo, qui a de la classe, pense que la maison en manque. Il pense même que moi aussi je manque de classe, pas vrai, Leo ?

— Voulez-vous que je gare la voiture derrière la maison, monsieur Zingel ? demanda Leo.

— Merci, répondit Ed avant de se retourner vers Guidry. Allez, ma poule, on y va.

Ils entrèrent dans la maison. Il y avait un salon à l'intérieur duquel s'ouvrait un autre salon en contrebas, c'est dire si la pièce était grande. Des plafonds de près de cinq mètres de haut, une cheminée en pierre où l'on aurait pu faire entrer une petite voiture, un sofa incurvé en vinyle blanc et un tapis en peau de zèbre.

Sur le tapis était allongée une fille, dix-sept ans à tout casser, qui feuilletait un magazine. Elle portait une chemise masculine décontractée et un short en jean incroyablement court. Ses longues jambes étaient sales, ou bronzées, ou les deux. D'autres beaux adolescents flemmardaient dans la pièce. Deux garçons torse nu regardaient les poissons d'un aquarium géant, une fille à lunettes se vernissait les ongles des orteils, une autre sortait des cerises d'un sac en papier pour les glisser dans la bouche d'un garçon allongé sur le sol de marbre à ses pieds.

— Ne t'inquiète pas pour eux, dit Ed. Ils planent aussi haut que des cerfs-volants, pour la plupart.

— Des amis à toi ? demanda Guidry.

— De la famille, plutôt. Ils viennent s'échouer ici d'un peu partout dans le pays. Cindy, près de la cheminée, vient du Maine.

— Tu m'en diras tant.

— Pas la peine de jouer les prudes, Mamie Eisenhower. Je ne les touche pas, je regarde seulement. Je suis trop vieux pour suivre leur rythme. Et puis, tout ce que je leur demande de faire entre eux, ils en meurent d'envie, de toute façon.

La fille sur le tapis en peau de zèbre – Cindy, du Maine – se laissa paresseusement rouler sur le dos et leva une longue jambe mince et sale pour pointer le bout de ses orteils vers le plafond. Elle observait Guidry à travers une cascade de cheveux blonds. Elle avait les yeux les plus bleus et les plus vides qu'il avait jamais vus. Le sourire le plus éclatant et le plus vide également.

— Loin de moi l'envie de te juger, Ed, dit Guidry.

Ed mena Guidry à travers le salon, bifurqua et dépassa la cuisine.

Une porte.

— Après toi, fit Ed.

Guidry prit une profonde inspiration, mais derrière la porte il n'y avait ni pièce secrète carrelée, ni trou d'évacuation au sol – non, juste une salle à manger. Une baie vitrée donnant sur la piscine, une table couverte d'une nappe blanche comme neige et un seau à glace près d'une bouteille de whisky Black & White. Guidry alla droit vers la bouteille et se versa un double. Mais il ne fallait pas se détendre trop vite. Tout ce que cela promettait, au même titre que le plat brûlant que Leo était en train d'apporter – du homard Thermidor aurait-on dit, à en juger par l'odeur qui s'en dégageait –, c'était que Guidry vivrait encore une heure ou deux. Peut-être.

— Sers-toi, dit Ed. Et ne t'inquiète pas non plus pour Leo. C'est la discrétion incarnée. N'est-ce pas, Leo ?

Guidry s'assit en face d'Ed, à côté de Leo. Derrière la baie vitrée, près de la piscine, deux adolescentes se ressemblant comme deux gouttes d'eau étaient allongées, luisantes et immobiles.

Guidry prit une bouchée de homard et but une gorgée de whisky. Il attendait. Ed s'amusait comme un petit fou, à le voir se tortiller sur sa chaise.

— Alors, quand est-ce que je m'en vais, Ed ? demanda Guidry. Pour le Vietnam ?

— Tu es impatient de le savoir, hein ? répondit Ed. Le quand, le comment, le qu'est-ce-que-je-fais-une-fois-que-j'y-suis… Tous les détails importants, pour ainsi dire.

— Exactement.

— Je te comprends. Mais jouons d'abord cartes sur table, ce sera une bonne chose de faite. Qu'est-ce que tu en dis ?

On y était. Le premier coup, la première secousse. Guidry savait ce qu'il avait à faire. Rester bien fermement campé sur ses jambes et ne pas finir au tapis.

— J'aimerais bien, Ed, répondit-il, mais je t'ai déjà montré toutes mes cartes.

Ed rit.

— Tu es plutôt tranquille comme joueur, fiston. J'ai toujours apprécié ça chez toi. Tu as de l'aplomb à revendre.

Guidry était heureux d'apprendre que c'était au moins l'effet qu'il produisait.

— Raconte-moi ce qui s'est vraiment passé, reprit Ed. Tu n'as pas vraiment baisé la fille à Carlos. Ou peut-être que si. Mais c'est pas pour ça que tu t'es brouillé avec lui, en tout cas. C'est pas pour ça qu'il te cherche partout dans le pays, en se chiant dessus. Si on doit se retrouver dans le même bateau, toi et moi, je dois tout savoir.

— *Si* on doit s'y retrouver ensemble ? dit Guidry.

— C'est une façon de parler.

Avouer la vérité à Ed. Ou lui dire un bobard. Si Guidry avouait qu'il savait ce qui s'était passé à Dallas et qu'il avait de quoi faire plonger Carlos, Ed se montrerait encore plus empressé pour l'aider. Carlos, vulnérable, à découvert… C'était ce dont Ed rêvait depuis longtemps – planter Carlos là où ça faisait mal et l'écouter gémir.

Mais ce n'était qu'un aspect de la question. L'autre facette, moins réjouissante, c'était l'assassinat du président des États-Unis, la commission Warren, le FBI. Ed n'avait pas besoin de se coller une migraine pareille, une migraine du nom de Guidry.

D'un autre côté, Ed était peut-être déjà au courant pour Dallas et Carlos, et cette discussion n'était qu'une mise à l'épreuve. Mais quelle était la réponse qu'Ed attendait ? Guidry l'ignorait. Ed Zingel, dont les ruses étaient légendaires, et les mobiles restaient à jamais inconnus. Il attendait patiemment, un sourire aux lèvres. Dire la vérité, dire un mensonge ? Guidry opta pour un savant mélange des deux.

— C'est l'affaire Kennedy, lâcha-t-il enfin.

— C'est bien ce que je me disais.

— Je n'en sais pas grand-chose, poursuivit Guidry. Je sais que le vrai tireur est parti à Houston une fois le boulot accompli. J'ai entendu Seraphine passer un coup de fil que je n'étais pas censé entendre.

— Et quoi d'autre ? demanda Ed.

— Rien d'autre. C'est tout ce que je sais.

Guidry repensa à Mackey, Armand et Jack Ruby. Il sentit à nouveau la tiède moiteur de la nuit sur sa peau, à Houston, et l'odeur des raffineries tandis qu'il ouvrait le coffre de la Cadillac, dénouait le lien du sac militaire en toile, et qu'apparaissaient sous ses yeux le fusil et les douilles en laiton.

— Mais Carlos pense que tu en sais davantage, affirma Ed.

— Je n'ai rien d'autre dans mon jeu, Ed, rétorqua Guidry.

Ed s'appuya contre le dossier de sa chaise et se mit à méditer. Guidry se versa un autre double whisky. *Ne laisse pas Ed remarquer que ta main tremble*. Enfin, Ed opina du chef et se mit à attaquer son homard Thermidor.

— Tu vois à quel point ça fait du bien ? demanda Ed. D'ouvrir son cœur à un ami ?

— C'est comme une bouffée d'air frais, dit Guidry.

— J'ai des sentiments mitigés à propos de tout ça. Jack était un connard arrogant, mais il savait aussi s'amuser. Et surtout, il savait jouer le jeu. Le véritable problème, c'est Bobby.

— Tu veux dire qu'il aurait fallu buter Bobby plutôt que Jack ?

— Ne buter personne, si tu veux mon avis. Mais ouais, bien sûr, plutôt Bobby, tant qu'à faire. Pour envoyer un message, histoire de recadrer Jack. Les rancunes personnelles et les affaires doivent rester séparées. Même un idiot de Rital comme Carlos peut comprendre ça.

La rancune personnelle qu'Ed nourrissait envers Carlos était précisément la raison pour laquelle Guidry était ici à présent, à siroter du scotch et à grignoter du homard Thermidor. Mais Guidry choisit de ne pas relever l'ironie de ce détail.

Les adolescentes allongées près de la piscine n'avaient toujours pas bougé. Guidry n'était même pas sûr qu'elles respiraient encore. Leo quitta la table, puis revint, une cafetière à la main. Ed s'essuya la bouche et jeta sa serviette sur la table.

— Tu veux entendre un truc marrant ? demanda-t-il. J'étais sur le point de prendre ma retraite. De m'arrêter là. Mais c'est là que Jack s'est fait flinguer et que Johnson a pris le relais, alors je me suis dit… hmm, le Vietnam. Tu vois ? Pour toi comme pour moi, cette balle à Dallas a tout fait basculer.

— Ed, fit Guidry.

— Quoi ?

— J'ai joué cartes sur table, Ed.

— Et maintenant, c'est mon tour ? OK, alors parlons franco. Je vais te mettre sur un vol au départ de la base aérienne de Nellis. J'ai un ami colonel qui commande une unité de bombardiers. Il…

Ed s'interrompit. La fille aux yeux vides et aux longues jambes, Cindy du Maine, était entrée dans la pièce, d'un pas nonchalant. Elle alla s'installer sur les genoux d'Ed et adressa à Guidry son sourire éclatant et aussi vide que ses yeux. Quand Leo se racla la gorge, elle fit claquer ses dents et fit mine de le mordre, comme un chien cherchant à attraper une mouche. Leo l'ignora. Il versa une cuillerée de sucre dans son café.

— Quand est-ce qu'il décolle, Ed ? demanda Guidry. Le vol au départ de Nellis.

Cindy tirait sur les bajoues d'Ed.

— Papa, fit-elle. Est-ce qu'on va jouer aujourd'hui ?

— Est-ce que c'est l'heure ? s'interrogea Ed. Fiston, tu vas adorer ça, ajouta-t-il à l'intention de Guidry.

Non. Guidry ignorait ce qu'Ed avait en tête, mais la réponse était non, non, trois fois non. Et surtout pas maintenant, pas encore. Mais Guidry continua de sourire. De l'aplomb à revendre, bien sûr.

— J'aimerais beaucoup qu'on finisse notre conversation d'abord, objecta Guidry.

— On aura tout le temps de parler après, rétorqua Ed. Fais-moi confiance, tu n'as jamais rien vu de tel de toute ta vie.

Guidry croisa le regard de Leo. Sa moustache à la Clark Gable tressaillit.

— Leo n'approuve pas nos petites frasques, dit Ed. N'est-ce pas, Leo ?

— Allez, papa, insista Cindy. On veut jouer.

Leo se leva.

— Je vais chercher le matériel.

— Ed, intervint Guidry, je ne veux pas jouer les rabat-joie, mais peut-être que…

— Tu n'es pas un rabat-joie, fiston, répliqua Ed. Si je voulais qu'un rabat-joie travaille pour moi à Saigon, j'y enverrais Leo.

Plutôt aimable, comme avertissement. Guidry se dit qu'il n'y en aurait pas de second.

— Que les jeux commencent, déclara-t-il donc.

Avant d'aller dehors, Guidry fit une halte à la salle de bains. Il y avait un Picasso signé au-dessus des toilettes – un original, autant que Guidry put en juger –, qui valait sans doute une fortune. C'était un croquis au fusain d'une créature ailée ressemblant à un chat aux longs crocs, qui se dévorait elle-même. Guidry pissa un coup et se recoiffa. D'une partie éloignée de la maison, il entendit un boum étouffé, comme le bruit d'une porte ou du couvercle d'un cercueil qu'on aurait refermé d'un coup sec. Il entendit un hurlement, qui aurait tout aussi bien pu être de rire ou de terreur. *Il faut que je me tire d'ici,* pensa-t-il.

Dehors, sur un terrain d'un hectare environ, où poussait un gazon luxuriant vert émeraude qu'Ed devait faire arroser vingt-quatre heures sur vingt-quatre, les adolescents s'étaient rassemblés. Il y en avait huit, tous en sous-vêtements — les quatre garçons en slip Fruit of the Loom, et les quatre filles en soutien-gorge et petite culotte. Leo alla inspecter les rangs, un carton d'œufs crus à la main. Chaque garçon choisit un œuf.

— Viens là, je vais t'expliquer les règles, dit Ed, assis sur le patio dallé, un cigare à la bouche. Les garçons se posent un œuf sur la tête et enfilent un bas nylon par-dessus pour qu'il ne tombe pas.

— Naturellement, fit Guidry.

Les garçons avaient déjà leur bas nylon sur la tête. Les filles les aidèrent à bien placer l'œuf au sommet de leur crâne. Le nylon couleur chair, une fois tiré jusqu'au menton, aplatissait et floutait le visage des garçons, qui ressemblait à présent à un dessin raté qu'un gros pouce aurait tenté d'effacer. L'œuf faisait une bosse au-dessus de leur tête… Guidry ne voyait même pas à quoi cela pouvait bien le faire penser. Une tumeur, une corne naissante ?

Leo retourna auprès du groupe avec une glacière Coleman. Que contenait-elle ? Du poisson, naturellement. Chaque poisson mesurait plus de trente centimètres et était congelé, raidi par le froid. Un poisson pour chaque fille. Guidry aurait aimé que Picasso voie ça. Il aurait tout abandonné, jeté l'éponge.

— On jouait à ce jeu quand j'étais petit, précisa Ed, au camp de vacances où mes parents m'envoyaient, l'été.

Grands dieux !

— Nom d'un chien, de quel genre de camp s'agissait-il, Ed ? demanda Guidry.

— Tu vois, les filles grimpent sur les épaules des gars. Elles tiennent le poisson. Le but du jeu est simple. Il faut utiliser son poisson pour casser les œufs des autres. Mais sans laisser personne casser son œuf à soi.

Leo vint s'asseoir avec eux.

— Nous attendons votre signal, monsieur Zingel.

— En selle, mesdames et messieurs ! lança Ed. Cent dollars pour la dernière équipe qui restera debout. Que le meilleur gagne !

Il ouvrit un tiroir dans la petite table près de lui et en sortit un pistolet, dont il tira un coup en l'air. Guidry n'eut pas le temps de se préparer. La détonation alla se réverbérer contre les parois du canyon, en une multitude d'échos. Guidry eut l'impression qu'on lui tirait dessus de partout à la fois.

— Hu, dada ! s'exclama Ed.

Dans un premier temps, il n'y eut que des bousculades et des ricanements. Huit adolescents complètement défoncés, les garçons aveuglés par le bas nylon qui leur recouvrait la tête, le poisson si glissant que les filles arrivaient à peine à le tenir entre leurs mains.

Guidry lança un regard en direction de Leo. Ce n'était pas si terrible, finalement. Mais Leo détourna les yeux.

Et puis, les filles se mirent à balancer leurs poissons de plus en plus fort. Un garçon prit un méchant coup dans la figure. Il chancela sous le choc, étourdi. Cindy du Maine, sourire toujours éclatant, manœuvra sa monture pour se mettre en position de combat et attaqua par surprise une autre fille, lui envoyant un coup de poisson qui aurait pu la décapiter. Un poisson congelé en pleine figure, ça devait faire aussi mal qu'une planche en bois.

Une fille avec des nattes écrasa l'œuf sur la tête d'un des garçons, puis l'écrasa et l'écrasa encore, jusqu'à ce que ce dernier tombe à genoux. Ce spectacle arracha une grimace à Guidry, qui avait pourtant déjà vu pire comme combat – il avait participé à la bataille du golfe de Leyte, ne l'oublions pas. Cindy brisa un deuxième œuf et, juste pour s'amuser, attrapa les cheveux de sa rivale et la tira en arrière pour la faire tomber des épaules de son partenaire. La fille atterrit au sol avec un craquement qui fit de nouveau grimacer Guidry. Lorsque la fille se redressa, la bouche ensanglantée, Cindy éclata de rire.

— Ed, fit Guidry.

— Qu'est-ce que je t'avais dit ? lança Ed, un large rictus aux lèvres. C'est le Ça tout-puissant. La plus belle création de la nature. Donne-lui du soleil et regarde-le fleurir.

— Quelqu'un va finir par se blesser.

— Peut-être pas, répondit Ed.

Voilà donc le sauveur entre les mains duquel je viens d'abandonner mon sort, se rappela Guidry. *Il faut vraiment que je me tire d'ici.*

Il ne restait plus qu'un seul œuf. Cindy avança, prête à anéantir l'adversaire. Les deux filles se castagnaient sauvagement. Leurs partenaires chutèrent. La fille aux nattes essaya de s'enfuir en rampant. Mais Cindy la prit en chasse, l'attrapa, la cloua au sol et la tabassa jusqu'à ce que les cris de sa victime se muent en geignements étouffés et que son propre poisson, qui s'était ramolli sous l'effet de la chaleur, éclate entre ses mains.

Deux des garçons traînèrent la fille aux nattes à l'intérieur de la maison. Cindy vint récupérer son prix. Elle s'agenouilla devant Ed. Elle avait une large traînée de sang sur la joue – une empreinte de main, aurait-on dit – et des écailles scintillantes collées dans les cils. Ed coinça un billet de cent dollars sous l'élastique de son soutien-gorge.

— Te voilà reine d'un jour, déclara-t-il.

— J'aime bien gagner, papa, répondit Cindy.

— Regarde ça, dit Ed à Guidry.

Il leva le pistolet et en posa le canon sur le front de Cindy.

— Tu veux que je te fasse sauter la cervelle, Cindy ?

Elle afficha son sourire éclatant et vide.

— Je m'en fiche, lâcha-t-elle.

Ed rangea l'arme. Il se pencha en avant et lui embrassa le front.

— Va te laver. Tu peux avoir un bonbon.

Ed raccompagna lui-même Guidry en voiture jusqu'à l'Hacienda. Il lui raconta des histoires tout au long du chemin. Comment Norman Biltz et lui avaient collecté des millions de dollars pour la campagne de Jack en 1960. Comment Sam Giancana, voulant mettre la pression sur Bobby, avait drogué Marilyn Monroe pour la faire tourner de mains en mains au club Cal Neva, à Reno. Ed possédait des doubles des photos, si Guidry avait envie d'y jeter un œil.

Guidry l'écoutait en souriant. Il avait mal à la tête, et son estomac commençait de nouveau à faire des siennes. En douceur, il tenta de faire dévier la conversation vers ce vol en avion au départ de Nellis. Ed l'ignora et se lança dans d'autres histoires du bon vieux temps.

Guidry continuait à sourire. Il pensait à Charlotte. Ses yeux, son odeur, le goût de sa sueur. Tous les clichés idiots habituels. Guidry se décevait lui-même. Le rire de Charlotte, la façon dont elle fronçait les sourcils. Grands dieux, qu'est-ce qui clochait chez lui ? Quand une idée la rendait perplexe ou l'intriguait, quand quelque chose lui semblait douteux ou tentant, elle fermait un œil à demi, comme lorsqu'elle regardait dans le viseur de son appareil photo.

— Nous avons fait quelques affaires, disait Ed, mais il n'a jamais succombé à mes charmes.

Guidry l'écoutait toujours en souriant. Fait quelques affaires avec qui ?

— Je ne peux pas imaginer une chose pareille, Ed.

Ce n'était pas réel, ce qu'il ressentait pour Charlotte, et Guidry le savait. C'était une amourette, un mirage, un engouement passager à mettre sur le compte de la nouveauté de la situation (sa première femme au foyer d'Oklahoma) et de la pression qui l'accablait.

Pourquoi cela lui semblait-il si réel, dans ce cas ? Pourquoi ressentait-il cet élan de joie presque douloureux lorsqu'il s'imaginait, de retour à l'hôtel, aller faire un petit tour du côté de la piscine et retrouver Charlotte et les filles, dont le visage s'illuminerait lorsqu'elles lèveraient les yeux vers lui ? La force de ce désir – être là-bas, à cet instant même – le déstabilisait complètement.

Ils s'arrêtèrent devant l'Hacienda. Guidry commença à sortir de la voiture, mais Ed coupa le moteur.

— Ton vol part de Nellis mardi, lui annonça Ed. Ce colonel, que j'ai mentionné. Tout est arrangé avec lui.

— Après-demain ? demanda Guidry.

— Je t'avais bien dit que je m'occuperais de tout, n'est-ce pas ? dit Ed. Homme de peu de foi. Dès que tu arriveras au Vietnam, Nguyen te prendra en charge. C'est notre homme, là-bas. Ça s'écrit N-g-u-y-e-n. Il travaille pour la Compagnie, mais ne t'en fais pas, on va tous se tenir par la main et danser ensemble autour de l'arbre de mai. Il y a aussi un autre type, qui a des liens avec le gouvernement vietnamien et avec l'armée. Il te contactera. Il s'appelle Nguyen, lui aussi. Nguyen et Nguyen, t'as compris ?

— Un arrangement gagnant-gagnant, en somme.

— Maintenant, va chercher ta valise. Reviens à la maison avec moi. J'ai plein de chambres libres. L'Hacienda. Le paradis des péquenauds. Je ne supporte pas de te savoir en train de pourrir ici.

— Merci de proposer, répondit Guidry. Mais ce n'est pas la peine.

— Très bien, fit Ed. Je comprends. Tu aimes ta liberté. Un vrai bison des plaines.

Guidry sortit de la voiture. Ed descendit également et fit le tour du véhicule, les bras grands ouverts, prêt à briser une ou deux autres côtes de Guidry. Mais, avant d'avoir eu le temps d'étreindre Guidry, Ed reporta son attention sur les portes de l'hôtel.

Guidry se retourna et vit Charlotte et les filles qui sortaient du hall. Charlotte lui souriait.

— Tu arrives juste à temps, dit-elle. Nous allions observer les avions de plus près.

Ed regarda Guidry. Puis il regarda Charlotte et les filles. Il sourit, à son tour.

— Eh bien, eh bien, fit-il. Qu'est-ce qu'on a là ?

25

Il restait une dernière photo à Charlotte sur son rouleau de pellicule, alors elle emporta le Brownie au golf miniature. Le cadre : Joan se préparant à taper dans la balle, Frank accroupi derrière elle, et Rosemary les yeux levés vers le ciel, distraite par le passage d'un avion, d'un nuage ou d'un oiseau.

La règle des tiers. M. Hotchkiss approuverait certainement. Même si, bien sûr, Las Vegas dans son ensemble l'aurait horrifié. Trop de bruit, trop de lumière, trop d'émotions tapageuses, à l'état brut. Trop, c'était trop. Oh mon Dieu !

Charlotte trouvait tout cela fascinant. La veille au soir, ils avaient remonté le Strip en voiture, jusqu'au centre-ville. Quelle foule ! Des hommes et des femmes venus de tous les horizons possibles et imaginables. Ils se promenaient, cahin-caha, s'enlaçaient, se bousculaient et s'engouffraient furtivement dans des voitures. Un homme avait ôté la veste de son smoking et l'agitait en l'air comme un drapeau. Pourquoi ? Une femme était assise sur le trottoir, la tête entre les mains, mais elle souriait. Pourquoi ? Charlotte aimait penser que chaque personne qu'on croisait, chaque individu, dans le monde entier, avait sa propre histoire.

Une danseuse de revue traversa fièrement la rue. Qui était-elle ? Pourquoi était-elle pressée au point de ne pas avoir eu le temps de quitter son costume de scène ? Sa tenue était composée de perles opalescentes, de plumes flamboyantes, et de très peu – voire pas du tout – de véritable tissu. M. Hotchkiss n'aurait pas survécu au choc.

Los Angeles était bien plus grande que Las Vegas. Charlotte se sentit étourdie à cette idée. Si Las Vegas était ainsi – si incroyable, trop incroyable, beaucoup trop incroyable –, qu'est-ce qui l'attendait à Los Angeles ? Elle se rappela ce qu'elle avait dit aux filles juste avant de quitter l'Oklahoma : « On va bientôt le découvrir. »

Joan se concentrait sur son club de golf. Rosemary regardait le ciel, bouche bée. Charlotte attendit, attendit, attendit encore ; les ailes du moulin tournaient, tournaient, tournaient encore. Elle voulait que le jeu d'ombres soit parfait pour immortaliser ce moment.

Maintenant. Elle actionna l'obturateur. Le temps s'arrêta.

Et puis, les ailes du moulin reprirent leur lent manège en grinçant. La tête du club de Joan heurta la balle avec un bruit sec. Frank murmura des mots d'encouragement tandis que la balle retombait en dessinant une courbe.

— Allez, rentre là-dedans, intimait-il à la balle.

Rosemary tournoya sur elle-même, tentant d'imiter la pirouette d'une danseuse qu'elle avait vue sur une affiche de la Jewel Box Revue.

Charlotte ne saurait si elle avait pris la photo une demi-seconde trop tôt ou trop tard que lorsqu'elle verrait les tirages. C'était ce qui rendait la photographie à la fois si éprouvante pour les nerfs et si excitante. On ne pouvait vraiment juger du résultat de ce qu'on faisait que lorsque c'était déjà fini.

— Je reviens d'ici à deux heures, dit Frank. Souhaitez-moi bonne chance.

Après que Frank fut parti retrouver son ami, le vendeur de voitures, Charlotte et les filles déjeunèrent, promenèrent le chien et observèrent, de l'autre côté de la rue, une cérémonie de commémoration en hommage au président Kennedy. Un groupe de louveteaux rassemblés devant l'aérodrome McCarran hissèrent un drapeau, le saluèrent, puis le laissèrent en berne.

Le chien avait besoin de faire une sieste, mais les filles étaient encore pleines d'énergie. Alors, elles se mirent en quête d'une chambre noire. L'hôtel proposait tous les services possibles et imaginables. Pourquoi pas celui-là, aussi ? se dit Charlotte.

L'employé de la boutique de souvenirs, un émigré bourru du nom d'Otto, leur vendit une nouvelle pellicule, mais il n'avait connaissance d'aucun laboratoire photo, ni d'aucune chambre noire à l'Hacienda. En revanche, il était magicien amateur et leur fit une petite démonstration de ses talents avec un paquet de cartes souvenirs. Rosemary tira sur la manche de Charlotte. Charlotte se pencha vers elle.

— Maman, chuchota Rosemary, tu veux bien lui demander s'il peut nous apprendre un tour de magie ?

— Demande-lui toi-même, répondit Charlotte.

Alors, Rosemary rassembla tout son courage, et Otto se plia à sa demande. Patiemment, il expliqua aux filles les ficelles d'un tour nommé « Qui est le magicien ? ». Pendant qu'elles s'entraînaient, il leur décrivit les mines de sel aux murs scintillants de cristal qui se trouvaient à proximité de sa ville natale, en Autriche, et le grand lac souterrain sur lequel on pouvait faire voguer une barque.

Otto les envoya voir Gigi, la photographe du Jewel Box, qui y immortalisait tous les toasts portés en buvant du champagne et toutes les embrassades d'anniversaire. Otto proposa qu'un groom les accompagne pour leur montrer le chemin, mais c'était tellement plus amusant d'y aller seules.

Elles se perdirent, évidemment, et se retrouvèrent dehors, dans un petit jardin de cactus très calme. Luis, un Mexicain qui ratissait le sable, demanda aux filles si elles savaient qu'un cactus pouvait vivre trois cents ans et peser deux mille deux cents kilos. Non ! Il les invita à toucher les différentes épines des spécimens représentés ici, dont certaines étaient molles et droites, tandis que d'autres étaient dures et incurvées. Les épines dissuadaient les animaux de manger le cactus et empêchaient l'eau qu'il contenait de se transformer en vapeur et de s'échapper dans l'air.

Et dire que Charlotte s'était inquiétée que les filles manquent l'école et prennent du retard dans leur éducation.

Elles trouvèrent enfin Gigi, qui s'épilait les sourcils dans la salle de repos du personnel. Il s'avéra qu'elle utilisait un appareil photo instantané, un Polaroid Highlander, et qu'elle n'avait donc nul besoin de chambre noire. Il y avait, en revanche, un laboratoire en ville, à côté de l'appartement de Gigi, qui proposa d'y déposer la pellicule de Charlotte.

— Quel est le numéro de votre chambre ? demanda Gigi.

— Nous sommes dans la 216, répondit Charlotte. Mais je ne sais pas exactement combien de temps nous allons rester.

— Je vais leur mettre un coup de pied aux fesses, ne vous inquiétez pas.

Les filles étaient fascinées par le Polaroid. C'est Joan qui ouvrit la bouche la première, à la grande surprise de Charlotte, qui n'avait même pas eu besoin de l'encourager à le faire.

— Est-ce qu'on peut l'essayer, s'il vous plaît ? demanda Joan à Gigi.

— Mais bien sûr, que vous pouvez.

Gigi laissa Joan prendre une photo de Rosemary. Puis elle laissa Rosemary prendre une photo de Joan. Elle leur montra comment agiter doucement les tirages jusqu'à ce que le fixatif ait séché et que le fantôme de l'image commence à apparaître. Avec curiosité Charlotte demanda à Gigi si elle aimait son travail à l'hôtel.

— C'est très rigolo, répondit Gigi. Oh ! si je vous racontais toutes les choses que je vois, vous n'en croiriez pas la moitié.

Exactement le genre de travail qu'elle aimerait trouver à Los Angeles, pensa Charlotte. Et pourquoi pas ? Qu'est-ce qui l'en empêchait ?

Elles décidèrent de marcher jusqu'à l'aéroport. Au moment où elles sortaient de l'hôtel, Frank apparut, descendant d'une limousine.

— Tu arrives juste à temps, dit Charlotte. Nous allions observer les avions de plus près.

Un autre homme était descendu de la limousine. Il fit le tour du véhicule et sourit à Charlotte. Grand, bâti comme une armoire à glace, il était plus vrai que nature – haut en couleur, même, avec son bronzage excessif, la couronne de cheveux blancs et duveteux qui entourait le dôme de son crâne chauve, et son sourire si énergique qu'il semblait vous plaquer au sol et vous y épingler.

En voilà un qui avait une histoire, se dit Charlotte. Oh ! que oui.

— Eh bien, eh bien, qu'est-ce qu'on a là ? fit-il.

— Vous devez être Ed, déclara Charlotte en lui renvoyant son sourire. C'est un plaisir de vous rencontrer.

Frank dut déployer des efforts surhumains pour rejoindre Charlotte et Ed. Les filles se cramponnaient à lui – Rosemary accrochée à une main, Joan à l'autre.

— Ed, la voici, lança Frank. Charlotte. La demoiselle en détresse dont je t'ai parlé.

— Tout cela me fait me sentir terriblement présomptueuse, dit Charlotte. J'espère que Frank ne vous a pas mis dans une situation délicate à cause de moi. Je n'ai pas l'habitude de demander à de parfaits inconnus de me prêter une voiture.

Ed souleva ses lunettes de soleil pour mieux l'observer. Comme Charlotte s'y attendait, ses yeux étaient d'un bleu Kodachrome étincelant.

— Vous prêter une voiture ? s'étonna-t-il.

Elle ne sut que répondre. Lentement, il vint à l'esprit de Charlotte que cet homme n'avait pas la moindre idée de ce dont elle parlait.

Puis, au moment où ses pensées commençaient à s'emballer – pourquoi Frank n'avait-il pas encore évoqué la question de la voiture ? –, Ed éclata de rire. Il se pencha, porta la main de Charlotte à ses lèvres et y déposa un baiser. Son souffle était chaud, sa main douce, et ses ongles parfaitement manucurés.

— Je vous fais marcher, dit-il. Bien sûr que vous pouvez m'emprunter une voiture, chère Charlotte. J'ai même dit à Frank que j'allais vous choisir la meilleure de mon parc automobile. N'est-ce pas, Frank ?

— C'est vrai, répondit Frank.

— Les amis de Frank sont mes amis. En fait, il est

comme un fils pour moi. Ce qui est à moi est à lui, et ce qui est à lui est à moi. Pas vrai, Frank ?

Charlotte se détendit.

— Merci beaucoup. Je ne peux vous dire à quel point je vous suis reconnaissante.

Ed se tourna vers les filles.

— Et il doit s'agir là des adorables fillettes dont j'ai tant entendu parler. Je suis votre oncle Ed. Comment ça va, les filles ? Est-ce que Las Vegas vous plaît, jusqu'ici ?

— Enchantée, répondit Rosemary. Oui. Il y a des cactus, un minigolf et un homme qui nous a appris des tours de magie avec des cartes. C'est exactement comme dans *Le Magicien d'Oz*. N'est-ce pas, Joan ?

— Oui, répondit Joan.

Frank poussa les filles vers Charlotte.

— On ne va pas te retenir, Ed, dit-il. On se parle demain, d'accord ?

Ed claqua des doigts trois fois, trois mouvements souples du poignet, comme un chanteur de jazz donnant le rythme à son orchestre.

— Vous savez qui se produit en ville, cette semaine, au Stardust ? demanda-t-il. Vous n'allez pas en croire vos oreilles. Ray Bolger, l'Épouvantail, en personne.

— Vous connaissez l'Épouvantail ? s'écria Rosemary.

Même Joan, dont le masque imperturbable ne tombait qu'une fois par siècle, resta bouche bée devant Ed.

— Si je le connais ? demanda Ed. Ray et moi, nous sommes deux vieux copains. Écoutez, j'ai un petit bateau sur le lac Mead. Est-ce que vous êtes déjà allées au lac Mead ? Pourquoi est-ce qu'on n'irait pas y faire un tour demain ? Une petite sortie en famille. Je vais voir si ça tente Ray de nous coller aux basques.

— C'est très généreux de ta part, Ed, mais…

Frank essayait toujours de pousser les filles devant lui, mais il se heurtait au mur inamovible de leur émerveillement.

Charlotte lui lança un coup d'œil. Pourquoi pas ? Ce serait

une véritable aventure. Ed la captivait. Il était à l'image de Las Vegas, il était trop.

Frank affichait toujours son sourire décontracté, mais elle entraperçut un pli entre ses sourcils, un froncement d'hésitation presque imperceptible, une trace infime de désarroi. Se trompait-elle ? Le froncement était apparu, puis il avait aussitôt disparu, évanoui en un clin d'œil. Charlotte n'était pas sûre d'avoir bien vu.

Frank donna à Ed une chaleureuse tape dans le dos.

— Je pense que c'est une excellente idée, Ed. Quand est-ce qu'on embarque ?

Les filles dînèrent tôt au Garden Room. Ensuite, Charlotte et Frank les confièrent pour la soirée à la baby-sitter de l'hôtel. Rosemary s'était hérissée devant le nom de la garderie Hansel et Gretel – « On n'est pas des *bébés* ! » –, mais avait ensuite découvert que la « garderie » s'occupait en fait d'enfants de tous âges et était pleine à craquer de jeux de plateau, de blocs de construction et de puzzles.

La salle à manger du restaurant de l'hôtel était juste en face du hall d'accueil. Frank accompagna Charlotte jusqu'à une table à côté du pianiste. Leur premier véritable rendez-vous. Pendant qu'ils buvaient leur champagne, cette idée fit rire Charlotte.

— Qu'y a-t-il de si drôle ? demanda Frank.

— Tout ça, répondit-elle. Tu ne trouves pas ?

Il sourit.

— Si.

Il voyait exactement ce qu'elle voulait dire. Comment était-ce possible ? Comment deux personnes pouvaient-elles se connaître si bien, tout en ne se connaissant pas du tout ?

— Tu n'as pas envie d'aller au lac Mead avec Ed, demain, déclara Charlotte.

Il sortit la bouteille de champagne du seau et remplit le verre de Charlotte.

— Pourquoi dis-tu cela ?

— C'est juste une impression, j'imagine, répondit-elle.

— Tu as raison, dit-il. Je n'ai pas envie d'y aller.

— Pourquoi ?

— Je vous veux pour moi tout seul. Toi et les filles. Je ne veux vous partager avec personne d'autre, pas même pour un après-midi.

Elle le croyait. Il se pencha au-dessus de la table pour l'embrasser. C'était un moment merveilleux. Le champagne, la lumière des bougies, la musique. Ce n'est que quand Frank, après avoir soigneusement plié sa serviette, fut parti aux toilettes que Charlotte se demanda pourquoi elle s'était posé la question de savoir si elle le croyait ou non.

26

Barone gara la Fairlane en ville, à côté de la gare. Il essuya toutes les traces qu'ils avaient pu y laisser et la vida entièrement. Il y avait là le coupe-vent du gamin et un sac en papier marron qui contenait la brosse à dents, le dentifrice et la crème contre l'acné qu'il avait achetés en chemin. Barone roula le coupe-vent en boule et le fourra dans une poubelle en face du casino Golden Nugget. Il jeta le sac en papier brun dans une autre poubelle, un pâté d'immeubles plus loin.

Il prit un taxi pour se rendre au Tropicana. L'hôtel-casino de Carlos à Las Vegas. Ou peut-être qu'il n'en possédait qu'une large part, Barone n'était plus sûr.

Stan Contini, dit « le Dandy », avait sorti le grand jeu. Les bagues, l'épingle de cravate en diamant, la canne au pommeau d'ivoire sculpté. Mais, sous tout ce fourbi, ce n'était rien d'autre qu'un sac d'os recouvert de peau grise et pendante – presque un squelette, déjà, qui faisait un bruit de crécelle quand il respirait. Il emmena Barone dans son bureau.

— Tu veux un verre ? demanda Contini. Quelque chose à manger ?

— Non.

— C'est le cancer, au cas où tu te demanderais. L'estomac et les poumons, le doublé gagnant. Alors c'est toi, le fameux Paul Barone. Tu ne m'as pas l'air tellement en forme non plus, si je puis me permettre.

— Que savez-vous sur Guidry ? demanda Barone.

Contini se mit à tousser sans pouvoir s'arrêter. Il planta sa canne dans le tapis et s'y accrocha, comme si sa quinte de toux risquait de l'emporter et de le briser en mille morceaux. Le pommeau de sa canne représentait une jambe de femme en bas résille.

Il finit par réussir à expectorer tout ce qu'il avait. Puis il s'épongea le front avec un mouchoir assorti à sa cravate.

— Toutes mes excuses, fit-il.

— Que savez-vous sur Guidry ? répéta Barone.

— Rien, pour le moment, répondit Contini. J'ai lâché mes chiens renifleurs. S'il est à Vegas, je ne tarderai pas à apprendre quelque chose.

— Je vais renifler un peu de mon côté, moi aussi.

— Fais ce que tu veux. Ça ne me dérange pas.

Barone ne lui avait pas demandé si cela le dérangeait.

— Autre chose ?

— Reste discret, conseilla Contini. C'est Vegas, ici. Seraphine te l'a expliqué ?

Tu parles. Si elle me l'a expliqué. Barone entendit la voix du gamin. Il faillit sourire. Mais il se leva.

— Si vous apprenez quoi que ce soit, dit Barone, il faut que je le sache aussitôt.

Contini griffonna quelque chose sur un bloc-notes et arracha la page.

— Emporte ça au bureau. Slim te donnera une chambre. Tu peux appeler la réception pour avoir tes messages. Autre chose ?

— Il me faut une voiture.

— Dis-le à Slim, répondit Contini. Il t'arrangera ça. Si tu veux…

Il partit d'une nouvelle quinte de toux. Barone, qui était déjà en chemin vers la porte, s'arrêta.

— Combien de temps est-ce qu'ils vous ont donné ? Les médecins ? demanda-t-il.

Contini continua de tousser. Il agita une main. Trop longtemps, ils lui avaient donné trop longtemps.

Au Tropicana, la chambre de Barone avait une vue

sur le Strip. Le service d'étage lui apporta un steak. Il en mangea quelques bouchées. Il y alla mollo sur le whisky, juste une rasade sur quelques glaçons. Il prit un cachet contre la douleur. Et le second flacon… où était-il ? Oh. Toujours dans la poche du môme, voilà où il était. Mais ce n'était pas un problème. Barone se sentait bien, et son appétit avait commencé à revenir – ce qui était bon signe. Il appela Seraphine et lui donna son numéro au Tropicana.

Le Dunes, juste au bout de la rue. Barone commença par là. La salle du casino était pleine à craquer, on pouvait à peine y circuler. On n'y voyait que des ringards de banlieue venus s'encanailler pour le week-end ; les yeux écarquillés, sur leur trente et un, ils riaient trop fort et tenaient leurs cigarettes au-dessus de leur tête quand ils se déplaçaient, pour ne risquer de brûler personne.

« Je suis détective privé. Je recherche un homme. Il s'est enfui avec l'argent de la paye de la compagnie, et son patron m'a embauché pour le retrouver. Il est avec sa femme et ses enfants, deux petites filles. »

Il interrogea tout le petit personnel, les barmen, les serveuses, les grooms. Un détective de l'hôtel vint trouver Barone et lui demanda qui il était et ce qu'il foutait là.

— Je suis détective privé. Etc.

— Tire-toi, mon pote, répliqua le limier.

Barone se tira. Il en avait fini avec le Dunes, de toute façon.

Le Stardust, le Sands.

Rien. Barone appelait la réception du Tropicana toutes les demi-heures pour consulter ses messages.

Dimanche, il passa au crible le reste des établissements du Strip. Le Sahara. Le New Frontier. Le Flamingo. Le détective du Desert Inn joua les gros bras. Barone dut se contenir. Il tenta sa chance dans les hôtels du centre-ville. Le Mint. Il sentait la fièvre revenir, sournoisement. Mais Paul Barone n'abandonnait jamais. Le Binion's Horseshoe.

Rien, rien, toujours rien.

Où était Guidry, nom d'un chien ? Dimanche soir, à 8 heures, il monta dans sa chambre pour se reposer. Une petite pause rapide. Il appela la réception et demanda qu'on le réveille une heure plus tard.

Mais il n'arriva pas à s'endormir. Il resta allongé dans son lit, dans la chaleur de fournaise qui régnait dans sa chambre, avec la lumière du Strip qui se faufilait à travers les interstices des rideaux. Barone comprit qu'il avait pris la mauvaise file et roulé dans la mauvaise direction. Guidry ne séjournait sans doute pas dans l'un de ces grands bastringues à la mode. Trop de monde, trop de paires d'yeux, quelqu'un risquait de le reconnaître. Il était certainement dans l'un des petits motels de la ville. Il y en avait une dizaine. Le Del Rey, le Monie Marie, le Sunrise, le Royal Vegas… Mais non, ce n'était pas ça, non plus. Pas assez de monde, Guidry s'y sentirait trop exposé.

Barone se leva de son lit, descendit au rez-de-chaussée et tomba sur Stan Contini le Dandy dans la salle de spectacle. Contini faisait des claquettes, en faisant tournoyer sa canne.

— Regarde-moi ! chantait Contini. Je suis mort et j'ai une pêche d'enfer !

Non. Ce n'était pas réel. C'était la fièvre. Le gamin de couleur se retournait et le regardait. *Theodore, ne m'appelez pas Ted, ne m'appelez pas Teddy non plus.* Ça aussi, c'était la fièvre. Le gosse le regardait, avec son trou dans la tête, avant même que Barone ait appuyé sur la détente.

Barone se réveilla à 8 heures du matin. Lundi. Il ouvrit les rideaux, et l'éclat blanc de la lumière du désert lui donna l'impression de se prendre un coup de poing en pleine figure. Sa main amochée lui faisait à nouveau un mal de chien. Il devait voir un toubib. D'accord, mais d'abord il voulait suivre une petite intuition. Il demanda au standard de lui passer le Dandy.

— Je n'ai toujours pas eu de nouvelles, dit Contini.

— Où descendent les familles ? demanda Barone.

— Qu'est-ce que tu veux dire ?

— Les gens qui viennent à Vegas en famille, dans quels hôtels ils vont ?

— Qui vient à Vegas en famille ? À part à l'Hacienda. C'est le seul endroit de ce genre.

L'Hacienda se trouvait à un kilomètre environ au sud du Tropicana, isolé au beau milieu du no man's land en face de l'aéroport. Barone s'assit dans le parking et observa les allées et venues. Il y vit la faune habituelle des loups et brebis qu'on croisait partout sur le Strip, mais également beaucoup de familles. Un père et ses deux fils adolescents, en pantalons de golf en madras assortis. Une petite fille en robe de velours rouge qui sautillait à cloche-pied. Le portier avait un chapeau de Père Noël et tendait des sucres d'orge à tous les mômes qui passaient devant lui.

Guidry était ici. Barone ignorait comment il le savait, mais il en était certain.

Il entra dans le hall et prit une chambre. Deux dollars supplémentaires pour une vue sur la piscine. Bien sûr, pourquoi pas.

Du café de l'hôtel, on pouvait surveiller les portes de l'accueil. Barone prit place au comptoir. Il commanda des côtelettes et du café noir. Il posa la clé de la chambre à côté de son assiette afin que la serveuse puisse la voir. Il avait une longue attente en perspective et il ne voulait pas être harcelé.

Il ne craignait pas que Guidry le repère. Guidry connaissait son nom, mais il ne connaissait pas Barone personnellement. Et ils ne s'étaient retrouvés dans la même pièce que deux fois, par le passé, bien des années auparavant. Guidry, tout sourires, huilait les rouages de la soirée, et Barone n'était qu'un visage anonyme dans la foule. Il observait Guidry, il observait tout le monde.

— J'vous ressers un peu d'kawa, chéri ? demanda la serveuse.

— Ouais, dit Barone. Et de l'eau glacée.

— Alors, la chance vous sourit aujourd'hui ?

— Pas encore.

Deux heures plus tard, juste avant midi, Barone vit Guidry sortir de l'ascenseur. Il était en compagnie de la jeune femme, celle dont il se servait comme couverture, et des deux petites filles. Guidry dit quelque chose à la femme, et celle-ci sourit. Le portier en costume de Père Noël leur tint les portes ouvertes.

Barone prit son temps et laissa à Guidry une bonne longueur d'avance. Il paya sa note, saisit un cure-dent sur le plateau et sortit tranquillement du café. À travers les grandes portes vitrées du hall, il observa Guidry, la femme et les deux petites filles qui montaient dans une Rolls verte. Pas de valises. Il regarda la Rolls démarrer. Ils allaient revenir.

Il sortit et regarda alentour.

— Je peux vous aider, monsieur ? demanda le portier.

— Oh zut ! fit Barone. J'ai dû les rater.

— Qui ça, monsieur ?

— Mon ami et sa femme. Vous n'avez vu personne monter dans une Rolls-Royce à l'instant ?

— M. et Mme Wainwright ? Bien sûr.

Ainsi, Guidry n'avait pas changé de nom d'emprunt. Il baissait la garde, se sentait en confiance. Tant mieux. Ou alors, il était obligé de conserver ce nom pour maintenir la femme dans l'ignorance.

— Ne leur dites pas que vous m'avez vu, d'accord ? demanda Barone au portier. C'est une surprise. Je suis ici pour la fête d'anniversaire. Ça aussi, c'est une surprise.

Le bar. Barone commanda un whisky avec des glaçons et prit deux nouveaux comprimés contre la douleur. Et maintenant ? C'était la partie du boulot qu'il aimait le plus. Toutes les pièces étaient étalées sur la table devant lui, tous les rouages, les ressorts et les vis. On essayait une chose, on en essayait une autre. Et puis, on assemblait le tout, on remontait le mécanisme et on regardait l'horloge faire *tic tac*.

La femme et les deux fillettes rendaient les choses d'autant plus intéressantes. Barone préférait s'occuper d'elles de manière séparée. Peut-être qu'il arriverait à trouver un moyen d'attirer Guidry en bas, seul. Le faire monter dans la voiture, l'emmener dans un endroit au calme, et puis revenir pour les autres.

Bonjour, Frank. Et si on allait faire un tour ?

Mais il se pouvait que Guidry lui donne du fil à retordre. Il avait déjà réussi à prendre la tangente une fois, à Houston. La plupart des gars, en voyant la lumière, acceptaient l'inévitable. Mais certains continuaient à se débattre et à mettre des coups de pied jusqu'à la fin. Grand bien leur fasse, tant que ce n'était pas Barone qui se prenait les coups. Il se souvint de Fisk, sa vieille connaissance de Houston. Ou plutôt, c'était sa main endolorie qui se souvenait du cran d'arrêt de ce fils de pute.

Il demanda davantage de glaçons dans son verre. Le barman en tailla dans un gros bloc. Barone regarda le pic à glace en acier étinceler, et les paillettes s'envoler.

Allons faire un tour, Frank. Reste poli, et je ne toucherai pas à un cheveu de la femme et de ses gosses.

Non. Guidry ne marcherait pas. Il n'était pas idiot. Et d'ailleurs, il se foutrait totalement de ce qui pourrait bien arriver à la femme et à ses gamines.

Il ne fallait laisser à Guidry aucune chance de filer à nouveau. Trouver sa chambre, crocheter la serrure et le refroidir dès qu'il franchirait le seuil de la pièce. Barone avait toujours son casse-tête sur lui, une matraque en cuir remplie de plomb.

Est-ce que la femme et ses filles étaient dans la même chambre que Guidry ? Barone les ferait attendre dans la salle de bains pendant qu'il finirait Guidry à la ceinture. Ensuite, Stan Contini pourrait envoyer une équipe pour remettre un peu d'ordre. Il ne lui laisserait qu'un seul macchabée sur les bras, à l'hôtel. Ça ne ferait pas trop de bazar. Barone s'occuperait de la femme et de ses gamines dans un endroit plus tranquille.

Allons faire un tour, madame. Vous et vos filles. Ne vous inquiétez pas. Je ne vais pas vous faire de mal.

Elle y croirait. *Je ne vais pas vous faire de mal.* Elle y croirait parce qu'elle voudrait y croire, de tout son cœur.

Barone leva le verre de glaçons à son front et ferma les yeux. Quand il les rouvrit, un homme était assis au comptoir, à sa droite. Un autre s'était glissé à sa gauche. Barone les regarda dans le miroir. Deux poids lourds, tout sourires.

Le tas de muscles à sa droite tenait un calibre .45 sur les genoux, suffisamment bas pour que le barman ne le voie pas.

— Monsieur Barone, dit-il, bienvenue à Las Vegas.

— Je suis en train de bosser, répondit Barone.

— Sans blague. C'est pour ça que le boss veut vous dire un mot.

Barone avait trop chaud et était trop fatigué pour que l'ironie de la situation le fasse sourire.

— On va faire un tour, je suppose ?

Le malabar à sa droite jeta un coup d'œil à son acolyte. On les avait mis en garde mais, vu de près, Barone n'avait pas tellement l'air d'une terreur, n'est-ce pas ?

— C'est ça, monsieur Barone. Pas de vagues, OK ? Nous sommes tous des amis, ici.

— Des amis, bien sûr, lâcha Barone.

Ils confisquèrent le Police Positive de Barone et conduisirent ce dernier en voiture jusqu'au Desert Inn. Sur la banquette arrière, Barone laissait ses pensées partir à la dérive. Pas vraiment des souvenirs, des sensations, plutôt. La saveur des fraises lui revenait dans la bouche. Une chanson résonnait doucement dans un coin de son esprit.

Ils passèrent devant les loges de la réception, puis longèrent un couloir, avant de monter dans l'ascenseur. Avec son chambranle en fer noir et ses boiseries sculptées, la porte du bureau semblait avoir été dérobée dans une cathédrale en Allemagne.

— Après vous, monsieur Barone, fit le tas de muscles qui parlait.

L'homme assis derrière le bureau avait un tarin de classe internationale et des sourcils sympathiques. Il portait d'épaisses lunettes à la monture en plastique noir.

— Vous savez qui je suis ? demanda-t-il.

— Moe Dalitz, répondit Barone.

— Alors, vous savez que je dirige cette ville.

— Pour le compte des pontes, à l'est.

Le malabar derrière Barone se tendit et s'agita un peu. Barone le sentit. Mais Moe Dalitz se contenta de lui lancer un grand sourire. Il tapota son tarin du bout du doigt.

— Exactement, dit-il. Comme vous, monsieur Barone, je sers une cause importante. Le bien commun, en quelque sorte.

— Qui vous a rancardé ?

Barone n'en avait pas la moindre idée. Seul Stan Contini savait qu'il était à l'Hacienda. Et Stan Contini n'avait aucune raison de mêler Moe Dalitz à tout cela. Il avait même toutes les raisons du monde pour ne pas le faire.

— Qui m'a rancardé ? répéta Dalitz. Personne ne m'a rancardé. Vous avez fait assez de raffut pour réveiller les morts. À interroger la Terre entière, à tirer sur la manche des uns et des autres.

Il mentait. Si Dalitz l'avait fait suivre dans la journée de samedi ou dimanche, Barone l'aurait remarqué. Cela dit, Barone n'avait pas repéré ses gorilles tout à l'heure, n'est-ce pas ? Pas avant qu'ils entrent dans le bar et viennent s'asseoir juste à côté de lui.

Barone savait qu'il avait commis des erreurs. La fièvre. Mais Dalitz avait été rancardé.

— J'ai un immense respect pour vous, monsieur Barone, dit Dalitz. J'ai un immense respect pour votre employeur. Mais nous avons des méthodes de travail particulières, ici, à Las Vegas.

— C'est une ville ouverte, rétorqua Barone.

— Vous avez raison, encore une fois. C'est une ville ouverte, parce que tout le monde s'est mis d'accord pour qu'elle le soit. Parce que tout le monde est d'accord pour respecter les règles.

Quelles foutues règles ? Pendant que Barone restait là à perdre son temps, la queue de Moe Dalitz entre les mains, Frank Guidry était en train de rentrer à l'Hacienda. Il bouclait sa valise et partait pour l'aéroport, où il disparaîtrait pour toujours. Tout cela, toute cette semaine passée, le gamin mort dans un fossé, tout cela pour rien.

— Une affaire comme celle-ci, le comité doit l'examiner soigneusement, continuait Dalitz. En étudier tous les détails, vous comprenez. Et ensuite, seulement, nous pourrons donner notre feu vert, ou pas.

— Appelez Carlos, dit Barone.

— Je vais le faire. Je discuterai de tout ça avec le comité. En attendant, installez-vous confortablement et détendez-vous.

— Appelez-le tout de suite.

— Je sais que vous êtes pressé. Je m'en rends bien compte.

Moe Dalitz haussa les épaules et, s'immobilisant, garda celles-ci à hauteur d'oreilles. *Que puis-je y faire ?*

Qui l'avait rancardé ? Pourquoi ? Quelqu'un qui voulait saboter son boulot et maintenir Guidry en vie cinq minutes de plus ? Ou bien était-ce Barone qui accumulait les bourdes, et Moe Dalitz qui disait la vérité ? Est-ce que la filature lui avait échappé ?

— Ces messieurs ici présents vont s'occuper de vous, poursuivit Dalitz. Si vous avez besoin de quelque chose, de quoi que ce soit, vous pouvez les siffler. J'ai une petite boîte à Searchlight. L'El Condor. Vous allez adorer. Des tables de craps, des filles, tout ce que vous voulez, offert par la maison à volonté, jusqu'à ce que vous obteniez votre feu vert. Vous l'aurez, votre feu vert, soyez patient. Ça vous convient ?

Les sourcils semblaient sympathiques, voire innocents, mais pas les yeux. Dalitz se fichait comme d'une guigne de savoir si ça convenait à Barone ou non. *Ne me force pas à faire ça.* Voilà ce que Dalitz disait à Barone, en fait. *Vivant, tu es déjà un sacré emmerdement, je n'ai pas besoin d'avoir en plus ton cadavre sur les bras. Je ne veux pas devoir te tuer.*

— Et ma cible ? demanda Barone.

— Nous ferons en sorte qu'il n'aille nulle part, répondit Dalitz. Ne vous inquiétez pas. Qui est-ce, de toute façon ? Ce Wainwright, ce gus qui vous file tant la trique ?

— Appelez Carlos.

— S'il veut que je le sache, ouais, il me le dira. Vous

êtes un bon élément. Un gars comme vous, ici, ça me serait bien utile.

Barone pouvait continuer d'insister. C'était une pure perte de temps. Mais il avait encore une question à poser.

— Qui à votre connaissance possède une Rolls verte, en ville ? demanda-t-il.

— Une Rolls verte ? fit Dalitz. Ça ne me dit rien.

Le visage de Dalitz demeurait magistralement impassible, l'image même du néant. Barone n'aurait su dire s'il mentait – et sur le fait d'avoir été rancardé, et maintenant, à propos de la Rolls. « Tiens-t'en à ce que tu fais le mieux, *mon cher* », lui avait un jour dit Seraphine, alors qu'elle l'avait surpris en train d'essayer de lire dans ses pensées.

Barone adressa un hochement de tête respectueux à Moe Dalitz. *Va te faire foutre.* Le conseil de Seraphine était bon. Barone s'en tiendrait donc à ce qu'il faisait le mieux.

Il se tourna vers le tas de muscles.

— Allons-y. Je te suis.

27

Lundi matin, Charlotte se réveilla avant les filles, comme d'habitude. Elle s'habilla et emmena le chien se promener dans le jardin aux cactus. Ils y regardèrent le soleil se lever sur les montagnes, qui absorbaient avidement la lumière et les couleurs de l'aube. Les ombres étaient fabuleuses.

La limousine vint les chercher à midi. Le chauffeur s'inclina devant Charlotte, et devant chacune des deux fillettes.

— Je m'appelle Leo, déclara-t-il. Je suis l'assistant de M. Zingel. Je suis ravi de faire votre connaissance. M. Zingel nous attend à la marina.

Avec son accent britannique, son sourire amusé, sa veste à carreaux et sa petite moustache pleine de brillantine, c'était un personnage tout aussi original qu'Ed – même s'il sortait d'un autre genre de livre, se dit Charlotte, un roman de Dickens, par exemple, ou de l'une des sœurs Brontë.

Le lac Mead la stupéfia. C'était une abrupte et superbe balafre bleue, au milieu du désert aride, cernée par la roche couleur cannelle et chocolat des canyons. Charlotte baissa sa vitre et prit une photo tandis que la limousine faisait le tour du lac. Elle allait devoir économiser sa pellicule. Elle n'avait qu'un rouleau pour toute la journée et se disait bien qu'elle n'avait encore rien vu.

Lorsqu'ils atteignirent la marina, elle découvrit que le « petit bateau » d'Ed, le *Miss Adventure*, était un gigantesque yacht, suffisamment spacieux pour accueillir la moitié de la population de Woodrow. Mais cela ne l'étonnait guère. Debout sur le pont de son embarcation, Ed leur fit un signe de la main, sa casquette de capitaine nonchalamment posée de guingois sur la tête. Et là, de quel roman sortait-il ? C'était une bonne question. *Gatsby le Magnifique*, peut-être, décida Charlotte. Mais les proportions impressionnantes du gaillard réclamaient sans doute un peu plus d'envergure – alors pourquoi pas un poème épique comme *L'Odyssée* ?

Ils grimpèrent à bord. Tandis que le *Miss Adventure* s'éloignait de l'embarcadère, glissant sur les flots bleus, Leo mena Charlotte, Frank et les filles vers le solarium en teck. Il les présenta aux autres passagers, deux garçons et une fille, tous trois adolescents. Les neveux d'Ed, Dennis et Tim, et sa nièce, Cindy.

— Enchanté de faire votre connaissance, madame, dit Dennis à Charlotte.

— Passez-vous un agréable séjour à Las Vegas, madame ? demanda Tim.

Cindy, une jolie jeune fille aux cheveux blonds tressés comme ceux de Heidi, la petite fille des Alpes, leva un talon et plia un genou, pour lui faire une petite révérence.

Charlotte n'arrivait pas à se décider : les neveux et la nièce d'Ed étaient-ils les lycéens les plus incroyablement bien élevés qu'elle avait jamais rencontrés ou étaient-ils juste en train de se payer sa tête ?

— Est-ce que vous êtes venus directement après les cours ? demanda-t-elle.

Tous trois portaient des uniformes comme on en voit dans les écoles catholiques : les garçons étaient en chemise blanche, cravate et pantalon bleu marine bien repassé, et Cindy en chemisier blanc à col Claudine, jupe à motif écossais et chaussettes montantes. Charlotte imaginait Ed faisant irruption au lycée comme une tornade, charmant et terrifiant les bonnes sœurs, libérant ses neveux et sa nièce de leur cours d'algèbre afin qu'ils puissent passer l'après-midi avec lui.

— Quoi ? fit Tim.

Les trois jeunes gens fixaient Charlotte d'un regard vide.

— Je me disais simplement…, commença Charlotte. Vu vos uniformes…

— Oui, répondit enfin Cindy. On est venus après les cours.

— Oui, répétèrent Dennis et Tim à l'unisson.

Avant que Charlotte puisse s'étonner de cette réaction étrange, Frank posa une main sur son épaule et lui indiqua l'autre côté du pont. Là, un homme mal rasé portant des lunettes noires était allongé sur un transat, emmitouflé dans des couvertures. Il lui sembla vaguement familier, mais Charlotte n'arrivait pas à déterminer où elle l'avait déjà vu.

— Est-ce bien celui que je crois ? demanda Frank. Oui, j'en ai bien l'impression.

L'homme remarqua qu'ils étaient en train de l'observer. Il leva sa bouteille de bière en guise de salut et, sans autre forme de préambule, se mit à entonner *If I Only Had a Brain* – « Si seulement j'avais un cerveau », la chanson de l'Épouvantail du *Magicien d'Oz*.

Charlotte vit Joan serrer la main de Rosemary dans la sienne. C'est *lui*.

— Je *sais*, chuchota Rosemary.

Mais elle avait tout de même l'air de douter. Où était son chapeau tout mou ? Où était toute la paille qui sortait de ses vêtements ? Et pourquoi sa voix donnait-elle l'impression d'avoir été traînée dans du gravier ?

Mais tout de même, quelle voix ! Si singulière qu'on n'aurait pu la confondre avec aucune autre.

— On dirait que Ray s'est couché tard, murmura Frank à Charlotte. Je crois qu'il a vraiment la tête pleine de paille, en effet.

Arrivé à la moitié du dernier couplet de la chanson, Ray Bolger se retrouva hors d'haleine. Mais il prit une grande rasade de bière et parvint à aller jusqu'au bout. Puis il rejeta sa couverture, tandis que son public l'applaudissait, et commença à se diriger vers eux en titubant. Frank avança d'un pas pour lui attraper le bras et l'empêcher de basculer par-dessus bord.

— Merci beaucoup, mesdames, mesdemoiselles,

messieurs, lança-t-il. C'est bien aimable, bien aimable à vous. Pour mon prochain numéro…

Un drôle d'air apparut sur son visage. Charlotte connaissait bien cet air-là, après la longue expérience qu'elle avait eue avec Dooley. Les filles aussi reconnurent cette expression.

— Vous ne vous sentez pas bien ? demanda Rosemary.

— Point du tout, répondit Ray Bolger.

Il gardait les yeux braqués sur le bastingage, mais la nausée sembla passer.

— Je me porte comme un charme, poursuivit-il. Frais comme un gardon. Je ne me suis jamais senti mieux.

— C'est un véritable honneur de vous rencontrer, monsieur Bolger, déclara Charlotte.

— C'est un honneur d'être ici, répondit-il. Sur un lac, apparemment, ajouta-t-il en regardant autour de lui.

Charlotte voyait les filles communiquer par télépathie. *Vas-y, demande-lui. Non, demande-lui, toi.* Finalement, c'est Joan qui se jeta à l'eau.

— Êtes-vous vraiment l'Épouvantail ? demanda-t-elle.

— Je l'ai été chaque jour pendant ces vingt-cinq dernières années, répondit-il. À présent, si vous voulez bien m'excuser, je vais me retirer dans ma cabine pour un petit interlude. Vous avez été un public vraiment merveilleux.

La surface du lac était lisse comme un miroir, le vent murmurait à peine, mais sa traversée du pont faillit lui être fatale. Il tangua, il chavira. Mais, juste avant d'atteindre l'écoutille, il lança une jambe en l'air, haussa une épaule et se mit à battre du bras opposé. Poignet, coude, hanche et genou ; il se désarticula avec grâce, effectuant le numéro de danse que Charlotte l'avait tant de fois vu faire sur les écrans de cinéma.

— Joan, c'est *vraiment* lui, s'écria Rosemary.

— Je *sais*, répondit Joan.

Charlotte se retourna vers Frank un sourire aux lèvres, mais celui-ci regardait Cindy, la nièce d'Ed, qui caressait la tête de Joan.

— Ils sont si lisses, tes cheveux, dit Cindy.

— Allons à l'avant, proposa Frank en prenant la main de Joan dans la sienne. Ed ! Il y a quelque chose à se mettre sous la dent dans ta coquille de noix ?

Bien sûr, Ed avait tout ce qu'il fallait, et bien davantage. Il troqua sa casquette de capitaine contre une toque de chef et fit griller des steaks hachés et des saucisses d'un rouge vif sur les charbons ardents d'un barbecue à charbon portatif. Leo installa un buffet composé d'œufs à la diable, de salade de pommes de terre à la mode allemande, d'épis de maïs, et de *succotash*, un mélange de haricots rouges et de maïs. Pour le dessert, il y avait des cookies aux pépites de chocolat, des brownies ultra-fondants et une salade de fruits pris dans une gelée de fraise, arrosée de crème Chantilly.

Ils mangèrent – dévorèrent, plutôt –, et pourtant, le repas terminé, le buffet semblait encore à peine entamé. Charlotte grimpa sur un casier pour avoir une vue surplombante du banquet et le prendre en photo. Dans quel conte de fées, déjà, le héros se retrouvait-il devant une table où les mets succulents ne cessaient de réapparaître par magie ? Cette table enchantée était-elle une récompense ou une tentation dangereuse ? Charlotte n'arrivait pas à s'en souvenir.

Ils mouillèrent l'ancre au beau milieu du lac, semblait-il, très loin du rivage. Charlotte se demanda quelle était la profondeur de l'eau. À côté du lac Mead, les réservoirs et les étangs des ranchs de son Oklahoma natal n'étaient que des empreintes de bottes dans le sol, remplies d'eau de pluie boueuse. Elle ne quittait pas les filles des yeux – les deux bouées de sauvetage en liège accrochées au bastingage n'avaient l'air d'être là qu'à titre décoratif.

Ed lui fit signe d'approcher. Charlotte laissa Frank et Leo se débrouiller tout seuls – Rosemary et Joan étaient en train de leur apprendre les paroles et les gestes de *Dans ma maison sous terre*, un jeu de main – et vint s'asseoir à côté d'Ed.

— Alors, vous vous amusez bien ? lui demanda-t-il.

— Oui, beaucoup, répondit Charlotte. Nous passons un excellent moment.

— Bien. Maintenant, j'aimerais que nous fassions plus ample connaissance. Révélez-moi un secret bien croustillant à votre sujet. Je promets de n'en souffler mot à personne.

Elle rit.

— J'ai bien peur de ne pas avoir de secrets, croustillants ou non, rétorqua Charlotte.

— Bien sûr que si. Tout le monde a au moins un secret ou deux.

— Alors... Vous d'abord ?

Il eut un sourire d'approbation.

— Je vois pourquoi Frank vous apprécie, dit-il. Très bien. Laissez-moi réfléchir. Il était une fois, un gamin. Il n'avait rien. Il voulait tout. Alors, il a travaillé dur. Il a fait certains sacrifices. Il s'est acharné, s'est cramponné, comme si sa vie en dépendait. C'est la meilleure façon dont je puisse le décrire. Et aujourd'hui, ce gamin a tout ce qu'il voulait.

— Mais... ? fit Charlotte.

— Mais ?

— Il n'y a pas de morale à cette histoire ?

— Si, bien sûr, répondit Ed. Quand on a décidé ce qu'on voulait, il ne faut rien laisser se mettre en travers de notre chemin. *Veni, vidi, vici.* Voilà la morale de l'histoire. C'est ce que j'aime chez Frank.

Chez Frank ? Cette affirmation surprit Charlotte. Puis elle se souvint de ce qu'elle avait dit à Frank l'autre nuit, après avoir fait l'amour. « Je ne sais pas grand-chose de toi, n'est-ce pas ? » Elle se rappela ce qui la tracassait, plus ou moins consciemment, depuis leur rencontre : elle en savait sans doute encore moins sur lui qu'elle ne le pensait.

Et Ed, que savait-elle de lui, au juste ? La limousine, le yacht. Frank lui avait raconté qu'ils avaient sympathisé lors d'un congrès d'assureurs à Minneapolis, où ils avaient discuté de polices d'assurance. Maintenant qu'elle avait rencontré Ed, cette version des faits lui semblait difficile à croire.

Elle tourna le regard vers Frank, qui suivait les instructions de Rosemary avec obéissance. *Dans ma maison sous te-erre, O ma wé ! O ma wé !...* Elle s'aperçut que Frank les surveillait du coin de l'œil, Ed et elle.

— Ed ? fit Charlotte. Comment vous êtes-vous rencontrés, Frank et vous ?

— Oh non, protesta-t-il. Vous me prenez pour un pigeon ? C'est votre tour. Racontez-moi plutôt votre rencontre, à Frank et *vous*.

— Frank ne vous l'a pas dit ?

— Je veux connaître votre version de l'histoire.

Elle lui raconta la voiture en panne, le motel, le mécanicien. Ed eut de nouveau un grand sourire.

— Et alors Frank est apparu, dit-il. Tel un preux chevalier dans son armure étincelante.

— Il a été très gentil. Et vous aussi.

Il se pencha vers elle.

— Et dites-moi, lui glissa-t-il. Qu'est-ce que c'est que ça, à votre doigt ?

Son alliance en or. Charlotte avait oublié de la retirer. Après toutes ces années, cette bague faisait presque partie d'elle, Charlotte ne la remarquait même plus. Elle ôta la bague de son doigt et la fit tomber dans son sac à main.

— Il était une fois, une gamine qui ne savait pas ce qu'elle voulait, commença-t-elle. Ou plutôt, qui savait ce qu'elle voulait, mais avait peur de l'admettre. Et puis un jour...

— Elle a cessé d'avoir peur, l'interrompit Ed. Elle a pris une décision et s'y est cramponnée, comme si sa vie en dépendait.

— Oui.

Il la contemplait.

— Je vais vous révéler un autre secret, déclara Ed.

Mais, à ce moment, Frank se matérialisa devant eux, les fillettes à ses côtés.

— Alors, vous avez des atomes crochus, tous les deux, on dirait, fit-il. Je te l'avais dit que c'était un ange, n'est-ce pas, Ed ?

— Ça, tu me l'as dit. Et en effet, c'est un vrai petit ange, répondit Ed en tapotant le genou de Charlotte d'un geste

277

paternel. Suis-moi en bas, dans le salon, fiston, ajouta-t-il. Il y a une question professionnelle dont je voudrais te parler en privé.

Frank grommela.

— Grands dieux, Ed ! répliqua-t-il. Je suis en vacances. Attendons au moins ce soir. Je viendrai te voir chez toi. Ne me demande pas d'abandonner ces trois charmantes personnes par une si belle journée.

— Cindy leur tiendra compagnie, rétorqua Ed. Cindy ! Viens jouer avec les petites nouvelles !

Ed fit coucou de la main à sa nièce, qui se tenait à l'écart et contemplait l'eau, penchée par-dessus le bastingage, le buste dans le vide.

— Ed, s'il te plaît, dit Frank.

Cette fois-ci, Charlotte était sûre de l'avoir vu : le pincement entre les sourcils de Frank, comme le pli que fait un fil trop serré sur un tissu trop fin.

— On parlera plus tard, aussi longtemps que tu le souhaiteras, continua Guidry.

— Ne t'inquiète pas pour nous, le rassura Charlotte.

Elle ne comprenait vraiment pas pourquoi Frank se montrait si réticent à l'idée de les laisser seules quelques minutes, les filles et elle.

— Vraiment, ça va aller, insista-t-elle.

Frank hésitait encore. Mais il remarqua la perplexité de Charlotte devant sa réaction.

— D'accord, Ed, dit-il enfin. Allons-y, descendons, passons à la trappe ! Tes désirs sont des ordres.

Frank et Ed disparurent sous le pont. Les neveux d'Ed aidèrent Leo à débarrasser le buffet. Cindy s'approcha d'un pas flottant, laissant courir un doigt le long du bastingage et oscillant au rythme d'une chanson qu'elle seule semblait entendre.

— Qu'est-ce que c'est que ça ? demanda-t-elle.

— Ça ? fit Charlotte. C'est mon appareil photo.

— Est-ce que vous voulez me prendre en photo ? D'habitude, les amis d'Ed me prennent toujours en photo.

Cindy était d'une beauté frappante, en effet, avec ses yeux bleus et son visage en forme de cœur.

— D'accord, répondit Charlotte. Est-ce que ce sont des photographes, les amis d'Ed ?

— Oui.

Charlotte attendit que Cindy tourne la tête pour contempler l'eau à nouveau, puis elle prit son cliché. La courbe du menton de Cindy, les tresses blondes qui commençaient à s'effilocher, son expression rêveuse qui donnait à son visage une impression de léger flou.

— Est-ce que tu sais jouer à *Dans ma maison sous terre* ? demanda Rosemary à Cindy. C'est difficile, mais on peut t'apprendre.

Cindy ne sembla pas l'avoir entendue.

— Je la cherche, dit-elle.

— Tu cherches qui ? demanda Rosemary.

— Son fantôme.

Rosemary fut immédiatement subjuguée.

— Quel fantôme ?

— Celui de la fille, répondit Cindy. Celle qui est allée nager au milieu de la nuit, quand tout le monde était couché, sur le bateau. Nous étions tous endormis.

— Sur ce bateau-là ? demanda Rosemary.

— Pas l'été dernier, mais celui d'avant. Oui. Elle est allée nager et elle n'est jamais revenue.

Cindy ricana.

— Elle est dans sa maison sous l'eau, ajouta-t-elle en regardant Rosemary.

Joan se serra contre Charlotte. Contrairement à sa sœur, elle n'aimait pas les histoires de fantômes. Charlotte non plus, d'ailleurs, et certainement pas celle-ci.

— Parlons d'autre chose, d'accord ? suggéra Charlotte. Faisons plutôt la liste de nos bateaux préférés dans les livres et les films.

Mais Rosemary n'en démordait pas.

— C'était qui, ce fantôme ?

— Elle était serveuse au Stardust, répondit Cindy.

Enfin, c'est ce qu'elle racontait à tout le monde. Mais nous, on savait qu'elle mentait. C'était une sale petite menteuse. C'est ce qu'Ed disait.

L'impression de malaise qui s'était glissée sous la peau de Charlotte commença à lui faire mal, comme une écharde. Rien de tout cela ne devait être vrai. Il s'agissait certainement d'une histoire que Cindy avait inventée pour effrayer les filles.

Cindy posa un doigt sur ses lèvres. Chut !

— Tu dois jurer, dit-elle à Rosemary. Jure de garder le secret. Tu sais ce qui se passe quand on ne garde pas les secrets.

— Ça suffit, intervint Charlotte sur un ton plus sec qu'elle ne l'avait souhaité.

Elle attira Rosemary près d'elle.

Cindy regarda Charlotte d'un air placide.

— OK, fit-elle.

— Mais je veux encore qu'on parle du fantôme, protesta Rosemary. Pas toi, Joan ?

— Non, répondit Joan.

— Je l'ai vue une fois, reprit Cindy. Le fantôme. Elle est très belle, maintenant. Comme une fleur morte. Elle est en paix. Elle s'imagine qu'elle rêve. Elle pense qu'un jour elle se réveillera.

— Maman, souffla Rosemary. Je sens ton cœur battre très vite.

L'attention de Cindy se reporta sur Rosemary. Du doigt, elle lui fit signe d'approcher.

— Viens avec moi, dit-elle. On va la chercher ensemble.

Frank était toujours en bas. Leo et les neveux avaient disparu également, à l'autre bout de la cabine. Cindy tendit la main vers celle de Rosemary qui, machinalement, était sur le point de la saisir, quand, tout aussi machinalement, Charlotte attrapa le poignet de Cindy et l'éloigna brusquement de Rosemary.

Les filles regardaient Charlotte avec de grands yeux écarquillés, stupéfaites.

Cindy fixait la main de Charlotte sur son poignet.

— Waouh ! fit-elle.

Charlotte resserra encore son étreinte.

— Allez-vous-en, ordonna-t-elle. Vous avez compris ? Laissez-nous tranquilles.

Pour la première fois, Cindy regarda vraiment Charlotte et sembla réellement prendre acte de sa présence. L'expression sur le visage de la jeune fille – ce n'était ni de la haine, ni de la surprise, ni rien du tout, en fait – lui glaça le sang. Elle se souvint d'un chien errant qui avait mordu deux enfants de son voisinage, quand elle était petite. Avant que son père le chasse à coups de râteau, le chien s'était approché de Charlotte aussi. Il se déplaçait lentement, calmement, avec ce qui ressemblait à une indifférence absolue.

— Vous allez le regretter, dit Cindy.

— Vous avez compris ? répéta Charlotte. Laissez-nous tranquilles.

Alors le pont du yacht se mit à trembler sous les pieds de Charlotte. Ed était remonté et avait remis les moteurs en marche. Charlotte relâcha le poignet de Cindy, et Cindy fit volte-face en riant, sa jupe écossaise tournoyant et miroitant au soleil.

Le sang se remit à circuler dans le corps de Charlotte tandis que Frank se dirigeait vers elle et les filles en souriant.

28

Guidry savait bien qu'Ed n'avait aucune affaire urgente à évoquer avec lui, sous le pont. Il tirait juste sur les ficelles de Guidry, le faisait danser comme un pantin, c'était son idée à lui d'une bonne rigolade. Guidry ne pouvait pas se permettre de faire un esclandre. Il en allait de sa vie et de celle de Charlotte. Il pouvait bien les laisser seules cinq minutes, les filles et elle, tout se passerait bien. Et puis, Leo était en haut, avec elles. Il veillerait à ce que Cindy reste bien sage.

— Un scotch ?

Ed versa le whisky sans attendre de réponse. Ils étaient descendus dans ce qu'il appelait le salon. Guidry avait vu certains bordels faire un usage moins tapageur, plus subtil, du cuivre et du velours rouge.

— Alors, où est l'urgence, Ed ? demanda Guidry. Ne me dis pas que tu as changé d'avis à propos du Vietnam.

Qui, moi ? Ed écarta cette hypothèse d'un geste de la main. Il s'installa dans une bergère en cuir capitonnée et posa les pieds en hauteur.

— Fiston, commença-t-il, c'est un vrai coup de maître. Comment as-tu réussi une chose pareille ? Tu devrais voir la façon dont elle te regarde. Elle croit que tu es le nec plus ultra. Te fais pas de bile, je ne vais pas casser ta baraque.

— Tu veux juste me mettre un peu mal à l'aise, c'est tout, dit Guidry.

— Juste un peu, c'est vrai.

— J'ai toujours besoin d'elle, tu te souviens ? Je ne suis pas encore à Saigon.

— Te fais pas de bile, j'te dis. Les gamins se tiennent à carreau. Elles te plaisent, leurs fringues ? C'était mon idée. Je savais que ça te botterait.

Guidry écouta le doux clapotis de l'eau contre la coque. Il écouta Ray Bolger ronfler de l'autre côté de la cloison. Guidry n'entendait pas ce qui se passait sur le pont. Mais il ne devait rien se passer du tout, sur le pont, il le savait.

Il leva son verre et admira la façon dont le scotch filtrait la lumière. *Ne te presse pas, surtout.* S'il essayait d'accélérer les choses, Ed les ralentirait aussitôt et le ferait payer.

Ed alluma un cigare.

— Alors. Revenons-en à notre chère Charlotte. Tu en pinces vraiment pour elle, pas vrai ?

— Si j'en pince pour elle ? répéta Guidry. Que veux-tu dire ?

— Le grand Frank Guidry, qui l'eût cru ? Je ne le croirais pas moi-même, si je ne l'avais pas vu de mes propres yeux.

Il n'y avait aucune façon de jouer ce coup-là sans y laisser quelques plumes. Guidry pouvait soit continuer de bluffer, soit cracher le morceau, mais dans un cas comme dans l'autre il lui faudrait prier. Ed risquait d'estimer que ses sentiments pour Charlotte étaient un point faible qu'il ne pouvait se permettre de tolérer. D'un autre côté, si Guidry s'accrochait à un coup de bluff auquel il ne croyait plus lui-même, Ed risquait là aussi d'y voir un point faible rédhibitoire.

Guidry haussa les épaules.

— Bien sûr, que j'en pince pour elle, admit-il. Mais qu'est-ce que ça change ?

Qu'est-ce que ça change ? Il se posa mentalement la même question. Qu'est-ce que ça changeait s'il avait envie de passer le reste de sa vie avec Charlotte et les filles ? Qu'est-ce que ça changeait s'il avait perdu la tête, bon sang ? Demain, il serait dans un avion en route pour le Vietnam, ou bien il serait mort. De toute façon, il ne les reverrait jamais plus.

Ed entreprit de rallumer son cigare. La première allumette brûla complètement, alors il en craqua une seconde. Puis il hocha la tête, satisfait de la réponse de Guidry.

— Ray était censé chanter une demi-heure, dit Ed. Ce bouffeur de haricots aux yeux exorbités. Il n'est pas près de voir la couleur de son argent, je te le garantis.

— Jetons-le dans le lac, suggéra Guidry. Qu'il rentre à la nage.

— Viens à la maison ce soir. Vers 9 heures. J'aurai ce dont tu auras besoin demain. Tu veux que j'envoie Leo te chercher ?

— Je me souviens de la route.

— Allez viens, fit Ed en se levant. Retournons à la fête.

Charlotte et les filles étaient saines et sauves. Il n'en avait jamais douté, pensa Guidry. Ed leva l'ancre, et ils repartirent en direction du port. Guidry dut prouver, à la grande satisfaction de Rosemary et Joan, qu'il se souvenait du jeu qu'elles lui avaient appris – chaque parole, chaque claquement de mains.

Dans ma maison sous te-erre,
O ma wé ! O ma wé !
O téo téo ouistiti !
O téo téo ouistiti !
One, two, three !

Assise toute seule, Charlotte les regardait et observait Guidry. Le crépuscule tombait, les lumières de la marina scintillaient. Dans le jour qui s'estompait, Charlotte semblait s'estomper, elle aussi. N'était-elle que le fruit de son imagination ? se demanda Guidry. Cette idée – que Charlotte n'était peut-être pas réelle, que rien de tout cela ne l'était – l'emplit d'une angoisse telle qu'il n'en avait jamais connu. Telle qu'il n'en avait pas connu depuis très, très longtemps, en tout cas. À l'époque, il en avait perdu la tête et sa foi en la vie. Et, jusqu'à sa rencontre avec Charlotte et les filles, rien, sur la Terre comme aux cieux, n'avait plus réussi à l'émouvoir.

Guidry monta à l'avant de la Rolls avec Leo, afin que

Charlotte et les filles puissent s'étendre sur la banquette arrière. Rosemary et Joan dormirent pendant tout le trajet jusqu'à l'Hacienda. Charlotte dormit également, blottie dans le coin opposé, la tête appuyée contre la fenêtre. Les images défilaient en vacillant sur la vitre derrière sa tête, les phares des voitures qu'ils croisaient, les panneaux publicitaires en bord de route, et tout à coup la langue fourchue d'un éclair qui zébra le lointain, dans le désert. Guidry avait l'impression de voir les rêves de Charlotte projetés sur un écran de cinéma.

Il ne pourrait pas les suivre à Los Angeles. Ce n'était même pas la peine d'y songer. Carlos retrouverait Guidry n'importe où dans le pays, ce n'était qu'une question de temps. Et encore, ça, c'était à condition qu'Ed ne l'ait pas tué avant, quand Guidry lui aurait annoncé : *Non merci, Ed, finalement j'ai changé d'avis pour le Vietnam, désolé pour le dérangement.*

— Leo.

La banquette arrière était à un kilomètre d'eux au moins, les pneus ronronnaient sur l'asphalte, mais Guidry parla tout de même à voix basse. Leo, absorbé dans ses pensées, ne l'entendit pas la première fois.

— Leo, répéta Guidry.

— Oui, monsieur ? répondit Leo.

— J'aurais besoin d'un bon conseil, Leo, dit Guidry.

— Comme nous tous, monsieur.

Guidry ne pouvait pas aller à Los Angeles avec Charlotte et les filles. Mais pourquoi ne viendraient-elles pas avec lui au Vietnam ? Guidry devrait convaincre Ed. N'était-ce pas là une idée encore plus impossible, plus dangereuse ?

— Un homme se retrouve dans une forêt obscure, déclara Guidry. Et ensuite, il se retrouve dans une autre forêt, encore plus obscure que la première. Ces coups du sort commencent à l'agacer sérieusement.

— Tout à fait compréhensible, commenta Leo.

— C'est chez Milton, n'est-ce pas ? Que Lucifer est chassé du paradis ? Je n'ai jamais lu Milton. Je n'ai jamais

285

vraiment lu Dante non plus, d'ailleurs. Juste assez pour faire semblant.

— « Éveillez-vous, levez-vous ou soyez à jamais tombés. »

— Est-ce que c'est du Milton, ça ? Ne frimez pas, Leo. Avec votre accent, le combat n'est pas équitable.

Leo hocha la tête, d'un air satisfait.

— Je connais le truc pour mener la belle vie, Leo, poursuivit Guidry. Alors, prendre des décisions ne devrait pas être trop compliqué pour moi, n'est-ce pas ? Ça ne l'a jamais été jusqu'à présent, en tout cas.

Leo ne demanda pas à Guidry de lui expliquer le truc pour mener la belle vie. Il n'arqua même pas le sourcil. Il semblait parfaitement saisir ce que Guidry expliquait. Guidry se disait que si Ed avait perçu ses sentiments envers Charlotte, Leo les avait probablement repérés, lui aussi.

— Dites quelque chose, Leo.

Non. Rien. Pas le moindre frémissement dans sa moustache de Clark Gable. Guidry laissa tomber. Mais alors, Leo soupira.

— À chaque décision que nous prenons, nous créons un nouvel avenir, déclara-t-il. Et ce faisant, nous détruisons tous ceux que nous aurions pu avoir à la place.

— C'est profond, ça, Leo, dit Guidry.

— Vraiment ?

— Ça a l'air profond, en tout cas. Avec l'accent.

Leo arqua finalement ce sourcil ironique et arrêta la Rolls devant l'entrée de l'hôtel. Guidry tendit le bras par-dessus le siège pour toucher le genou de Charlotte, mais elle était déjà en train de se redresser. Elle n'avait pas dormi, en fait.

— Nous sommes arrivés, dit-il.

— Oui, répondit-elle.

Personne n'avait beaucoup d'appétit après le festin sur le bateau d'Ed, alors tous quatre sautèrent le dîner et allèrent regarder les karts, à la place. Des insectes bruyants, de petits exosquelettes huileux, tournaient à toute vitesse sur le circuit. Guidry, Charlotte et Joan les regardaient en simples spectateurs – mais Rosemary, qui mourait d'envie d'être sur la piste, agrippait la chaîne devant elle comme s'il s'agissait d'un volant et la faisait tourner à chaque virage que les conducteurs prenaient. Guidry sourit en la voyant faire, mais Charlotte n'avait pas remarqué. Après le karting, Guidry but un verre au bar, tandis que Charlotte supervisait le bain et les prières, puis bordait les filles dans leur lit.

À l'étage, dans sa chambre, Guidry posa une main sur la hanche de Charlotte et l'attira vers lui pour l'embrasser. Mais elle se déroba à son étreinte avant même qu'il ait commencé.

— Qu'est-ce qui ne va pas ? demanda-t-il.

Elle traversa la pièce pour aller à la fenêtre. Elle lui tournait le dos, mais il remarqua le trouble sur son visage de profil. Comment ne s'en était-il pas aperçu auparavant ? Sur le bateau, dans la voiture. Frank Wainwright n'avait rien vu. Mais Guidry, s'il avait été lui-même, s'il n'avait pas perdu ses esprits, Guidry l'aurait vu venir à un kilomètre.

— Tu te sens bien ? demanda-t-il. Tu as mangé trop de dessert, tout à l'heure ?

— Frank, fit-elle.

Que lui avait dit Cindy, sur le pont ? Dieu seul le savait. Dieu seul savait quels dégâts Guidry allait maintenant devoir réparer.

Il rejoignit Charlotte et lui caressa l'épaule.

— Qu'y a-t-il ?

Elle se tourna enfin vers lui.

— Y a-t-il quelque chose que tu me caches, Frank ?

Il la regarda dans les yeux. Tout lui dire. Tout. Guidry dut combattre cet élan. Tout lui dire et la supplier de croire qu'il avait changé, qu'il était en train de changer, qu'il pouvait changer, qu'il fallait juste lui donner ne serait-ce que l'ombre d'une chance.

Elle serait émue par son honnêteté et jetterait les bras autour de son cou, exactement comme on voyait les actrices le faire dans les films, dans un tourbillon de parfum et une envolée de violons. Oui, exactement comme ça. *Oh ! Frank, tu avais juste besoin d'une vraie femme pour te sauver, n'est-ce pas ?*

— Si je te cache quelque chose ? répéta-t-il. Bien sûr que non.

— C'est à cause d'Ed, dit Charlotte. C'est peut-être absurde, mais on dirait juste que… Je ne sais pas. Je t'ai vu avec lui, Frank, et il y a quelque chose qui… qui cloche.

— Eh bien…

— Sa nièce, Cindy, nous a raconté l'histoire d'une femme qui se serait noyée. Une femme sur le bateau d'Ed, une serveuse du Stardust. Ou du moins, qui prétendait l'être. Cindy a présenté les choses comme si Ed… J'ai d'abord pensé que ce n'était qu'une ridicule histoire de fantômes mais, maintenant, je n'en suis plus si sûre.

L'infiltrée de J. Edgar Hoover. Guidry maudit Cindy en silence.

— C'est pour ça que je ne voulais pas vous laisser seules avec Cindy, répondit-il. J'aurais dû être honnête depuis le début. C'est aussi la raison pour laquelle je ne voulais pas aller au lac Mead, depuis le début.

— Pourquoi ? demanda Charlotte.

— Ed fait tout ce qu'il peut pour elle. C'est la fille unique de sa sœur. Il a payé une demi-douzaine d'écoles privées différentes. Mais Cindy mélange tout dans sa tête. Elle est un peu… perturbée. Tu as dû t'en rendre compte.

Les paroles étaient justes, mais Guidry savait qu'il massacrait la mélodie. Charlotte chercha son regard. Il fallait mettre tout son cœur dans la supercherie, il fallait y mettre tout ce qu'on avait. Mais Guidry ne voulait plus faire cela, il ne voulait pas mentir à Charlotte, plus jamais.

Elle hocha la tête, toutefois.

— Oui, j'ai vu ça.

— Cindy a dû lire quelque chose dans les journaux, expliqua Guidry. Ou voir quelque chose dans un film. Personne ne s'est noyé. Elle a dû s'asseoir un jour à côté d'une serveuse du Stardust dans un bus. C'est comme ça que son cerveau fonctionne. Personne ne s'est noyé, pas à bord du bateau d'Ed.

— Qui est-ce, Frank ? demanda-t-elle.

— Ed ?

— Oui, qui est-il vraiment ?

Mets-y tout ton foutu cœur, Guidry, se dit-il, *et vas-y, maintenant. Vas-y ou tout est fini.*

— Écoute, répondit Guidry. Je dois le reconnaître, Ed n'est pas un enfant de chœur. C'est pour cette raison que je ne voulais pas que tu le rencontres. Rien d'illégal, rassure-toi, mais il fait des affaires avec certains personnages douteux. Il y est obligé, de temps en temps. C'est Las Vegas, après tout.

— J'ai des *enfants*, Frank, répliqua-t-elle. J'ai deux filles. Est-ce que tu comprends ?

— Je ne ferais jamais rien qui puisse mettre les filles en danger. Jamais. Je le jure sur ma vie. Et on en a fini avec Ed, maintenant. On en a fini avec Cindy. D'accord ?

Elle prit une profonde inspiration et expira lentement. Elle hocha de nouveau la tête. Elle le croyait. Guidry eut envie de vomir tant il avait honte. S'il l'aimait vraiment, il ferait demi-tour et quitterait cette chambre. Si elle le connaissait vraiment, elle quitterait cette chambre et s'enfuirait.

Mais perdre Charlotte, perdre les filles – cette seule idée lui était insupportable.

— Je t'aime, déclara-t-il.

Elle soupira.

— Frank.

— C'est fou. Tu n'as pas besoin de me le dire. On ne se connaît que depuis une semaine, à peine. Mais…

Guidry avait appris tout seul à conduire quand il avait dix ans. Le dimanche matin, pendant que son père cuvait sa beuverie du samedi soir. C'était un camion Ford déglingué, avec un bouton-poussoir pour démarrer et le levier de vitesses au plancher. Guidry le conduisait en cahotant sur les petites routes de terre battue d'Ascension Parish, ses paumes moites agrippées au volant et les larmes aux yeux parce qu'il n'osait pas ciller. *N'oublie pas de regarder dans le rétroviseur. N'oublie pas de regarder dans l'autre rétroviseur. Sois attentif à chaque pensée, chaque geste. Chaque geste qui requiert, d'abord, une pensée.*

Il se souvenait de cette impression, aujourd'hui. *N'oublie pas de respirer.*

— Je ne suis plus un enfant, dit-il. Je sais reconnaître ce qui est factice et ce qui est réel. Je crois que j'en suis capable. Tu le sais, toi aussi, n'est-ce pas ?

Elle ne répondit rien, mais le laissa lui prendre la main et la presser contre sa joue.

— Je n'ai pas frotté de lampe et fait le vœu que cela m'arrive, dit-il. Mais que puis-je y faire, maintenant ? Je veux être avec toi et les filles, jusqu'au bout. Je n'imagine pas ma vie autrement.

— Frank…

— Ed m'a proposé un boulot à l'étranger, continua Guidry. En Asie, au Vietnam. Je dois aller le voir à ce sujet dans une minute. C'est une véritable occasion, tout sera fait dans les règles, pas d'entourloupes. Je veux que vous veniez avec moi, les filles et toi.

— Qu'on vienne avec toi ? s'exclama-t-elle, stupéfaite. En Asie ?

— Viens avec moi. Le Vietnam est un pays magnifique. Pense à toutes les photos que tu y feras. Des ombres comme tu n'en trouveras nulle part ailleurs. Je ne peux pas refuser ce boulot. Mais ce sera juste pour un an ou deux, et ensuite on ira où on voudra.

Elle l'observait fixement, cherchant à savoir s'il parlait sérieusement.

Guidry avait de nouveau besoin de l'entendre prononcer ce premier oui. Il avait besoin de la chance que Charlotte lui avait laissée à Santa Maria, lorsqu'il lui avait proposé de faire le voyage ensemble jusqu'à Los Angeles.

— Réfléchis-y avant de prendre ta décision, dit-il. Tu veux bien ? C'est tout ce que je demande. Réfléchis-y bien. Les filles pourront apprendre une nouvelle langue. Nous apprendrons tous une nouvelle langue. Tu disais que tu voulais découvrir le monde. Découvrons-le ensemble.

— Frank, fit-elle, je ne suis même pas encore divorcée.

— Ça n'a pas d'importance.

— Si, ça en a. Si j'ai quitté l'Oklahoma, c'est pour construire une nouvelle vie, pour moi et pour les filles. Je dois le faire de moi-même. Je *veux* le faire de moi-même.

— Tu le peux et tu le feras. Nous ne sommes pas obligés de nous marier. Ça n'a pas d'importance non plus. Tout ce qui importe, c'est que je sois avec toi et que tu sois avec moi. Je t'aime. Et j'aime tes filles.

— Tu ne m'écoutes pas, Frank.

— Si, rétorqua-t-il. Je t'en prie. Je ne sais pas ce qui m'est arrivé, nom de Dieu ! Ma vie avait un sens pour moi avant de te rencontrer. Et maintenant… Depuis que je vous ai rencontrées, les filles et toi, c'est comme si quelque chose en moi avait dégringolé d'une étagère. Non. C'est comme si j'étais moi-même tombé du haut de l'étagère et que je m'étais brisé en mille morceaux par terre. Je ne…

Les mots manquaient à Guidry. Quand lui était-ce jamais arrivé, de toute sa vie ?

Elle se retourna vers la fenêtre, de nouveau loin de lui. Il ne savait pas si elle regardait les lumières du circuit de karting au-dehors ou son propre reflet dans la vitre.

— Je suis si heureuse de t'avoir rencontré, Frank, déclara-t-elle. Tu n'as pas idée. Je crois que, moi, j'ai dû frotter une lampe sans m'en rendre compte et souhaiter te rencontrer, souhaiter cette semaine que nous avons passée ensemble.

— Est-ce que tu m'aimes ? demanda-t-il.

— Je ne peux pas venir avec toi, Frank.

— Nous recommencerons notre vie ensemble. Le genre de vie que tu souhaiteras.

Il saisit son bras menu et le serra si fort qu'il sentit battre son pouls. Toute sa vie, il avait mis un point d'honneur à ne jamais désirer quelque chose qu'il ne tenait pas déjà dans sa main. À ne jamais désirer quoi que ce soit qu'il aurait du mal à laisser partir.

Pas maintenant. Pas maintenant.

— Je t'en prie, l'implora-t-il. Je serai de retour dans une heure, et nous pourrons en parler. Mais réfléchis-y. Donne-moi une chance.

— Oh ! Frank.

— Nous nous aimons. Rien d'autre n'a d'importance.

Il pressa les lèvres contre les siennes. Au bout d'un moment, elle lui rendit son baiser.

— Réfléchis-y, c'est tout, dit-il. D'accord ?

Elle hocha de nouveau la tête.

— Oui, répondit-elle.

29

La ville de Searchlight était à une heure au sud, sur la route de Bullhead City. Barone l'avait traversée en allant à Las Vegas. Il était passé juste à côté de l'El Condor.

Les gorilles de Moe Dalitz avaient des noms. Joey, le chauffeur, celui qui parlait, le plus jeune et le plus bête des deux, avec le cou épais et zébré par le feu du rasoir. C'était lui qui avait passé le bras autour de Barone, à l'Hacienda. Shelley, dans le siège du mort, n'était pas du genre causant ; il soufflait des bulles avec son chewing-gum jusqu'à ce qu'elles éclatent et faisait craquer les phalanges de sa main droite, l'une après l'autre. C'était vraisemblablement un ancien boxeur, à en juger par ses oreilles en chou-fleur. Il n'avait pas l'air très malin, lui non plus.

« Un gars comme vous, ici, ça me serait bien utile », avait dit Dalitz à Barone, mais ce n'était pas vrai. Dalitz et Sam Giancana avaient déjà à leur solde deux ou trois types, presque aussi bons que Barone. Et pourtant, plutôt que de lui envoyer ces derniers, Dalitz avait mis dans les pattes de Barone Joey-Langue-Pendue et Shelley-le-LaMotta-Raté pour lui servir de baby-sitters.

Est-ce que cela signifiait quelque chose ? Est-ce que Dalitz envoyait un message à Barone ? Lui demandait-il une chose, tout en s'attendant à ce qu'il en fasse une autre ? Barone l'ignorait. Cela ne relevait pas de ses compétences. Moe Dalitz, Carlos, Seraphine. Ils avançaient toujours masqués. Ils disaient la vérité en mentant et mentaient en disant la vérité. Ils préparaient les dominos et laissaient à un pauvre cave le soin de tous les faire tomber.

Barone sentait la fièvre monter et fermenter en lui. Comme au Nouveau-Mexique. Sa tête gardait le cap pendant un bon moment et puis, sans crier gare, Barone se retrouvait perdu en mer, ballotté au gré des vagues. Faisant un saut dans le temps, il atterrit de nouveau dans le Vieux Carré français, devant le vieil homme de couleur qui jouait 'Round Midnight au saxophone.

Le fossé où il avait laissé le gamin était de l'autre côté de Bullhead City. *Theodore, ne m'appelez pas Ted, ne m'appelez pas Teddy non plus.* Peut-être que les flics avaient trouvé son corps, à l'heure qu'il était. Mais ce n'était qu'un gamin de couleur, après tout, qu'est-ce que ça pouvait bien faire ? Les flics n'allaient pas se plier en quatre pour rechercher son assassin.

Peut-être qu'une fois qu'il se serait occupé de Guidry, Barone laisserait tomber La Nouvelle-Orléans. Il ne savait pas où il irait, ni ce qu'il ferait. Son esprit s'envola vers un paysage enneigé, où l'air serait froid et doux. L'Alaska, peut-être.

— Vous entendez ce que je dis ?

Barone revint subitement d'Alaska.

— Quoi ?

— J'ai dit : on est arrivés, répéta Joey-Langue-Pendue.

Barone entra dans l'El Condor. Sa tête s'était stabilisée, pour l'instant – les nuages étaient partis, et le ciel était bleu. Joey l'accompagna. Shelley resta dans la voiture pour surveiller le parking. Au cas où Barone aurait en tête de quitter l'hôtel en douce et de leur brûler la politesse.

Joey parla au directeur et revint avec la clé de Barone. La petite chambre miteuse contenait un lit, une chaise et une penderie. Barone n'y vit rien qu'il pourrait utiliser contre Joey. La double antenne télé, peut-être. Ou le cendrier en verre. S'il avait été en forme, il aurait eu neuf chances sur dix d'avoir le dessus sur Joey, même si ce dernier avait eu un flingue, et lui non. Mais ce n'était pas un bon jour pour

Barone, et neuf chances sur dix n'étaient pas une probabilité assez forte de toute façon.

Si le combat se fait à la loyale, avait appris Barone par le passé, c'est qu'on s'est planté quelque part.

Il s'assit au bord du lit. Joey prit place sur la chaise. Barone se releva. Joey l'imita.

— Je vais boire un verre, annonça Barone.

— Comme vous voudrez, monsieur Barone, répondit Joey.

Le bar était sombre et presque vide. Ils s'installèrent au comptoir. Barone choisit une place près des doseurs, des shakers, des cuillères, de la passoire et du seau à glace. Il commanda un double whisky-Coca avec des glaçons, et un autre pour Joey.

— Merci, fit Joey. Voilà un esprit fraternel.

— Tu es obligé de t'asseoir sur mes genoux ?

Joey eut un sourire suffisant. Il rapprocha son tabouret de quelques centimètres encore de celui de Barone.

— Je fais seulement mon travail, monsieur Barone.

— Appelle-moi Paul.

— J'ai un frère qui s'appelle Paul, dit Joey. Il vit à l'est, à Providence, il travaille sur des chantiers. Vous me trouvez balèze, mais vous devriez voir Paulie. Moi, je suis l'avorton de la famille.

— Qui a rancardé ton patron ? demanda Barone. Tu en as une idée ? Tu ne m'as pas filé le train, la nuit dernière. Je t'aurais repéré.

Joey repartit de son sourire goguenard. Barone ne l'intimidait pas. Pourquoi aurait-il eu peur de lui ? Joey était l'un des hommes de main de Moe Dalitz. Et frapper l'un des hommes de main de Moe Dalitz revenait à frapper Moe lui-même – et alors, gare à toi. Personne n'était assez bête pour courir ce risque. C'est ce dont Joey était convaincu, en tout cas. Mais Barone savait que c'était plus compliqué que ça. Il le comprenait mieux que quiconque.

— Paulie était bloqueur droit dans l'équipe de Notre-Dame, dit Joey. Vous auriez dû le voir jouer. Quand il percutait la ligne défensive, elle explosait comme si on avait balancé une grenade, *boum !* Il aurait pu jouer avec les pros. Tout le monde le disait.

Barone en devenait dingue. Personne ne savait qu'il avait suivi la piste de Guidry jusqu'à l'Hacienda. Seulement Stan Contini. Et Seraphine, si Stan le lui avait dit. Dans ce cas, comment… ?

Seraphine.

Mais elle ne voulait certainement pas bloquer la marche des opérations. Elle voulait que Barone en finisse avec Guidry. Elle en avait besoin. Seraphine était mouillée dans cette affaire, tout autant que Barone.

Et pourtant, quelqu'un avait rancardé Moe Dalitz. Quelqu'un… Nom d'un chien, Barone y voyait plus clair à présent, il commençait à démêler le nœud. Il fallait revenir à Houston, au point de départ. Comment Guidry avait-il réussi à fausser compagnie à Remy, au bar de l'hôtel ? Parce que quelqu'un l'avait tuyauté. Guidry savait que Remy l'attendait.

Seraphine. C'était elle qui avait vendu la mèche à Guidry quand il était à Houston. Et maintenant, elle sabotait le travail de Barone à Vegas. Ou alors, c'était le propriétaire de cette Rolls verte, quel qu'il soit.

Joey pointa son bâtonnet à cocktail en direction de la main emmaillotée de Barone, sa main droite.

— Qu'est-ce qui est arrivé à vot' paluche, là ?

— Elle s'est retrouvée au mauvais endroit au mauvais moment, répondit Barone.

— Ça fait pas trop mal ?

— Seulement quand mon cœur bat.

— J'ai un autre frangin, Gary, qui travaille pour Ray à Boston, dit Joey. Vous avez jamais entendu parler de lui ? Gary Ganza. C'est le cerveau de la famille. Il est en train de monter très haut. Gary Ganza. Retenez bien ce nom-là, parce qu'il va devenir très célèbre un de ces quatre.

Barone attendit que Joey se penche vers le comptoir pour attraper une poignée de cacahuètes. Alors, il poussa son tabouret de bar d'un petit coup de genou. Joey était presque aussi massif que la cible de Houston – plus massif, même –, mais donnez-moi un levier et un point d'appui et je soulèverai le monde.

Joey se rattrapa juste à temps, pile avant de dégringoler. Il s'agrippa au comptoir, renversant des cacahuètes partout et jurant comme un charretier. Le barman avait déjà vu ce genre de choses auparavant. Il lança un regard noir à Joey et s'éloigna pour aller fumer sa cigarette tranquillement dans un coin.

— Déjà bourré, Joey ? s'enquit Barone. Après un seul petit verre ?

Joey ne souriait plus, à présent. Il se pencha et se mit à regarder vers le bas.

— Il y a un problème avec ce fichu tabouret, répondit-il.

— Tu n'as qu'à écrire une lettre au Congrès.

— Allez vous faire foutre, lâcha Joey.

— J'ai entendu parler d'un Gary qui travaille pour Patriarca, en effet, dit Barone.

La poignée en merisier laqué du pic à glace était incurvée, taillée en forme de sablier. Le bois était froid dans le poing gauche de Barone, car le barman avait laissé le pic à glace tout près du seau.

— Qu'est-ce que c'est son nom de famille, déjà ?

Joey avait fini de houspiller la jambe de son tabouret.

— Ganza, répondit-il. Vous avez entendu quoi sur Gary ?

— Je ne voudrais pas moucharder, dit Barone.

— Allez, accouchez.

Barone posa le bras droit sur les épaules de Joey, et Joey se pencha vers lui pour écouter. Alors Barone leva la main gauche et enfonça l'aiguille de dix centimètres dans l'oreille de Joey pour la ressortir aussitôt. Il le fit si rapidement, si proprement, que pendant une seconde Joey ne se rendit même pas compte qu'il était mort. Ses cils papillonnèrent, sa bouche s'avança en cul-de-poule. Puis il s'avachit. Barone, qui se tenait prêt, le rattrapa avant qu'il glisse à terre. Pas une seule goutte de sang. Il fallait que l'angle soit parfaitement choisi, mais c'était là toute la beauté d'un pic à glace enfoncé dans un cerveau.

Maintenant venait le plus difficile. Barone se glissa sous le bras de Joey et le mit debout. L'avorton de la famille, c'était dur à croire. Barone chancela, lutta, tint bon. Les morts pesaient plus lourd que les vivants. C'était un fait.

— Allez, mon p'tit pote, lança Barone. Tu as assez bu comme ça. On va te mettre au lit.

Il laissa un billet de cinq dollars sur le comptoir. Quand le barman lança un regard vers lui, Barone lui fit un grand haussement d'épaules à la Moe Dalitz – eh ouais, que puis-je y faire ?

Il traîna son camarade ivre mort à travers le bar. Une tâche lente et fastidieuse. Ho ! hisse ! Barone se mit à suer à grosses gouttes, ses jambes tremblaient. Il dépassa les tables de black jack. Personne ne prêtait attention à eux. Puis il s'engagea dans le couloir. C'était une bonne chose que l'El Condor soit plutôt du genre « avorton », lui aussi – tout l'établissement aurait pu tenir dans le hall d'entrée du Dunes ou du Stardust. Si Barone avait dû traîner Joey à travers le Dunes ou le Stardust, il n'y serait jamais arrivé.

Enfin, la chambre. Barone déverrouilla la porte et laissa Joey tomber sur le lit. Il essaya de lui faire prendre diverses postures, les bras comme ci, les jambes comme ça, avec ou sans l'oreiller, avant d'en trouver une qui ait l'air naturelle, qui sonne juste : celle d'un type qui s'était effondré après une cuite.

Il prit le flingue de Joey, un calibre 45. Un filet de sang s'échappait à présent de l'oreille de Joey et coulait le long de sa mâchoire et sur sa joue. Barone trouva le mouchoir de Joey dans la poche de poitrine de son blazer. Il essuya le sang, puis replia le mouchoir et le remit à sa place.

En Belgique, quand un obus éclatait non loin de vous, la secousse vous aspirait hors de votre corps pour vous y rebalancer aussitôt, mais sens dessus dessous. La fièvre de Barone ne produisait pas un effet aussi violent que ça – il avait plutôt l'impression que l'univers tout entier l'inspirait et l'expirait, l'inspirait et l'expirait, sans jamais s'arrêter –, mais elle faisait naître en lui le même genre de nausée. Il fut pris d'une soudaine envie de vomir. Il se précipita dans la salle de bains et se pencha au-dessus de la cuvette des toilettes. Rien ne vint. Il était littéralement trempé de sueur. Mais il devait juste attendre une minute. Ça passerait.

Seraphine. Était-ce elle qui avait rancardé Guidry à Houston ? Qui avait saboté le travail de Barone à Vegas ?

Barone ne tarderait pas à le savoir. Ils pouvaient tous compter là-dessus. Après en avoir fini avec Guidry, il allait attraper le premier vol pour La Nouvelle-Orléans, enfoncer la porte de la maison de Seraphine à Audubon Park et lui faire subir, juste pour le plaisir, toutes les choses qu'elle lui avait fait faire pour le travail, au fil des ans.

Dans la voiture, Shelley-le-LaMotta-Raté avait baissé sa vitre et posé le coude sur l'encadrement. Il vit Barone et chercha à comprendre. Barone tout seul, mais qui ne s'enfuyait pas. Barone tout seul, qui se dirigeait vers lui calmement, avec un air avenant.

— Tu ferais mieux de venir, lui dit Barone. Joey est en train de dégueuler son petit déjeuner. Il a dû choper un truc.

Le temps que Shelley tente d'attraper, à tâtons, son pistolet dans son étui, Barone était déjà là et c'était trop tard.

30

Quand Charlotte dit à Guidry qu'elle allait réfléchir à la question du Vietnam, qu'elle lui laisserait une chance de la convaincre, le soulagement que ressentit Guidry fut comme un orage bienfaisant – le ciel s'ouvrait, et la pluie s'abattait sur les champs desséchés. Mais ce moment d'euphorie ne dura, hélas, comme son nom l'indiquait, qu'un moment. Quand l'ascenseur arriva au niveau du hall d'entrée et que les portes s'ouvrirent dans un fracas métallique, il avait le ventre noué et la bouche sèche.

D'abord la partie difficile, et maintenant la partie encore plus difficile. *Allons-y.*

Il traversa le parking. Il faisait froid, ce soir-là, le vent était cinglant. Que dirait Ed quand Guidry lui demanderait s'il pouvait emmener Charlotte et les filles avec lui à Saigon ? Ed dirait peut-être oui. Il hausserait peut-être les épaules et s'exclamerait : *Satané Guidry, et pourquoi pas ?* Parce que Ed, soyons honnête, était complètement siphonné. Il trouverait même peut-être cela hilarant : Guidry à Saigon avec June Cleaver et les deux petites Beaverettes[1]. Tant que Guidry faisait le boulot qu'Ed attendait de lui, et qu'il le faisait bien. *Bien sûr, fiston, et pourquoi pas ?* Ed voudrait être tenu au courant de tous les détails cocasses du feuilleton. Il ne raterait pas un épisode.

---

1. Référence à *Leave It To Beaver*, un feuilleton des années 1950 dressant le portrait d'une famille d'Américains de la classe moyenne dans une petite ville de province.

Tout en roulant, Guidry préparait sa défense. *Ed, je ferai le boulot que tu veux que je fasse. Je le ferai bien.*

Charlotte et les filles représenteraient un avantage au Vietnam, pas un handicap, si on envisageait tous les angles. Guidry avait besoin de se faire des amis haut placés. Beaucoup des Américains de Saigon – les lieutenants-colonels, les brigadiers-généraux, les officiers des ambassades et les conseillers économiques, les fournisseurs et les équipementiers – amèneraient avec eux leurs propres épouses et leurs enfants. Ils se fieraient plus volontiers à un père de famille comme eux. Barbecues, soirées dansantes et séances de bronzage autour de la piscine de l'hôtel. *Dites-moi, Jim, est-ce que Susie et vous avez déjà trouvé une baby-sitter de confiance ?*

Tu ne vois pas, Ed ?

Ed verrait peut-être, s'il laissait à Guidry l'occasion d'aller jusque-là. S'il n'éclatait pas simplement de rire et ne tirait pas sur Guidry avant même qu'il ait commencé à lui expliquer.

Mais pourquoi s'inquiéter ? Le temps de l'inquiétude était déjà révolu. L'histoire de Guidry était déjà écrite. Il repensa à ce que Leo avait dit : « À chaque décision que nous prenons, nous créons un nouvel avenir. Et, ce faisant, nous détruisons tous ceux que nous aurions pu avoir à la place. » Guidry avait pris sa décision. Il allait détruire tous les autres avenirs, hormis celui qu'il s'était choisi.

Il quitta l'autoroute et suivit l'allée sinueuse qui menait à la maison d'Ed. La nuit n'arrivait pas à se décider. Serait-elle noire, serait-elle claire ? Sur près d'une centaine de mètres, il fit si sombre que Guidry n'y voyait pas plus loin que le faisceau de ses phares, mais ensuite, sans crier gare, la lune se libéra des nuages qui l'emprisonnaient. Guidry vit alors un cactus saguaro se cabrer vers le ciel, et les parois de roche rouge entre lesquelles il roulait parurent sur le point de s'écrouler sur lui.

Il garda sa vitre baissée. Il se gelait les miches, mais il ne voulait pas commencer à transpirer.

La maison tout en verre d'Ed était plongée dans la pénombre. Derrière l'une des grandes baies vitrées du fond, Guidry aperçut ce qui pouvait ressembler au bout rougeoyant d'une cigarette.

La porte de devant avait un lourd heurtoir en cuivre que Guidry n'avait pas remarqué la première fois qu'il était venu ici. Il représentait un visage de gargouille lugubre aux yeux clos. Quand Guidry souleva le visage pour toquer à la porte, il en découvrit un second juste en dessous. La même gargouille, mais ricanante, celle-ci, et les yeux grands ouverts braqués sur lui.

Au bout d'une longue minute, Leo vint ouvrir la porte. Il avait troqué son costume noir Savile Row contre un maillot de sport, un jean bleu délavé et une paire de *huaraches*, des sandales mexicaines, en cuir.

— Excusez-moi, dit Guidry. Je cherchais mon vieux camarade Leo.

Les yeux de Leo pétillèrent.

— Bonsoir, monsieur. M. Zingel est dans la bibliothèque. Si vous voulez bien me suivre.

Ils traversèrent le salon obscur et vide, puis la salle à manger, vide et obscure également. Pas un bruit, juste le *tap-tap-tap* de leurs pas qui résonnaient sur le marbre et le mugissement du vent qui grondait contre les vitres. Dehors, dans le désert, on aurait dit que la lune clignotait, s'allumait et s'éteignait tour à tour, au gré du passage des nuages. Guidry aurait aimé que Cindy et ses amis soient là, faisant de grandes éclaboussures dans la piscine ou se prélassant sur le tapis en peau de zèbre. Les garçons et filles perdus d'Ed lui faisaient froid dans le dos, mais cette maison déserte, c'était encore pire.

— Où est toute la petite bande, ce soir, Leo ? demanda-t-il.

— M. Zingel les a envoyés se faire une toile en ville, répondit Leo.

Une lumière au bout du tunnel, l'éclat joyeux et doré d'une cheminée : la bibliothèque d'Ed. Ed était assis derrière un grand bureau en chêne. Guidry prit place dans l'un des fauteuils club disposés devant lui. Il n'y avait pas grand-chose sur le bureau. Un téléphone, une boîte de cigares, une enveloppe en papier kraft au contenu volumineux. Et le flingue d'Ed.

— Très romantique, Ed, commenta Guidry. Sache que j'apprécie l'effort, mais veux-tu bien allumer une lampe, pour l'amour du ciel !

— C'est dans le noir que je réfléchis le mieux, répondit Ed.

La lune s'alluma. Deux murs de la bibliothèque étaient entièrement en verre.

Guidry hocha la tête.

— Voilà qui est mieux, dit-il. Merci.

— Il n'y a rien que je ne ferais pour toi, fiston.

— Tu es toujours en train de réfléchir ?

— Pas à propos de ça. Pas à propos de toi, précisa Ed en jetant un coup d'œil à sa montre. Je me suis décidé il y a quelques minutes.

Leo apporta un verre de scotch sec à Guidry. Ed pointa un doigt vers l'enveloppe en papier kraft.

— C'est les papiers dont tu auras besoin pour entrer dans la base de Nellis et en décoller, direction le Vietnam, annonça Ed. Tout est réglo, plus ou moins. Tu es un cadre moyen laborieux pour une société qui a signé un contrat avec l'armée. Des parkas imperméables et des pantalons de combat poids léger, numéro de commande 8901. Tissus et Vêtements Fletcher & Sons, à Holyoke dans le Massachusetts. C'est une véritable entreprise, et un véritable contrat. Ça me rapportera peut-être même quelques bénéfices au passage.

— Tu sais que j'ai toujours aimé les vêtements – surtout pour les enlever, tu me diras.

— Celui qui te prend en stop, c'est un excellent pilote du nom de colonel Butch Tolliver, qui est aussi un joueur dégénéré. Son oiseau s'envole demain soir à 7 heures tapantes, c'est un Cargomaster. En ce qui concerne ton passeport, je travaille encore dessus. Donne-moi quelques semaines. De toute façon, tu n'en auras pas besoin tout de suite, puisque tu atterris à Tan Son Nhut. C'est la base aérienne. Nguyen a graissé toutes les pattes nécessaires. Donc, pour l'instant, tu es toujours Frank Guidry. Tu t'en souviendras ?

— Je ferai de mon mieux, répondit Guidry.

— Leo, appela Ed. Cours au sous-sol et rapporte-nous une bouteille qui en vaille la peine, veux-tu ? Le Macallan, année 1946. On fête un heureux événement. Et prends-toi aussi un verre.

Ed donna une pichenette à l'enveloppe en papier kraft, qui tournoya sur le bois ciré jusqu'à Guidry. Guidry ne tendit pas la main pour s'en saisir.

— Qu'est-ce que tu attends, fiston ? demanda Ed. Il n'y aura pas de coup de théâtre de dernière seconde. Le coup de théâtre, ici, c'est qu'il n'y en a pas. Tu vas mener une longue vie fructueuse. Notre partenariat sera long et fructueux.

— J'ai une faveur à te demander, Ed.

Ed était sur le point de couper le bout d'un cigare. Il reposa le coupe-cigare. Il reposa le cigare.

— Une autre faveur, tu veux dire.

— Tu as déjà fait beaucoup pour moi, reconnut Guidry. Personne ne le sait mieux que moi.

— Apparemment, non, répliqua Ed. Sinon, tu ne me demanderais pas une autre faveur. Est-ce que tu as la moindre idée de ce que j'ai sacrifié pour toi ? Tout l'argent et les trésors de bonne volonté que ça m'a coûtés ? Devine combien tu vaux aux yeux de Carlos.

— Tu as donc mené ta petite enquête.

— Évidemment que j'ai mené mon enquête. N'aie pas l'air si choqué.

— Je ne le suis pas.

— Tu aurais fait la même chose, fiston, si tu étais à ma place. Je l'espère, en tout cas.

Guidry vida son verre de scotch d'une longue traite.

— Je veux emmener Charlotte et ses filles avec moi au Vietnam.

La lune s'éteignit. La pièce replongea dans la pénombre. Guidry ne parvenait pas à distinguer l'expression sur le visage d'Ed. Dehors, le vent retomba, pour rassembler ses forces et charger de nouveau, hurlant contre les vitres.

— Tu en as une sacrée paire, dit Ed. Je dois bien le reconnaître.

— Regardons les avantages, déclara Guidry.

— Quelle est l'expression que tu utilises tout le temps, déjà ? « Grands dieux ! » C'est ça. Ça t'ennuie, si je te l'emprunte ?

— J'y ai bien réfléchi, Ed. Je ferai le boulot que tu attends de moi. Je le ferai bien. Ça ne changera rien.

À entendre ces mots prononcés à voix haute, Guidry sut que son plaidoyer était voué à l'échec. Il l'avait su tout du long, mais avait simplement refusé de l'admettre. En avoir une sacrée paire, c'était bien, mais un type qui mettait cette paire dans la balance pour une femme et deux gamines qu'il avait rencontrées une semaine plus tôt, seulement ? Qui accepterait de se fier au jugement d'un homme pareil ?

— Grand dieux ! fit Ed.

— Ed…

— C'est d'accord. Je peux arranger ça.

Dans son élan, Guidry s'était presque déjà lancé dans sa phrase suivante. *Ed, écoute-moi, seulement, ils feront davantage confiance à un père de famille qu'à un célibataire…*

— Quoi ? lâcha Guidry.

— J'ai choisi mon cheval, fiston. Maintenant, je veux le voir courir. Je gagnerai mon pari, ou pas. En plus, qui suis-je pour faire barrage au grand amour ?

Quoi ?

Mais, à ce moment, Ed bougea dans son fauteuil. Son sourire éclatant brilla dans la pénombre, et Guidry s'aperçut qu'il avait la main posée sur son pistolet.

— Il n'y a qu'une seule condition, ajouta Ed. Je garde une des petites filles pour moi. C'est toi qui choisis, je me fiche de laquelle.

Guidry essaya de lui renvoyer un sourire.

— C'est hilarant, Ed, fit-il.

— Vraiment ? dit Ed. C'est une bonne affaire, je trouve.

Tu en sors toujours gagnant. On peut tirer à pile ou face, si tu veux. C'est quoi, leurs prénoms, déjà ?

Dans la cheminée, une bûche éclata en confettis brillants. La lune se ralluma. Ed rugit de rire.

— Tu devrais voir ta tête, fiston.

— Nom de Dieu, Ed !

— Est-ce que je suis un monstre ? demanda Ed. Est-ce que c'est ce que tu penses de moi ? Je suis déçu. Je suis flatté.

— Va au diable.

Ed reprit son cigare et en coupa le bout.

— J'ai déjà arrangé le coup. Charlotte, les enfants. Vous êtes tous les quatre prévus sur ce vol, demain.

— Tu as déjà…

— Je savais que tu voudrais les emmener, coupa Ed. Ou en tout cas, je me suis dit qu'il y avait une chance sur deux que ce soit le cas. Tout ce dont vous aurez besoin se trouve dans l'enveloppe. Vas-y, prends-la.

Ed remarqua que Leo s'attardait encore dans l'embrasure de la porte.

— Leo, l'interpella Ed, est-ce que je l'ai rêvé ou est-ce que je t'ai demandé de courir au sous-sol nous chercher cette bouteille de Macallan 46 pour qu'on puisse faire la fête ?

Guidry ramassa l'enveloppe en papier kraft. Il avait envie de grimper sur le bureau et de prendre ce gros salopard dans ses bras.

— Nom de Dieu, Ed !

— J'ai été amoureux, autrefois, dit Ed. Je parie que tu ne le savais pas. Il y a longtemps, mais je me souviens de ce que ça fait. L'amour ne dure pas, mais ça ne signifie pas qu'il n'a jamais existé.

— Je ne sais pas si c'est de l'amour, répliqua Guidry. Je ne sais pas ce que c'est.

— Par contre, ne reviens pas me voir en pleurnichant. Quand tu en auras marre et que tu voudras renvoyer femme et enfants au pays. Au fait, tu restes ici, ce soir. Tu seras plus en sécurité.

— Plus en sécurité ?

— Je vais envoyer Leo chercher ces dames. Passe-leur un coup de fil. Préviens-les qu'il arrive.

Ed leva de nouveau les yeux.

— Leo ! Réveille-toi, nom de Dieu !

Leo n'avait toujours pas bougé de l'embrasure de la porte. Guidry n'eut qu'une demi-seconde pour se demander pourquoi, une demi-seconde pour se demander pourquoi Leo avait un pistolet à la main, après quoi le temps fit une embardée : le bras de Leo était déjà tendu et la détente, déjà pressée.

Dans une détonation assourdissante, un éclair bleuté fonça vers Ed, dont la tête fut projetée en arrière, libérant un nuage de sang.

Leo.

Leo.

Leo, qui savait combien Guidry valait aux yeux de Carlos, mort ou vif.

Guidry avait déjà essuyé des tirs dans le passé – de nombreuses fois pendant la guerre –, aussi ne s'immobilisa-t-il pas quand Leo se tourna et braqua son arme sur lui. Il plongea derrière le bureau. Du chêne massif et lourd, interposé entre la porte et lui. Il sentit, puis entendit – *boum, crac* – la deuxième balle le rater de peu. La paroi de verre derrière la chaise où il était assis un instant plus tôt s'étoila.

Tout ce que Leo avait à faire, c'était avancer de quelques pas sur sa gauche. Guidry était tapi dans un coin, il n'avait nulle part où se cacher. Ed, comme un ultime service avant de mourir, avait réussi à attraper son flingue et l'avait fait tomber sur le tapis. Mais il était trop loin et du mauvais côté du bureau.

Leo. Qui jouait là le coup de sa vie. Liquider Ed, vendre Guidry. Si sa cervelle n'avait pas explosé, Ed lui-même aurait été impressionné.

— Sors de là, ordonna Leo.

— Leo. Discutons.

Qu'attendait Leo ? Il n'avait pas encore repéré le pistolet d'Ed par terre. Il se disait que Guidry l'avait peut-être récupéré.

— Sors de là, répéta Leo.

La lune s'éteignit. Celui qui hésite est perdu. Guidry se rua vers le pistolet d'Ed, et un éclair bleu zébra l'obscurité. Surgi de nulle part, un hurlement retentit. Un cri féminin, de fureur vengeresse et assoiffée de sang.

Le tir avait manqué sa cible, Guidry n'était pas mort. Enfin, il ne le pensait pas. Il se releva et vit une sorte de démon cramponné au dos de Leo et s'agitant en tous sens. C'était Cindy, qui enfonçait ses ongles dans le visage de Leo et le labourait comme si elle essayait de lui arracher la peau du crâne.

Leo tourna sur lui-même, cherchant un bon angle par-dessus son épaule pour pouvoir faire feu sans se blesser. Ils titubèrent ensemble à travers la bibliothèque, et Leo tira enfin. La tête de Cindy partit en arrière. Malgré cela, elle ne relâchait pas son étreinte. Leo pivota de nouveau sur lui-même, arracha la furie de son dos et la projeta dans la grande fenêtre déjà lézardée par la balle. La vitre vola en éclats. Cindy et tous les bris de verre atterrirent dehors, sur les rochers de lave noire.

Leo se tourna aussitôt vers Guidry, mais celui-ci lui tira dans la poitrine. Leo lâcha son arme et mit un genou à terre. Il fut secoué de rire. *Ha ! Ha !* C'est ce qu'on aurait dit, en tout cas. Guidry tira encore une fois. Leo bascula. Une dernière bulle de sang sombre s'échappa de sa bouche.

Cindy était morte, elle aussi. Ed était mort. Guidry s'autorisa à inspirer profondément à trois reprises. Un, deux, trois. C'était tout ce qu'il pouvait se permettre, pas plus. Il vérifia qu'il avait bien ses clés de voiture. Il vérifia qu'il avait bien l'enveloppe en papier kraft.

Il traversa la maison et en sortit par la porte. Il n'entendit ni ne vit personne d'autre. Soit Cindy était revenue seule du cinéma, soit les autres gamins s'étaient enfuis en entendant les coups de feu.

Une dernière inspiration, pour la route. Guidry monta dans sa voiture et fit démarrer le moteur.

31

Il était à présent évident pour Charlotte que Frank lui cachait quelque chose – peut-être même toute la vérité. À propos d'Ed, à propos de lui-même. Mais c'était un autre constat qui lui rendait le cœur si lourd : il ne l'écoutait pas, il avait cessé de l'écouter.

— Si j'ai quitté l'Oklahoma, c'est pour construire une nouvelle vie, pour moi et pour les filles. Je dois le faire de moi-même. Je *veux* le faire de moi-même.

— Réfléchis-y, lui dit-il. Laisse-moi une chance. Nous nous aimons. Rien d'autre n'a d'importance.

Il l'embrassa. Elle lui rendit son baiser.

— Vas-tu au moins y réfléchir ? demanda-t-il. Oui ?

Charlotte hocha la tête.

— Oui.

Elle l'aimait sans doute, en effet. Mais, à ce moment précis de sa vie, il y avait tant d'autres choses qui comptaient pour elle. Qui comptaient encore plus. Il l'aurait compris, si seulement il l'avait écoutée.

— Au revoir, Frank, dit-elle.

— Je reviens dans une heure et quelques.

La porte se referma derrière lui. Charlotte s'assit sur le lit pour attendre. Le couvre-lit en chenille couleur crème était orné de boutons de rose. Elle les compta un à un. Lorsqu'elle arriva au cinquantième, lorsqu'elle eut laissé à Frank suffisamment de temps pour prendre l'ascenseur et se diriger vers sa voiture, lorsqu'elle fut sûre qu'il ne reviendrait pas, parce qu'il avait oublié ses clés ou son portefeuille, elle se leva et traversa le couloir.

Elle n'alluma pas la lumière dans sa chambre – elle devrait se contenter de la lueur du golf miniature – et ouvrit les tiroirs de la commode le plus discrètement possible.

Les filles seraient outrées. Elles insistaient toujours pour faire leurs propres valises et accordaient la plus haute importance à l'ordre dans lequel elles rangeaient leurs affaires et à l'endroit exact où elles les disposaient. Mais Charlotte ne voulait pas encore les réveiller, pas avant que tout soit prêt. Rosemary aurait trop de questions à lui poser. Charlotte serait obligée de s'arrêter et de lui expliquer pourquoi elles partaient, pourquoi Frank ne les accompagnait pas, pourquoi il fallait qu'elles fassent vite, vite, vite. Il ne lui restait qu'une heure avant le retour de Frank. Elle ne voulait pas avoir à lui dire au revoir deux fois.

Allez hop, dans le taxi, les filles, vite, vite, vite. Je vous expliquerai tout quand nous serons dans le bus.

Y avait-il un bus de nuit pour Los Angeles ? Oui, certainement. Si ce n'était pas le cas, Charlotte improviserait sur le moment.

Les filles voudraient-elles savoir pourquoi Frank ne leur avait pas dit au revoir ? Oh ! oui, elles le lui demanderaient forcément. Charlotte n'avait pas encore la moindre idée de ce qu'elle leur dirait. Là aussi, elle improviserait.

Elle ne retrouvait pas l'une des chaussures de Joan. Charlotte se mit à genoux et chercha sous le lit à tâtons. Le chien vint la voir, de son pas mollasson, et pressa sa truffe froide dans son cou.

— Ne t'inquiète pas, lui chuchota-t-elle. Je ne t'ai pas oublié.

Le chien se laissa choir près d'elle et poussa un soupir sceptique.

— Ils ne t'empêcheront pas de monter dans le bus, lui dit-elle. Je ne les laisserai pas faire.

Charlotte se sentait… bien. Vaillante, lucide et optimiste. Un peu plus d'une semaine auparavant, elle était assise à la table du salon, engourdie et épuisée, tandis que Dooley découpait le rôti du dimanche. Un peu plus d'une semaine auparavant, la perspective d'une autre journée comme celle-ci – dans sa vie, et dans sa peau d'avant – lui avait donné envie de se rouler en boule pour ne plus jamais bouger.

Et maintenant, même si elle savait que d'autres épreuves l'attendaient, elle avait hâte d'être au lendemain. Elle avait hâte de voir ce que l'avenir lui réservait.

La chaussure manquante de Joan réapparut enfin, coincée entre la poubelle et l'un des pieds du bureau. Se relevant, Charlotte aperçut une enveloppe sur le bureau. Elle avait failli ne même pas la remarquer, dans le clair-obscur de la chambre. Dans l'enveloppe, il y avait les tirages faits à partir du rouleau de pellicule qu'elle avait confié à Gigi.

Charlotte parcourut le paquet. La photo prise au golf miniature se révéla plutôt réussie, mais pas tout à fait comme Charlotte l'avait imaginée. Il y avait eu un peu de retard au déclenchement, ce qui avait accentué l'ombre du moulin sur Frank et les filles. Mais cette fraction de seconde en plus avait donné à la pirouette de Rosemary un aspect un peu plus léger et aérien, de même qu'elle avait rendu plus éclatant le blanc de la balle de golf, la faisant ressortir bien nettement, et attrapé Frank au tout début d'un sourire.

Elle fourra les photos dans son sac à main et termina de faire les valises. Elle alla s'assurer que les filles dormaient encore. Leur journée au lac les avait vidées, elles ne bronchaient pas. Ce serait une véritable épreuve de les réveiller et de les habiller, mais Charlotte avait encore un peu de temps devant elle.

Elle retourna dans la chambre de Frank et y trouva un stylo et une feuille de papier à lettres de l'hôtel. Elle ne savait pas quoi écrire. Ne lui avait-elle pas déjà tout dit ? Frank commençait déjà à se transformer dans sa mémoire, la personne réelle se changeait en un bon souvenir. Un souvenir qui lui serait sans doute de plus en plus précieux, avec le temps, mais qui deviendrait aussi de moins en moins réel.

Elle envisagea un instant de lui offrir la photo du golf

miniature. Mais d'un autre côté, c'était la meilleure du paquet, alors elle décida plutôt de la garder pour elle.

Quand elle ouvrit la porte pour gagner sa chambre, elle fut étonnée de voir un homme, debout devant elle. Il était sans doute sur le point de toquer, se dit Charlotte, même s'il avait les bras le long du corps.

— Oh ! fit-elle. Bonsoir.

— Je travaille ici, dit l'homme.

— Y a-t-il un problème ?

— Retournez dans la chambre.

La première pensée qui lui traversa l'esprit la remplit aussitôt de panique : un incendie, les filles, pourquoi n'avaient-elles pas entendu l'alarme ? Elle devait aller les retrouver, sur-le-champ.

— Mes filles. Il faut que…

— Retournez dans la chambre, répéta l'homme en avançant d'un pas.

Charlotte fut obligée de reculer et, avant même qu'elle ait pu se rendre compte de ce qui était en train de se passer, l'homme avait fermé la porte derrière eux et l'avait verrouillée.

Il avait le teint crayeux et transpirait abondamment. Une frange de cheveux noirs et humides retombait sur son front. Son costume était tout fripé, comme s'il avait dormi dedans.

Cet homme ne travaillait pas pour l'hôtel. Il parcourut la pièce du regard. Sa main droite était entièrement bandée, du poignet jusqu'au bout des doigts. Charlotte le remarquait seulement. Dans sa main gauche, il tenait un revolver. D'où cette arme sortait-elle ? Charlotte ne l'avait pas remarquée non plus.

Elle fut prise de vertige. Peut-être, peut-être que cet homme travaillait pour l'hôtel, en effet. Un agent de sécurité, sans doute. Peut-être…

— Où est-il ? demanda l'homme.

— Ce n'est pas ma chambre, déclara Charlotte.

— Où est-il ? répéta l'homme.

— Il n'est pas là. Il est allé rendre visite à un ami.

— Asseyez-vous. Sur le lit.

Si elle criait, cela risquait de réveiller les filles. Elles arriveraient en courant. Elles savaient où leur mère était. Chaque soir, en les bordant, elle s'assurait qu'elles comprennent bien. « Je suis juste de l'autre côté du couloir. Je reviendrai à 10 heures. Si vous avez besoin de quoi que ce soit, venez me chercher. »

Si elle criait et que l'homme lui tirait dessus, les filles entendraient le coup de feu et arriveraient en courant. Alors, il les tuerait aussi.

Les filles, les filles, les filles. Le cerveau de Charlotte bégayait, calait. *Les filles, les filles, les filles* – elle ne pouvait penser à rien d'autre. Quoi qu'il arrive, quoi qu'elle fasse ou ne fasse pas, quoi que cet homme lui fasse ou ne lui fasse pas, il fallait qu'elle le tienne éloigné de Rosemary et Joan.

Elle avait été trop bête. Cela concernait Frank, bien sûr. Ou plutôt, l'homme qu'elle avait pris pour Frank. Comment avait-elle pu être aussi bête ? Ses mains tremblaient. Elle serrait les poings et les maintenait appuyés contre le couvre-lit en chenille, sur les boutons de rose.

— Quand rentre-t-il ? demanda l'homme.

— Je ne sais pas, répondit-elle. Dans à peu près quarante-cinq minutes, je crois.

L'homme jeta un coup d'œil dans la salle de bains, dans le placard. Il ferma les rideaux.

— Je ne vous ferai pas de mal.

Sa voix, douce et décontractée, aurait dû la calmer. Ce ne fut pas le cas. Il tira la chaise du bureau et s'assit à côté de la porte. De sa main bandée, il tamponna la sueur qui inondait ses tempes et son front.

Il avait l'âge de Frank. Plus petit, plus mince, il avait l'air... ordinaire. C'était le seul mot qui venait à Charlotte pour le décrire. Exception faite de sa pâleur, il aurait pu être n'importe lequel des dizaines d'hommes – employés, serveurs et clients – qu'elle avait rencontrés à l'hôtel. Des yeux, un nez, une bouche. Elle attendit qu'il cille, pendant qu'il balayait la pièce du regard une nouvelle fois, mais il ne le fit pas.

Il croisa les jambes et passa son bras dont la main était bandée par-dessus le dossier de la chaise. Puis il posa le pistolet sur ses genoux, le canon négligemment pointé vers un point à la gauche de Charlotte.

Il n'était pas nerveux. Pourquoi transpirait-il ? Il n'était pas ivre non plus.

— Vous comprenez ce qui se passera si vous me posez des problèmes ? dit-il.

Elle se força à ignorer le pistolet. Elle se concentra sur le bout du soulier richelieu noir qui se balançait. *Les filles, les filles, les filles.* Et si Rosemary faisait l'un de ses cauchemars et restait inconsolable ? Joan savait quoi faire. *Allons voir maman.* Et si Joan se réveillait en ayant mal au ventre ? Rosemary savait quoi faire. *Allons voir maman. Elle est juste en face, de l'autre côté du couloir.*

Un petit *toc toc toc* hésitant, contre la porte. Qui pouvait retentir à tout instant, maintenant. L'homme se retournerait. Charlotte crierait aussi fort qu'elle le pourrait. *Courez !* Elle se jetterait sur l'homme, saisirait son arme et continuerait de crier. *Courez !*

Est-ce qu'elles le feraient ? Est-ce que les filles partiraient en courant ? Presque toutes les décisions que Rosemary et Joan prenaient ensemble requéraient de nombreuses discussions préalables. Combien de fois les avait-elle surprises en train de chuchoter, leurs têtes l'une contre l'autre, pour délibérer comme deux avocates à la cour de justice ? Le cri de Charlotte pouvait les pousser à agir, comme il pouvait tout aussi bien les figer sur place.

Elle ne vivrait pas assez longtemps pour le savoir. Elle mourrait sans savoir si elles étaient saines et sauves.

— Vous comprenez ce qui se passera si vous me posez des problèmes ? répéta l'homme.

Elle leva les yeux vers lui.

— Laissez-moi partir, dit-elle. Je vous en prie. Je suis sur le point de quitter l'hôtel. J'ai déjà fait mes bagages. Quel que soit le problème, quelle que soit la raison pour laquelle vous cherchez Frank ou Ed, je n'ai rien à voir avec ça. Je… Je n'en ai rien à faire.

— Je ne vous ferai pas de mal.

Mais l'homme ne dit cela qu'après un silence, comme un acteur à qui l'on souffle sa réplique depuis les coulisses.

— S'il vous plaît, l'implora-t-elle, laissez-moi partir.

Les épaules de l'homme se voûtèrent. Ses yeux s'adoucirent. Que lui arrivait-il ? Un jour, Charlotte avait sorti un gâteau au chocolat trop tôt du four – une tentative médiocre de ses débuts – et l'avait vu s'affaisser sous ses yeux.

L'homme parvint à se ressaisir. Il se redressa. Il ne lâcha pas le pistolet.

— Ted ? fit-il.

— Non, dit-elle. Il s'appelle Ed. Je ne connais pas son nom de famille. C'est l'ami de Frank.

L'homme fut parcouru d'un frisson. Un peu de couleur revint à ses joues et à ses lèvres.

— Vous êtes malade, reprit Charlotte. Vous avez de la fièvre.

— J'ai déjà connu pire, rétorqua-t-il.

— Je m'appelle Charlotte. Et vous ?

Elle savait que c'était peine perdue. Il la regarda de la même façon qu'il regardait la lampe à col de cygne, le cendrier en verre posé sur la table de nuit ou le mur vide derrière elle.

— Si on me le demande, continua-t-elle, je jurerai que je ne vous ai jamais vu.

— La ferme, lâcha-t-il.

— Voulez-vous que je vous apporte un verre d'eau ?

Que pouvait-elle faire ? *Les filles, les filles, les filles.* Le *toc toc toc* à la porte, à n'importe quel moment. Qu'arriverait-il si Frank revenait maintenant ?

— Où sont vos enfants ? demanda-t-il.

Le frisson se propagea en *elle*, à présent. Il lisait dans ses pensées. Non. Elle se souvint qu'elle lui avait parlé des filles, avant même qu'il entre dans la chambre. C'était trop bête. Elle avait été trop bête depuis le début.

— J'ai dit, où sont vos enfants ?

— En bas, répondit Charlotte. À la garderie.

— La garderie est fermée.

Il ignorait si la garderie était fermée ou non. Mais Charlotte le comprit trop tard. Il avait déjà aperçu son hésitation initiale.

— Est-ce qu'elles sont dans la chambre d'en face ? demanda-t-il. De l'autre côté du couloir ?

— Qu'est-il arrivé à votre main ? J'ai de l'aspirine dans mon sac.

Il fallait faire diversion à tout prix.

— Est-ce que Frank Wainwright est son véritable nom ? Il m'a dit qu'il vendait des assurances à New York. Je suis vraiment bête.

L'homme décroisa les jambes et planta ses souliers richelieu noirs dans le tapis. Il s'appuya sur le coude qu'il avait calé contre le dossier de la chaise, mais ne parvint à se soulever que de quelques centimètres, avant de s'effondrer de nouveau. Charlotte se dit qu'il allait peut-être poser son arme par terre ou sur la commode, afin de pouvoir utiliser sa bonne main pour se hisser. Mais il ne le fit pas et lorsqu'il essaya une seconde fois de se mettre debout, il y parvint.

— Jetez-la vers moi, ordonna-t-il.

— Quoi ? demanda-t-elle.

— L'aspirine.

Elle ouvrit son sac à main. Le tas de photos, une lime à ongles, une boîte d'allumettes, son poudrier, son rouge à lèvres et une clé de chambre attachée à une étiquette plastifiée en forme de diamant. Rien que Charlotte puisse utiliser comme arme. Un chewing-gum. Le petit conducteur de *rickshaw* que Rosemary adorait – un petit jouet à monter soi-même qu'elle avait trouvé dans une boîte de céréales Rice Krinkles.

— Jetez-la vers moi, répéta-t-il.

Il attrapa le flacon de comprimés et le coinça entre sa main bandée et sa poitrine. Il en dévissa le bouchon avec les dents. Puis il enfourna les cachets dans sa bouche et se mit à les mâcher.

— Je peux vous apporter un verre d'eau, proposa-t-elle.

— Allons voir vos enfants.

Il dut dire quelque chose d'autre, également, mais Charlotte ne l'entendit pas. L'espace de quelques instants, elle devint sourde. Seul un léger bourdonnement strident résonnait à ses oreilles, de plus en plus fort, à mesure que la pression montait, montait encore. Combien de temps était-il possible de rester en vie, une fois que le cœur s'était arrêté de battre ?

— Non, répondit-elle.

— Emmenez-moi dans votre chambre, ordonna-t-il. Nous allons attendre Frank là-bas.

— Nous pouvons l'attendre ici.

— Vous ne voulez pas être auprès de vos enfants ?

Il allait les assassiner, elle et les filles. Charlotte le savait, sans le moindre doute. Elle le *voyait*. Elle voyait le reflet de la porcelaine, du carrelage et du miroir. Le corps sans vie de Rosemary dans la baignoire. Celui de Joan blotti contre elle. Deux petits pois dans une cosse. Le rideau en plastique de la douche arraché de ses anneaux. Son propre corps sans vie gisant par terre. Le robinet du lavabo qui coulait, et la main d'un homme qui recueillait l'eau dans le creux de sa paume.

Charlotte voyait exactement ce que l'homme au pistolet voyait. C'était comme s'ils étaient tous les deux côte à côte, devant une fenêtre, contemplant ensemble le futur qu'ils allaient partager.

— Levez-vous, ordonna-t-il encore.

— Non, répondit Charlotte.

Il leva son arme et la braqua sur elle. Elle se mit à paniquer. Elle était sur le point de craquer. *Les filles, les filles, les filles.* Et pourtant, au même instant, un sentiment plus puissant que la panique l'envahit et la calma, apaisant son esprit, le vidant de toute peur, de toute terreur, de toute autre forme de distraction.

Qu'il lui tire dessus ! Les filles entendraient le coup de

feu, mais les autres personnes présentes dans cette aile de l'hôtel, également. Quelqu'un appellerait la réception, la police. L'homme serait obligé de s'enfuir. Il le savait. C'est pour cela qu'il ne voulait pas lui tirer dessus tout de suite. Il voulait l'emmener en face, de l'autre côté du couloir, et que tout se fasse en silence. Il espérait que Charlotte ferait taire les filles pour lui. Chut, s'attendait-il à ce qu'elle leur dise. *Tout va bien, il ne nous fera pas de mal.*

— Levez-vous maintenant, dit-il.

Elle savait qu'il la tuerait. Elle s'en fichait. Charlotte le vit tel qu'il était : un homme affaibli, incapable de la forcer à se déplacer tant qu'elle refuserait de bouger.

Et elle pouvait le faire. Elle n'avait aucun doute là-dessus.

— Comment vous êtes-vous blessé à la main ? demanda-t-elle.

— Levez-vous, sinon…, menaça-t-il. Je ne vous le répéterai pas.

— Est-ce que vous avez quelqu'un ?

— Si j'ai quelqu'un ?

— Une femme. Une petite amie. Quelqu'un qui peut s'occuper de votre main.

Il vacillait sur ses jambes. Il transpirait, il tremblait. Elle observa le phénomène se reproduire – l'affaissement, le quasi-évanouissement, la fièvre qui reprenait possession de lui. Il la regardait, lui aussi. Debout côte à côte à leur fenêtre, ils contemplaient le futur ensemble. Ses yeux qui devenaient vitreux, ses jambes qui se dérobaient sous lui, le pistolet qui lui échappait et qui tombait sur le tapis, avec un bruit sourd.

— Vous êtes très malade, lui dit-elle. Vous ne croyez pas que vous devriez vous rasseoir ?

Il posa le pistolet sur la commode. La seconde d'après, il était arrivé au milieu de la pièce, en deux enjambées étonnamment rapides – debout au-dessus de Charlotte, il avait la main serrée autour de sa gorge et l'avait repoussée en arrière sur le lit. Le poids de son corps stupéfia Charlotte. Cinq cents kilos tombés du ciel. Elle ne pouvait plus respirer.

Elle tenta de se dégager en se tortillant, mais cela ne fit qu'empirer les choses. Sa gorge. La puissance inamovible et écrasante de ses doigts la sidérait. Il lui immobilisait les épaules. Elle ne pouvait plus respirer, elle ne pouvait plus bouger. Sa vision commença à se brouiller, à vaciller.

— Merde, fit-il.

Sa voix résonna dans l'oreille de Charlotte. Elle sentit l'odeur d'aspirine dans son haleine. Elle sentit la puanteur douceâtre, comme une odeur de pourri, qui émanait du bandage sale. La sueur de l'homme dégoulina de son visage et vint piquer les yeux de Charlotte.

— Merde, répéta-t-il.

Il avait commencé à flotter. C'était l'effet que cela produisait sur Charlotte. Comme s'il s'élevait lentement au-dessus d'elle, tout ce poids, gramme par gramme, qui s'envolait comme des flocons de cendre éparpillés par la brise. Il lutta pour s'accrocher. Il frissonna, ses yeux devinrent vitreux.

Elle pouvait bouger un bras, maintenant. Juste un peu. Que cherchait-elle à tâtons ? Elle l'ignorait. Son arme, coincée dans sa ceinture. Non. Il avait laissé le pistolet sur la commode. Il était trop malin.

Gramme par gramme, flocon par flocon, il décollait, et la pression sur la gorge de Charlotte s'allégeait. La fièvre l'avait repris. Mais pas assez, trop lentement. Elle n'arrivait toujours pas à respirer.

La main de Charlotte était prise au piège, maintenant – coincée dans une poche, la poche de son costume. Elle sentit sous ses doigts un manche en bois lisse. Elle sentit une tige en acier au bout de ce manche, effilée comme une aiguille. Son extrémité pointue lui piqua le bout de l'index.

Elle saisit le manche en bois, puis, avec le reste de vie qui battait en elle, elle enfonça le pic à glace dans le côté de l'homme. Dans son estomac ? Dans sa cuisse ? Entre ses côtes ? Elle l'ignorait. Elle ne savait même pas s'il avait senti le coup. La respiration de l'homme accéléra légèrement, mais cela aurait pu être dû à la fièvre, et rien d'autre.

Et soudain, elle sentit la main qui serrait sa gorge devenir toute flasque. L'homme glissa sur le corps de Charlotte et se retourna pour se coucher, s'alanguir aurait-on dit, sur le côté, la tête posée sur le bras. Elle ne savait pas s'il était vivant ou mort. On aurait dit qu'il était sur le point de se réveiller d'une sieste, d'ouvrir les yeux et de bâiller, s'il n'y avait eu cette tache sombre qui s'élargissait au niveau de son ventre.

Elle roula sur elle-même pour descendre du lit et se mit maladroitement debout. Sa gorge était en feu. Elle devait réapprendre à respirer. Inspirer, expirer. Elle était en vie. Elle en était à peu près certaine.

Elle récupéra son sac à main et referma la porte de la chambre de Frank derrière elle. À un moment, bientôt, tout cela allait la submerger, c'était certain. Quelle que soit la magie noire que Charlotte déployait pour tenir à distance la panique, la peur et l'horreur, bientôt le charme se romprait dans un coup de tonnerre. Et, dans le raz-de-marée qui s'ensuivrait, Charlotte se noierait pendant des heures, des jours, incapable de se rappeler son propre nom ou de mettre un pied devant l'autre.

Bientôt, mais pas dans l'immédiat.

32

Guidry se força à respecter les limitations de vitesse. Mollo mollo, il ne quittait pas sa voie et mettait le clignotant bien à l'avance, avant chaque tournant. Il força son esprit à ralentir, également. *Prends ton temps, mon vieux. Prends du recul. Reste concentré. Ne néglige rien.*

La baraque d'Ed était au milieu de nulle part. Tant mieux. Pas de voisins indiscrets, pas de visiteurs qui passeraient tailler une bavette ou emprunter une tasse de sucre. Les amis de Cindy n'appelleraient pas les flics. Ces gamins n'étaient pas nés de la dernière pluie, ils comprenaient bien comment le monde fonctionnait. S'ils ne s'étaient pas déjà fait la malle, ils décamperaient en reniflant la merde dans laquelle ils s'étaient fourrés.

Par conséquent, Guidry avait du temps devant lui. La femme de ménage d'Ed ne viendrait pas travailler avant le lendemain matin, donc elle ne tomberait pas sur les corps tout de suite. Ou peut-être qu'Ed n'employait pas de femme de ménage. Si ça se trouve, c'était Leo lui-même qui passait la serpillière, récurait les chiottes et allait repêcher les cheveux d'or de toute cette jeunesse dans les trous d'évacuation des baignoires et des lavabos. Et toutes ces corvées ingrates expliquaient sans doute pourquoi il avait trahi Ed et tenté de décrocher le jackpot.

Guidry ne le prenait pas personnellement. Leo avait juste repéré une occasion et s'en était saisi. Mais Guidry devait savoir si Leo avait négocié une récompense à l'avance.

Il espérait que Leo avait agi sans réfléchir quand il avait appuyé sur la détente, car dans le cas contraire…

Leo avait-il parlé de Guidry à qui que ce soit ? Avait-il vendu la mèche et révélé qu'il était descendu à l'Hacienda ? En gage de sa bonne foi, juste pour prouver qu'il tenait bien la poule aux œufs d'or ?

Non. Leo n'aurait pas fait cela. Révéler l'endroit où se trouvait Guidry aurait rendu son rôle inutile. Leo ne se serait pas ainsi coupé l'herbe sous le pied. Du moins Guidry l'espérait-il.

Il jeta un œil au compteur. L'aiguille faisait des bonds. Mollo mollo ! Il serait à l'Hacienda dans dix minutes. Les bagages de Charlotte et des filles seraient bouclés en vingt minutes. Ils seraient tous en voiture et reprendraient la route, l'asphalte chantant sous leurs pneus, avant que le sang répandu sur le sol de la bibliothèque d'Ed ait cessé de fumer.

Ils devaient à tout prix quitter Las Vegas. Mais ils ne devaient pas s'aventurer trop loin non plus. L'idéal serait un petit motel dans l'une de ces petites bourgades desséchées, paumées en plein désert, qui ponctuaient le tracé de la Route 90 comme autant de mues de serpent : un coin tranquille où ils pourraient attendre que la journée s'achève.

Il ne leur fallait se planquer qu'un seul jour. Ed était peut-être mort, mais le colonel Butch Tolliver, ce joueur dégénéré, était encore bien en vie, lui. Et son avion décollerait, comme prévu, de la base de Nellis le lendemain soir à 19 heures, avec Guidry, Charlotte et les filles à son bord.

Et pourquoi n'en serait-il pas ainsi ? Le colonel avait certainement été payé à l'avance, se disait Guidry, et n'attendrait donc pas qu'Ed lui donne le feu vert. Ce dernier avait dû passer par un intermédiaire pour faire les arrangements nécessaires. Sans doute que le colonel Butch ne savait même pas d'où cet argent tombé du ciel provenait exactement.

Guidry jeta un œil à l'enveloppe en papier kraft posée sur le siège à côté de lui. Toute la paperasse était en règle, une heure auparavant. Avec un peu de chance, elle le resterait le temps qu'il faudrait.

« Tu vas passer la nuit ici. Tu seras plus en sécurité. »

C'étaient les derniers mots qu'Ed avait prononcés. Guidry n'avait pas eu le loisir de réfléchir à ces paroles jusqu'à maintenant. Que signifiaient-elles ? Peut-être que Seraphine avait retrouvé la trace de Guidry à l'Hacienda. Peut-être que le temps dont Guidry disposait s'était déjà écoulé et qu'il ne lui restait plus qu'à faire demi-tour sans tarder.

Mais il ne fit pas demi-tour. Les filles devaient déjà dormir. Il était presque 22 h 30. Guidry les porterait jusqu'à la voiture, une sur chaque hanche, de la même façon qu'il les avait portées lors de cette première nuit à Flagstaff. Il se souvenait encore de la chaleur qui émanait d'elles, de la douce joue de Rosemary contre la sienne, mal rasée, et du souffle de Joan dans son cou. Il revoyait Charlotte, en haut de l'escalier, qui lui souriait.

Guidry se souvenait bien de la première fois qu'elle lui avait souri. Il se souvenait aussi de la première fois qu'il l'avait fait rire. Le snack-bar à Santa Maria, Pat Boone dans le juke-box, peu après que Guidry avait manigancé son petit stratagème perfide. Le rire avait commencé dans ses yeux, et dans cette première étincelle Guidry avait attrapé au vol un fugace aperçu de Charlotte, du début à la fin, son passé, son présent et son avenir, la petite fille qu'elle avait été et la vieille femme qu'elle deviendrait un jour.

Ça va marcher, s'était-il dit alors. J'espère que ça va marcher.

Quel genre de père serait-il ? Quel genre de mari ? Il serait complètement nul, sans aucun doute, Guidry devait bien se l'avouer, soyons franc. Il ne connaissait absolument rien à ces rôles-là. Mais il avait bien l'intention de tout sacrifier pour tenter le coup. Il était prêt à payer ce prix.

Et qui sait ? Peut-être que d'ici à vingt, trente ou quarante ans, Guidry repenserait à l'homme qu'il avait été un jour, ce gars si classe, si bien habillé, assis au Carousel Bar de l'hôtel Monteleone, à La Nouvelle-Orléans, et qu'il le reconnaîtrait à peine – guère plus qu'une vieille connaissance dont il aurait même oublié le nom.

Il atteignit l'extrémité sud de Las Vegas Boulevard. Les lumières des pistes d'atterrissage de l'aéroport McCarran brillaient devant lui. De l'autre côté de la rue, le cow-boy en néon de l'Hacienda, sur son mustang qui se cabrait, continuait inlassablement de saluer dans le vide – bonjour, au revoir, bonjour, au revoir. Guidry se gara le plus loin possible de l'enseigne lumineuse, dans le coin le plus sombre et le plus désert du parking.

« Tu vas passer la nuit ici. Tu seras plus en sécurité. »

Guidry se rendit compte qu'il se trompait. Ces paroles n'étaient pas les dernières qu'Ed avait prononcées. Les dernières paroles d'Ed étaient les suivantes : « Leo ! Réveille-toi, nom de Dieu ! »

Les filles avaient laissé leur livre Disney sur la banquette arrière. LES SECRETS DU MONDE CACHÉ – les aventures plus vraies que nature de ces créatures qui rôdaient et évoluaient dans la pénombre.

Il planqua le flingue d'Ed dans la boîte à gants et se dirigea tout droit vers la chambre de Charlotte. Il toqua doucement à la porte. Comment diable allait-il réussir à lui vendre cette fuite nocturne de dernière minute ?

Il frappa à nouveau. Pour calmer ses nerfs, il leur imagina un logis, à Saigon. Une maison de ville couleur crème avec de grandes fenêtres arquées et des balcons en fer forgé, au bout d'une allée pavée, à l'ombre des palmiers. À vrai dire, il ne savait pas si les rues de Saigon étaient pavées, et sa maison imaginaire ressemblait étrangement à l'une de celles qu'il avait vues sur Esplanade Avenue, à La Nouvelle-Orléans. Mais l'Indochine aussi avait été une colonie française, n'est-ce pas ? Alors, peut-être que les rues étaient pavées, là-bas aussi.

Il y avait un jardin à l'arrière où les filles pourraient lire, jouer et étendre une couverture pour pique-niquer ; il y avait une petite fontaine qui glougloutait et du bougainvillier qui débordait du mur de pierre comme de la mousse d'une chope de bière.

Il essaya d'actionner la poignée. Elle n'était pas verrouillée.

Mais Guidry ne la tourna pas. Tant qu'il n'ouvrait pas la porte et n'entrait pas dans la chambre, tant qu'il n'allumait pas la lumière pour voir de ses propres yeux les lits vides, les cintres nus, les valises disparues, il pouvait continuer à faire comme si Charlotte et les filles étaient encore là.

Mais il savait qu'elles étaient parties. Bien sûr qu'elles étaient parties. Ce dernier baiser. « Au revoir, Frank. » Guidry avait compris ce qui était en train de se passer dès ce moment-là, mais il avait juste refusé de le croire. Bien sûr que Charlotte était en train de lui dire adieu. Elle était trop intelligente pour rester et accorder une seconde fois sa confiance à un gars comme lui. C'était d'ailleurs l'une des premières raisons pour lesquelles il était tombé amoureux d'elle.

D'un autre côté, peut-être que Rosemary n'avait pas réussi à trouver le sommeil et que toutes les trois étaient descendues au café de l'hôtel pour y commander des cookies et du lait chaud. Peut-être même qu'elles étaient en train de remonter, pile à cet instant…

Ah, comme l'auto-aveuglement était une chose puissante ! Il vous dotait d'une force surhumaine et vous rendait capable d'accomplir les hauts faits les plus valeureux.

Guidry ouvrit la porte et appuya sur l'interrupteur. Lits vides, cintres nus, valises disparues. Bien sûr que Charlotte et les filles étaient parties. Bien sûr.

Guidry pensait s'être préparé à la douleur. Mais non. Il était loin d'être prêt. Il s'attendait à ressentir un choc, comme une explosion ou une déchirure. *Tiens bon, accroche-toi, ça va passer*. Mais, au lieu de cela, la douleur qui s'empara de lui prit la forme d'une marée noire, qu'il sentait monter en lui, centimètre par centimètre, prête à se répandre, sans aucun obstacle pour l'endiguer, jusqu'aux confins de son existence.

Il ne prit même pas la peine de retourner dans sa propre chambre. Il pourrait acheter une nouvelle brosse à dents. Si Charlotte lui avait laissé un mot, il ne voulait même pas le lire.

Dans le hall d'entrée de l'hôtel, un groom le reconnut.

— Monsieur Wainwright, l'appela-t-il. Je me demandais où vous étiez. J'ai mis la dame et les demoiselles dans un taxi pour le dépôt de bus, il y a une demi-heure. Elles étaient très pressées. Vous devriez…

Mais soudain, le groom s'interrompit, comme frappé par une révélation. Oups. Il venait de comprendre que le pauvre M. Wainwright avait été abandonné par sa famille.

— Oh ! mince alors, monsieur Wainwright, fit-il, je me disais juste…

— Non, ne t'inquiète pas, Johnny, je vais les retrouver là-bas, répondit Guidry en gratifiant le pauvre gamin d'un sourire rassurant. La vie est belle !

Guidry traversa le parking. Il franchit tout le chemin jusqu'à sa voiture avec un sourire sur le visage et la marée de douleur qui ne cessait de monter en lui.

— Frank.

Un homme émergea de la pénombre, son visage était si pâle qu'il semblait briller. Un fantôme. Peut-être que Cindy disait vrai, après tout, au sujet de la vie après la mort.

— Vous devez me confondre avec quelqu'un d'autre, l'ami, rétorqua Guidry.

Le fantôme s'arrêta à trois mètres de lui et leva un pistolet. Guidry ressentit du soulagement, et non de la peur. Charlotte et les filles étaient à l'abri. Elles s'étaient échappées juste à temps. Et à présent, lui seul allait mourir. Toutes les doléances que Guidry avait pu formuler contre Dieu et l'univers furent instantanément effacées.

— Voiture, fit le fantôme.

Guidry ne comprit pas.

— Quoi ?

— La voiture.

— Vous voulez la voiture ? demanda Guidry. Servez-vous.

— Monte. Tu conduis.

Guidry avait compris. Quelque part dans le désert, un trou avait été creusé pour lui, sa tombe l'attendait. Une chose était certaine, il n'allait pas faciliter la tâche à son assassin. Désolé.

— N'y compte pas, dit Guidry. Je ne vais nulle part.

Le fantôme s'approcha lentement de la voiture. Une respiration à chaque pas. Guidry pensa d'abord qu'il s'agissait d'un manchot, car il ne voyait pas sa main droite, mais non, elle était juste glissée entre les boutons de sa veste. Le fantôme avançait plié en deux, une main cramponnée à son ventre comme si celui-ci lui faisait mal, mais il maintenait son arme braquée sur Guidry.

— Tu travailles pour Carlos ? demanda Guidry.

— D'après toi ?

— Qui t'a tué ?

— Quoi ?

— Tu ressembles à un fantôme.

Le fantôme réussit à ouvrir la portière de la voiture, côté passager. Le plafonnier s'alluma et l'éclaira. L'homme était encore plus effrayant que n'importe quel spectre. Il était si livide que Guidry ne voyait pas comment il pouvait encore y avoir la moindre goutte de sang en lui.

— Tu es Paul Barone ? demanda Guidry.

— D'après toi ? Monte.

Dans l'espace exigu de l'habitacle, Guidry réussirait peut-être à lui arracher son arme. Ou à récupérer celle d'Ed dans la boîte à gants. Mais à quoi bon ?

— Je te l'ai déjà dit, rétorqua Guidry. Je ne te conduirai nulle part.

— La Nouvelle-Orléans, dit Barone.

— Quoi ?

— Monte. Tu conduis, répéta Barone.

— Tu veux que je te conduise jusqu'à La Nouvelle-Orléans ?

Ce que Barone lui demandait n'avait aucun sens. Ce dernier essaya de grimper dans la voiture, mais dérapa et tomba sur un genou. Lorsqu'il s'efforça de se relever, il glissa de nouveau et lâcha le revolver. Il resta un genou à terre, cette fois, la tête baissée, comme s'il priait.

Guidry fit le tour de la voiture. Il éloigna l'arme d'un coup de pied. Il vit que le bas de la chemise de Barone était imbibé de sang, de même que les pans de sa veste et son pantalon, de la ceinture à l'entrejambe.

Il a vraiment une main en moins, se dit Guidry en apercevant un moignon sanglant accroché à la poignée de la portière. Mais il se rendit compte que ce qu'il prenait pour un moignon était en fait une main enveloppée d'un bandage rouge de sang, d'où sortaient des doigts aux ongles sanguinolents.

Barone ne leva pas les yeux vers Guidry. Sa respiration ressemblait au bruit que fait une vieille feuille morte lorsqu'elle racle le trottoir, soufflée par le vent.

— Je vais la tuer, dit Barone.

Guidry prit à nouveau conscience du danger qu'il avait fait courir à Charlotte et à ses filles. C'était impardonnable. Il était impardonnable.

— C'est trop tard, rétorqua-t-il. Pas de chance.

— Elle t'a rancardé, dit Barone.

Guidry se pencha pour mieux l'entendre. Mais sans trop s'approcher pour autant. Si ce type était Barone, ou quelqu'un du genre de Barone, il n'avait certainement pas dit son dernier mot. Ce genre de scorpion pouvait encore piquer.

— Qu'est-ce que tu as dit ? demanda Guidry.

— Elle t'a rancardé à Houston, répéta Barone. Et ici aussi.

— Qui ça ?

— Elle savait ce qu'elle faisait. La garce. Depuis le début.

Guidry se rendit compte que Barone ne pouvait parler de personne d'autre que de Seraphine. De toute évidence, il battait la breloque.

— Seraphine ne m'a jamais rien dit, répondit-il. Ni ici ni à Houston.

— Je vais la tuer, lâcha Barone.

— Tu ne vas pas sortir vivant de ce parking, rétorqua Guidry.

Barone semblait le savoir. Sa tête ne cessait de se rapprocher du sol, et son souffle n'était plus qu'un mince filet rauque.

— Carlos te retrouvera, dit-il. Il ne renonce jamais.

— Il pourra me chercher longtemps, répliqua Guidry.

— S'il ne te retrouve pas, il ira la chercher, elle. Il sait comment te faire du mal, maintenant.

Cela faisait une semaine et demie que Seraphine essayait de faire tuer Guidry. Celui-ci ne ressentait donc plus beaucoup de sympathie à son égard.

— Seraphine n'est pas mon problème, affirma-t-il. Je m'y ferai.

— Pas elle, fit Barone.

— Alors qui ?

Barone tourna enfin la tête pour regarder Guidry en face. Si on lui injectait quelques litres de sang, il aurait la même tête que la plupart des gars avec qui Guidry avait combattu outre-mer. Et la plupart de ceux qu'il fréquentait à La Nouvelle-Orléans. Un des hommes de Carlos, voilà tout. Guidry et lui s'étaient probablement croisés des dizaines de fois.

— La femme, répondit Barone. Ses gamines. Carlos sait comment te faire du mal maintenant.

Pendant une seconde, Guidry n'arriva pas à remplir ses poumons. Son cœur le lâchait. Il sentait toute sa mécanique s'enrayer, les courroies freiner, les rouages se gripper.

Charlotte. Les filles.

Barone avait suivi Guidry à l'Hacienda. Il avait vu Charlotte et les filles. Ce qui signifiait qu'il avait probablement déjà parlé d'elles à Carlos.

— Carlos ne peut rien contre moi, rétorqua Guidry.

— Tu sais qu'il n'aime pas perdre, dit Barone.

Ce n'était ni un avertissement ni une menace. Juste un fait si évident, si indubitable pour l'un comme pour l'autre qu'il aurait pu rester implicite.

— Aide-moi à me relever.

— Cette femme ne signifie rien pour moi, déclara Guidry.

— Aide-moi à me relever, répéta Barone. Monte. Tu conduis. La Nouvelle-Orléans.

— Carlos ne les retrouvera jamais, lança Guidry. Il ne connaît pas son nom. Et toi non plus. Il ne va rien leur arriver.

Barone ne répondit pas. Il était mort, enfin. Il lâcha la poignée, un doigt sanglant après l'autre, et glissa à terre.

Guidry passa cette nuit-là à Henderson, à une demi-heure au sud de Las Vegas, dans un motel qui faisait également bowling. Ce dernier jouxtait justement la chambre de Guidry. Allongé au lit, il écoutait le *boum* de la boule qui frappait le sol, suivi, quelques secondes plus tard, par le fracas retentissant des quilles qui volaient en tous sens, comme de la céramique que l'on brise. *Boum ! Clang !* Et cela répété un nombre incalculable de fois.

Et pourtant, ce ne fut pas le bruit qui maintint Guidry éveillé jusqu'aux petites heures du matin. Ce n'était ni le *boum* ni le *clang*, mais plutôt le silence qui s'étendait entre les deux, l'anticipation, l'attente du coup de tonnerre après l'éclair, pour ainsi dire.

Boum.

Il n'arriverait rien à Charlotte et aux filles. Carlos n'avait aucun moyen de les retrouver. Bien sûr, il enverrait quelqu'un fouiner à l'Hacienda, mais tous les employés là-bas pensaient que le nom de famille de Charlotte était Wainwright.

Clang !

Boum.

Le groom savait que Charlotte avait pris un taxi pour aller au dépôt de bus. Et le caissier au dépôt de bus risquait de se souvenir de Charlotte, lui aussi, cette séduisante jeune femme avec ses deux petites filles si bien élevées, qui avait acheté des tickets pour le bus de nuit en direction de Los Angeles.

Clang !

Boum.

Et alors ? Charlotte était une aiguille, et Los Angeles, la plus grosse botte de foin de la côte Ouest. Même s'il n'était pas exclu que quelqu'un reconnaisse Charlotte à la fois au dépôt de bus de Las Vegas et à celui de Los Angeles, et alors…

Clang !

Le sommeil vint enfin. Et avec lui, les rêves. Un rêve étrange en ce qu'il ne comportait justement rien de si étrange que cela. Guidry était de retour au Monteleone et discutait avec ce bon vieux Mackey Pagano. La même conversation qu'ils avaient eue l'autre jour.

Je suis dans le pétrin, Frankie. J'ai bien peur de m'être mis dans un vrai pétrin.

Je suis désolé, Mack.

Un autre rêve vint chasser celui-là. Guidry avait à nouveau quinze ans. Il en était sûr, parce qu'il se tenait sous le porche défoncé de l'affreuse petite baraque de St. Amant, où il disait au revoir à Annette. Elle avait onze ans quand il était parti vivre à La Nouvelle-Orléans. Deux mois plus tard, le soir de Noël, leur père s'était soûlé plus encore que d'habitude, il était d'humeur plus méchante encore que d'habitude et avait battu Annette à mort avec un tisonnier. Normalement, c'était sur Guidry que leur père utilisait cet objet, mais Guidry n'était plus là – il s'était fait la malle pour la grande ville et avait sauvé sa peau.

Pourquoi tu dois t'en aller, Frick ?

Désolé, Frack. J'enverrai quelqu'un te chercher quand j'aurai la grande maison de mes rêves.

Guidry avait repensé à ce moment précis chaque jour qui s'était écoulé pendant ces vingt-deux dernières années. Que n'aurait-il pas donné pour pouvoir revenir en arrière et rejouer cette scène autrement ? Il espéra que le rêve lui permettrait de le faire, mais ce n'était pas ce genre de rêve.

À plus tard, Frick.

À plus tard, ma petite.

Guidry tua le jour suivant – mardi, le jour du départ – sans trop de difficulté. Il se leva tard. Il se rendit au bowling d'à côté pour manger un hamburger et boire une ou deux bières. *Boum. Clang !* Il lut le journal du matin. Tout le tapage autour de l'assassinat continuait de plus belle : *Il faut découvrir la vérité !* Carlos, à La Nouvelle-Orléans, devait écumer de rage. Contre la commission Warren, et contre Guidry.

À 18 heures, le taxi déposa Guidry à la base aérienne de Nellis. Il tendit son laissez-passer au caporal qui gardait la barrière. Le document avait l'air parfaitement officiel. Peut-être qu'il l'était vraiment, d'ailleurs. Le caporal décrocha son téléphone. Il prononça quelques mots que Guidry n'entendit pas. Puis il raccrocha et nota quelque chose dans son registre. Il écrivait, il écrivait encore. Si des agents de la police militaire étaient tapis en embuscade en attendant de pouvoir coffrer Guidry, le moment était bien choisi pour lui faire la surprise.

Le caporal s'arrêta enfin d'écrire et rendit à Guidry son laissez-passer.

— Savez-vous où vous allez, monsieur ? demanda-t-il.

— Le colonel Tolliver me prend en stop ce soir, répondit Guidry. Vous savez où je peux le trouver ?

— Vous pouvez essayer le quartier des officiers. C'est tout droit, dernier immeuble sur la gauche.

— Merci.

Guidry rempocha le laissez-passer. Dès qu'il aurait franchi cette barrière, dès qu'il serait monté à bord de cet avion et que celui-ci aurait décollé du tarmac, il serait un homme libre.

Carlos irait-il chercher Charlotte et les filles ? Les retrouverait-il pour les tuer ? Ferait-il pire que cela encore ? Leur ferait-il payer les péchés de Guidry ?

Guidry l'ignorait. Il n'aurait jamais à le savoir. Au Vietnam, à des milliers de kilomètres d'ici, il serait à nouveau un homme libre. Il pouvait choisir de croire tout ce qu'il préférait croire.

Le caporal avait mieux à faire que regarder Guidry rester planté là.

— Y a-t-il un problème, monsieur ? demanda-t-il.

Guidry réfléchit à la question. Il secoua la tête.

— Non, répondit-il.

33

Ils arrivaient de l'ouest, chutant depuis les immensités bleues et vides, crevant les nuages. Juste quelques petites bouffées de rien du tout, d'abord, puis on passa aux choses sérieuses – des couches nuageuses empilées les unes sur les autres, si denses et si détrempées que l'avion semblait devoir lutter pour les traverser, tel un couteau émoussé tentant de scier une toile cirée grise.

Au Vietnam, il était censé faire encore plus chaud et humide qu'à La Nouvelle-Orléans. Guidry l'avait lu quelque part. Il avait hâte de retrouver la chaleur et l'humidité. Le désert l'avait presque tué, avec son air trop rare et trop sec pour maintenir une forme de vie digne de ce nom. Il était heureux de retourner dans son milieu naturel.

Ils chutaient, chutaient, tandis que le train d'atterrissage se mettait en place, avec un bruit sec et métallique. Sous les nuages apparaissait un patchwork de végétation tropicale luxuriante, quadrillé par des cours d'eau, des marais et des canaux, qui formaient un maillage argenté dans la lumière étale de l'après-midi.

Guidry envisagea de s'arrêter d'abord quelque part pour y manger un morceau en vitesse. Mais plutôt la *Muffuletta* de Central Grocery ou celle de chez Frank ? Les gombos de chez Bozo, à Mid-City, ou ceux de chez Uglesich ? Ou les gombos de… Grands dieux, les gombos de qui, déjà ? Guidry n'arriverait jamais à choisir ; il risquait de rester paralysé, sans parvenir à se décider. Il prit sa voiture et conduisit tout droit jusqu'au restaurant The Famous Door, sur Bourbon Street.

Il était trop tôt pour aller écouter le moindre orchestre *dixieland* mais, quelques années plus tôt, le propriétaire de l'établissement y avait casé une cuisine et avait transformé l'arrière-salle en un club dans lequel on n'entrait que sur invitation. Il l'avait appelé le Spot. Le lieu semblait réservé aux dépravés de tout acabit et aux voyous des rues, merci bien. Mais le mercredi, quand la femme du patron faisait ses légendaires *braciole* à la sauce tomate, le club ne désemplissait pas. Carlos, champion des mangeurs, dans une ville de gros mangeurs, n'aurait manqué pour rien au monde les *braciole* du mercredi, même si le Vieux Carré français avait été en feu.

Il était assis à sa table habituelle, avec Seraphine à sa droite et Frenchy Brouillette à sa gauche – ce dernier braillant à tue-tête pour divertir Carlos pendant son repas. Aucun garde du corps. Carlos n'en utilisait presque jamais, pas en ville en tout cas. À quoi cela aurait-il servi ? Essayez de vous en prendre à Carlos, à La Nouvelle-Orléans, et vous mordiez la poussière avant lui.

C'est Frenchy qui aperçut Guidry le premier. Frenchy faillit en tomber de sa chaise. Seraphine, qui venait de tirer une bouffée de sa cigarette, retint la fumée un moment, puis l'exhala par les narines. C'était sa façon à elle de manquer de tomber de sa chaise. Elle portait une petite robe-pull discrète d'un vert d'écume, froncée à la taille, dont la jupe était plissée. Un gilet blanc drapé sur les épaules, les mèches de sa frange roulées en accroche-cœur, la chevelure relevée en queue-de-cheval, un bandeau assorti à la robe. On aurait pu la croire sur le point d'intégrer un lycée d'Alabama en 1954.

Carlos leva les yeux pour le regarder, mais sans s'arrêter de manger.

— Frenchy, dit-il seulement.

— Quoi ? fit Frenchy. Oh !

Frenchy détala. Guidry s'assit en face de Carlos.

— Tu veux une assiette ? demanda Carlos.

— Non, merci.

Guidry aimait bien les *braciole* du Spot, mais il n'avait jamais saisi l'hystérie générale qu'elles déclenchaient. Peut-être qu'elles avaient meilleur goût quand on était italien.

— Je vais prendre le reste du vin de Frenchy, si tu penses que ça ne le dérangera pas.

— Sers-toi, répondit Carlos.

Seraphine regardait Guidry sans le regarder, plus tendue qu'il ne l'avait jamais vue. Elle se demandait ce qu'il allait dire sur elle pour essayer de sauver sa peau.

Barone l'avait accusée d'avoir rancardé Guidry. Ce dernier y avait réfléchi pendant le vol qui l'avait ramené de Las Vegas. Il s'était souvenu de la dernière conversation qu'il avait eue avec Seraphine. Dans la cabine téléphonique de la station-service de La Porte, à Houston, juste après avoir balancé l'Eldorado dans le canal de navigation.

« Tu comptes passer la nuit au Rice ? »

La bourde qui avait fait réfléchir Guidry. *Pourquoi me demande-t-elle cela ? Elle le sait bien, que je passe la nuit au Rice.*

Sauf que ce n'était pas une bourde. Seraphine ne faisait jamais de bourde. Elle connaissait le sol fertile de l'esprit méfiant de Guidry. C'était à dessein qu'elle y avait semé le doute. Elle lui avait sauvé la vie. Peut-être qu'elle lui avait sauvé la vie à Vegas, aussi, et qu'il ne s'en était même pas rendu compte.

Carlos plantait son couteau, engouffrait une bouchée et mâchait. La lourde serviette en lin coincée dans son col n'était pas là juste pour faire joli.

— T'es censé être mort, Frank, dit Carlos.

— Je ne le sais que trop, répondit Guidry.

— T'es comme les chats, ajouta Carlos, avec leurs cinq vies.

— Neuf.

— Ne compte pas trop dessus.

Tout le monde dans la pièce essayait de ne pas rester bouche bée devant eux, à les regarder. Même la femme du patron, qui éminçait de l'ail dans la cuisine, jetait des coups d'œil furtifs par la fenêtre passe-plat. Guidry aimait penser que les gens raconteraient cette histoire pendant des années, quelle que soit la façon dont elle se terminerait.

Il est entré dans le restaurant, comme ça.
Non, pas possible !
Il s'est assis juste en face de Carlos.
Non. Et tu as tout vu ?
Oui, j'étais là.

Carlos sauça le coulis de tomate jusqu'à la dernière goutte avec la croûte de son morceau de baguette. Seraphine n'avait toujours pas dit le moindre mot. Elle alluma une nouvelle cigarette, et la flamme de l'allumette vacilla un peu plus qu'elle n'aurait dû.

— Alors qu'est-ce que tu veux, Frank ? demanda Carlos. Pourquoi t'es ici ?

Guidry attrapa la bouteille de vin rouge et en remplit son verre à ras bord.

— Je veux conclure un marché.

— D'accord.

— Tu me lâches les basques, et je te lâche les basques, dit Guidry. Un prêté pour un rendu, échange de bons procédés.

Carlos sourit. Il ne souriait que lorsqu'il était d'humeur assassine.

— Toi, tu vas me lâcher les basques ? demanda-t-il. T'es un vrai comédien, Frank. J'avais oublié.

— Lâche-moi les basques ou je vais voir les fédéraux, rétorqua Guidry. Je leur balancerai tout ce que je sais, et aussi tout ce que Barone m'a raconté avant de crever. Oh ! ma poule, les histoires de Barone, elles m'ont fait dresser les cheveux sur la tête. Je les répéterai aux fédéraux, à la presse et à Earl Warren, aussi, s'il veut bien me prêter l'oreille. Je te parie qu'il le fera volontiers. Et, juste pour que les choses soient bien claires entre nous, cher oncle, jamais je ne t'aurais balancé, si tu n'avais pas essayé de me liquider en premier.

C'était une bonne chose que Carlos ait déjà terminé son dîner, sinon il aurait manqué de s'étouffer dessus. Guidry observa les poches sous ses yeux devenir de plus en plus sombres. Bien. Guidry voulait qu'il soit fou de rage. Il voulait que Carlos soit si furieux qu'il en oublie tout le reste des vivants et ne pense plus qu'à lui.

Seraphine dévisageait ouvertement Guidry, à présent. L'air incrédule. Il se tourna vers elle.

— Est-ce que c'était ton idée, ma chère ? lui demanda-t-il. De jeter ce bon vieux Frank Guidry à la poubelle ? Eh bien, va au diable, toi aussi. Parce qu'une fois que j'aurai évangélisé les foules tu ne passeras pas le reste de ta vie à Leavenworth ou au Guatemala, comme l'oncle ici présent. Tu te balanceras au bout d'une corde, pendue haut et court, ma douce Seraphine.

Tu le crois, toi, un truc pareil ?

Tu étais là ? Vraiment là ?

En chair et en os, ma poule. J'entendais pas c'qu'y s'racontaient, mais on le devinait. Tu vois c'que je veux dire ? Dans l'club, tout le monde était au bord de l'implosion.

— Alors, marché conclu ? demanda Guidry à Carlos.

Carlos arracha la serviette de son col. Il la contempla pour voir s'il pouvait éventuellement l'utiliser pour étrangler Guidry sur-le-champ.

— Marché conclu, oui ou non ? demanda encore Guidry.

— Ouais.

Carlos sourit. Il se leva, jeta la serviette sur la table et quitta la pièce. Quelqu'un d'autre aurait pu ne pas apercevoir le coup d'œil qu'il lança à Seraphine en passant et le subtil signe d'acquiescement qu'elle lui adressa en retour – un imperceptible hochement de tête. Mais Guidry, lui, le guettait.

Une fois que Carlos eut disparu, Seraphine sortit son poudrier et s'appliqua une nouvelle couche de rouge à lèvres.

— Merci, dit-elle à Guidry.

— Je t'étais redevable, n'est-ce pas ? répondit-il. Peut-être même à plus d'un titre, d'ailleurs.

— Je n'étais pas d'accord avec cette décision.

— Mais tu ne t'es quand même pas battue pour moi. Ne t'en fais pas. Je ne me battrai pas pour moi, non plus.

— Qu'est-ce que tu fais, Frank ? demanda-t-elle d'une voix presque trop basse pour être entendue.

Et voyez-moi ça, était-ce possible ? Un éclat humide sur le rebord rose pâle de sa paupière – une véritable larme qui commençait à se former ? Sans doute que non, mais on pouvait toujours rêver.

— Tu sais ce que je suis en train de faire, répondit-il.

— *Pourquoi* est-ce que tu le fais ? dit-elle.

— Ce n'est qu'une question de temps. Je suis réaliste. Carlos aura ma peau. Tu auras ma peau. De cette façon, je te rends les choses plus faciles, plus rapides, et j'espère que tu en feras autant pour moi.

Elle n'en croyait pas ses oreilles. Mais elle ne pouvait pas non plus imaginer aucune autre façon d'expliquer ce que Guidry était en train de faire. Pour la première fois de leur long partenariat, de leur longue amitié, de leur longue relation, elle ne le comprenait pas. Elle était stupéfaite de découvrir en lui des profondeurs insoupçonnées, les secrets d'un monde caché.

S'il avouait à Seraphine qu'il avait décidé d'échanger sa vie contre celle de Charlotte et de ses filles, elle en serait complètement estomaquée. Elle le regarderait bouche bée, comme si elle ne le reconnaissait plus du tout.

— Tu vas me rendre la chose plus facile et plus rapide, répéta Guidry. OK ? J'insiste vraiment sur ce point.

— Tu es un idiot.

— Promets-le-moi, insista Guidry. Une dernière bonne action pour un vieil ami.

— Tu es un idiot, répéta-t-elle.

— Combien de temps te faut-il pour tout mettre au point ? Deux heures ?

Il pensa qu'elle refuserait de lui répondre. Mais elle referma alors son poudrier d'un coup sec, le rangea dans son sac à main et dit seulement : « Oui. »

Guidry se leva.

— D'accord. J'ai envie d'aller me promener dans le parc. Tu vois la digue, derrière le zoo ? C'est un coin tranquille, avec une belle vue sur le fleuve, l'endroit idéal pour ruminer en paix. J'ai dû t'en parler au moins une dizaine de fois. C'est ce qui t'a fait supposer que c'est là-bas que j'irais. D'accord ?

Elle retrouva sa contenance – à supposer qu'elle l'ait réellement perdue – et régla l'addition.

— Au revoir, *mon cher*, fit-elle.

Et elle s'en alla sans se retourner.

Guidry suivit la ligne de tramway vers le nord de la ville et gara sa voiture en face de l'université Loyola. La statue du Sacré-Cœur de Jésus l'implorait, les bras levés, suppliant Guidry de… de quoi faire, au juste ? D'aller jusqu'au bout ? De tourner les talons et de s'enfuir ?

Le parc était toujours inquiétant à l'approche du crépuscule d'hiver. Les passants se faisaient rares, les chênes étaient drapés de mousse espagnole qui projetait des ombres entrelacées sur les allées. Guidry regrettait de n'avoir jamais vu aucune des photos de Charlotte. C'était drôle, n'est-ce pas ? Elle avait une photo de son ombre projetée sur ce trottoir de briques rouges à Flagstaff, mais sans doute aucune de lui.

Le zoo avait déjà fermé ses portes. Guidry traversa River Drive et grimpa au sommet de la digue. Il n'y avait pas âme qui vive. Il trouva un petit coin de gazon confortable et y étendit l'affreux blazer pied-de-poule qu'il avait acheté au Nouveau-Mexique.

Autre regret : il n'était pas repassé par chez lui pour se changer et se vêtir de ses propres habits. Mais quel costume aurait-il choisi ? C'était comme pour les gombos, il n'aurait jamais pu se décider. Il espérait simplement que le *Times-Picayune* ne ferait pas paraître une photo de lui dans cet accoutrement. Sa réputation ne s'en remettrait jamais.

Il s'assit sur la veste. Il avait mis vingt minutes pour conduire jusqu'ici depuis le Vieux Carré français et une demi-heure pour traverser le parc à pied. Si le gars de

Seraphine était un peu malin, il prendrait Walnut Street jusqu'à l'impasse et s'épargnerait la marche à pied.

Guidry n'avait pas peur de mourir. Bon, en fait il était terrifié à l'idée de mourir. Mais il était surtout terrifié à l'idée de mourir salement. C'était ainsi que finissaient la plupart des gens qui mettaient Carlos en rogne. Mais, dans ce cas particulier, Guidry faisait confiance à Seraphine. Cela servait tout autant ses intérêts à elle que ceux de Guidry d'accorder à ce dernier une fin rapide et sans douleur.

Le fleuve était vraiment beau, vu de là-haut. L'eau ondulait, éclairée par les joyeuses lumières des barges et des remorqueurs.

Notre vie entière était censée défiler devant nos yeux à l'instant où l'on allait mourir, n'est-ce pas ? Le temps devait ralentir, s'étirer, telle une dernière promenade au milieu des pâquerettes. Cela ne déplairait pas à Guidry. Ah, les rousses, les brunes, les blondes ! Ou peut-être valait-il mieux voyager léger pour faire la route vers l'au-delà. Peut-être que le dernier souvenir qu'on avait à l'esprit au moment de la coupure générale était le seul qu'on était autorisé à garder pour l'éternité. Et, si on avait de la chance, si on savait à quoi s'attendre, on avait le droit de le choisir, ce dernier souvenir. Guidry préférait cette idée-là.

Quelques minutes plus tard, il entendit un bruit de pas derrière lui.

Il ferma les yeux et attendit.

2003

Épilogue

La vérité, c'est qu'elle l'aime, sa vie. Même les jours comme aujourd'hui, où son fils l'ignore délibérément au petit déjeuner (Rosemary refuse de le laisser passer les vacances de printemps à Hana avec son père et sa Spice Girl ; Rosemary refuse d'appeler la petite amie de son ex-mari par son véritable prénom ; Rosemary déteste vraiment tout le monde, *maman, arrête, à la fin !*). Même les jours comme celui-ci, où sa fille, sur le chemin de l'école, lui déclare que l'université n'est qu'une arnaque, une combine Ponzi, un machin-chose né du capitalisme tardif (*ma chérie, tu iras à l'université même si je dois t'y traîner à mains nues*). Même les jours comme celui-ci, où tous les scénaristes à qui elle a affaire cherchent à lui vendre les mêmes histoires de partenaires mal assortis faisant équipe malgré tout pour résoudre un meurtre, faire un casse ou ouvrir un centre d'accueil pour personnes en difficulté.

Oui, Rosemary adore sa vie ! Elle a deux enfants intelligents et en bonne santé, qui peuvent même se révéler merveilleux, de temps en temps – les élever est un défi de chaque instant, mais au moins elle ne s'ennuie jamais avec eux. Elle est vice-présidente de la production, dans un grand studio de cinéma (combien de femmes à Hollywood peuvent en dire autant ?). Elle a de véritables amis, de ceux qui vous aideraient à découper un corps en morceaux et à le faire disparaître dans de la chaux vive sans poser de questions indiscrètes. Elle a quarante-six ans, mais en fait trente-cinq – quarante au maximum –, grâce à une peau magnifique bénie par la génétique et une aversion tenace pour les plages et la cigarette. Trente-cinq-quarante ans, c'est tout de même un âge canonique, d'après les critères de l'industrie cinématographique, mais passons. Elle a couru un semi-marathon l'an dernier. Son ex est un bon père, et plutôt un bon gars.

À bien des égards, elle est un cliché. D'accord. Mais qui ne l'est pas ? Au moins, Rosemary a choisi un cliché qu'elle est heureuse d'incarner.

— Tu n'es pas obligée de l'épouser, lui dit Joan. C'est juste un premier rendez-vous. Prenez quelques verres. Vois ce que tu en penses. C'est exactement ton genre.

Joan doit être en train de traverser le canyon. Sa voix est entrecoupée, parfois déformée. Mais Rosemary comprend l'essentiel de ce qu'elle lui dit. Joan est tombée amoureuse pendant ses études de médecine et n'a pas quitté sa petite amie depuis lors – presque la moitié de sa vie. Elle a peur que Rosemary ne trouve jamais l'âme sœur, qu'elle vieillisse et meure toute seule.

— Devine qui lance sa propre compagnie de production et veut que je la dirige ? lui demande Rosemary.

— Je n'en ai aucune idée, répond Joan.

— Une immense star.

— Je n'en ai aucune idée.

Rosemary aime que Joan soit restée aussi obstinément rétive à tout ce qui peut concerner Hollywood. Joan a grandi à Los Angeles et y vit, sa sœur travaille pour un studio de cinéma, sa mère a passé vingt-cinq années à travailler dans les départements de publicité de divers studios… Et pourtant, si Nicole Kidman entrait un jour dans son cabinet de consultation, il y aurait de grandes chances pour que Joan lui dise : « Oh ! il est joli votre accent, vous venez d'Australie ? »

— J'aime ce que je fais aujourd'hui, dit Rosemary. Mais ce serait quand même amusant de changer un peu. En même temps, ça voudrait dire prendre des risques. À Hollywood, on n'a le droit à une seconde chance que si on a moins de quarante ans. Je suis trop vieille pour dégringoler au bas des marches.

— Alors, reste où tu es, lui conseille Joan.

— Ou tu pourrais aussi me dire : « Mais non, Rosemary, bien sûr que non, tu n'es pas trop vieille. Bien sûr que non, tu ne dégringoleras pas au bas des marches. »

— Je suis bientôt arrivée. Et toi ?

— Joan.

— Quoi ?

— Crois-tu qu'on serait amies si on n'était pas sœurs ?

— Non.

Voilà une autre chose que Rosemary adore chez Joan. Elle n'est pas du genre à mâcher ses mots. Moi non plus, sans doute, se dit Rosemary.

Au cimetière, elles remontent l'allée, bras dessus, bras dessous, comme elles le faisaient en revenant de l'école quand elles étaient petites. Rosemary a apporté des marguerites et du delphinium, Joan, des glaïeuls. Rosemary a également un billet d'entrée pour son dernier film, une comédie romantique qui a mieux marché qu'elle ne l'aurait cru. Elle le glisse entre les fleurs du delphinium. Leur mère voyait absolument tous les films produits par Rosemary. À la fin, à l'hôpital, elle lisait tous ses scénarios. Et elle rédigeait toujours des notes à son intention, on pouvait compter sur elle.

Joan dépose la petite photo d'une fillette afro-américaine de sept ou huit ans affichant un grand sourire. À chaque fois que leur mère voyait Joan, elle lui demandait : « Alors, à qui as-tu sauvé la vie, aujourd'hui, mon poussin ? » Si Joan avait sauvé une vie ou deux, leur mère voulait qu'elle lui raconte tout en détail.

— Sais-tu ce que maman m'a dit un jour ? demande Rosemary.

Elle lance un regard à Joan, qui est en train de pleurer, en silence, sans aucune expression sur le visage. C'est l'un de ses nombreux talents.

— Elle a dû te le dire, à toi aussi, ajoute Rosemary.

— Quoi ?

— Que quand elle était jeune elle voulait être photographe. Une vraie photographe, je veux dire. Comme, je ne sais pas, moi… Annie Leibovitz.

— Je le sais, ça, répond Joan.

— Je viens de dire que tu le savais sans doute aussi.

— On a des boîtes entières des photos qu'elle prenait, il faudrait qu'on les regarde, un de ces quatre.

— À chaque événement lié au boulot, à chaque réception, dit Rosemary, il y a toujours quelqu'un qui vient me voir pour me dire : « Oh, j'ai travaillé avec votre mère, à la Warner », ou « Ah, j'ai travaillé avec votre mère chez Paramount », ou encore « C'était une femme vraiment intelligente », ou bien « C'était elle la plus coriace ».

Une larme roule sur la joue de Joan et s'arrête au coin de sa bouche. Rosemary sort un paquet de mouchoirs en papier de son sac à main. Elle en garde deux pour elle, avant de tendre le paquet à Joan. Rosemary ne pleure jamais au travail, ni chez elle. Seulement quand elle est ici, avec Joan.

— Tu arrives à le croire, toi, que ça fait déjà quatre ans qu'elle est partie ? demande Rosemary.

Joan réfléchit un moment.

— C'était une question rhétorique, Joan.

Joan se mouche.

— J'ai rêvé de Lucky, l'autre nuit, dit-elle.

Leur vieux chien, leur compagnon fidèle qui les avait vues grandir, du primaire au collège.

— Est-ce que tu te souviens… Moi je ne sais plus si je me souviens, dit Joan. On était dans un motel, et je crois que maman a fait entrer Lucky en cachette, parce que les chiens n'y étaient pas autorisés, non ?

Les souvenirs que Rosemary a conservés de cette époque sont flous. Le voyage de l'Oklahoma vers la Californie est comme perdu dans le brouillard. C'est la même chose pour Joan, elles ont comparé leurs versions. Rosemary se souvient du Grand Canyon et d'un hôtel à Las Vegas. Joan se rappelle une promenade en bateau sur un lac et un homme qui leur avait montré des tours de magie avec des cartes,

Elle se souvient, ou prétend se souvenir, avoir rencontré l'Épouvantail du *Magicien d'Oz.* Mais oui, Joan, bien sûr.

Aucune d'elles ne se souvient de la panne de voiture suite à laquelle elles sont restées bloquées au Nouveau-Mexique. Rosemary se rappelle le bon Samaritain qui les a emmenées jusqu'à Las Vegas. Comment s'appelait-il ? Et d'ailleurs, bon sang, qu'est-ce qui avait pris à leur mère de monter en voiture, comme une auto-stoppeuse, avec un parfait inconnu ? À l'époque, on faisait davantage confiance aux gens, se dit Rosemary. Hollywood n'avait pas encore produit toutes ces dizaines de thrillers dans lesquels des tueurs en série mal assortis faisaient équipe malgré tout pour assassiner des auto-stoppeuses sans défense.

Rosemary a envie de dire que le bon Samaritain s'appelait Pat Boone, mais elle sait bien sûr que ce n'est pas possible. Une chose dont elle est sûre, c'est qu'il avait un beau sourire.

— Tu sais ce dont je me souviens vraiment ? demande Rosemary. De ce fameux jour…

Joan se mouche à nouveau et sourit.

— Oui, répond-elle.

Il s'agit du premier véritable souvenir de Californie qu'a gardé Rosemary. Le plus intact, le plus complet. Cela faisait seulement un mois ou deux qu'elles habitaient chez tante Marguerite, dans son petit pavillon sur Idaho Avenue, à cinq pâtés d'immeubles de l'océan. Leur père et leur oncle (le frère aîné de leur père) étaient venus d'Oklahoma leur rendre visite. Leur père avait emmené Rosemary et Joan au port, où elles avaient fait un tour de manège.

Lorsqu'elles étaient revenues à la maison, leur mère et leur oncle étaient toujours assis dans le salon, leur mère sur le sofa et leur oncle dans le fauteuil de satin aux rayures crème et écarlates. Rosemary et Joan, dans l'entrée, les avaient regardés à travers l'embrasure de la porte en forme d'arche. Leur mère et leur oncle n'avaient pas entendu les filles rentrer. Leur père était toujours dehors. En train de garer la voiture, sans doute ?

— Charlie, c'est la dernière fois que je te mets en garde, disait leur oncle.

Son visage avait pris les mêmes teintes que le fauteuil sur lequel il était assis, à la fois crème et écarlate.

— Je vais engager pour Dooley le meilleur avocat qui existe sur le marché. Les deux meilleurs avocats. Si les filles et toi, vous ne rentrez pas à la maison à l'instant même, je te promets la bagarre de ta vie.

Leur mère. Ah, leur mère ! Calme, posée, un sourire avenant aux lèvres. Elle aurait tout aussi bien pu être en train de discuter d'ombre à paupière avec une amie.

— Eh bien, dans ce cas, avait-elle répondu, j'imagine que je ferais mieux de me préparer.

Une brume commence à tomber. La fameuse morosité du mois de juin à Santa Monica. Rosemary se mouche, elle aussi.

— C'était vraiment une force de la nature, déclare Rosemary.

— On ne dirait pas qu'elle est partie depuis quatre ans déjà, dit Joan. Mais en même temps, ça me paraît une éternité.

— C'est vrai.

— Je ne veux pas l'oublier.

— Ne sois pas bête, Joan.

— OK, répond Joan.

Remerciements

J'ai la grande chance d'avoir un agent, Shane Salerno, qui se soucie farouchement de ses clients et travaille avec passion pour eux. Il a toujours été là pour moi, nuit et jour, pour m'apporter la bonne réponse ou me poser la bonne question. J'ai une dette envers Don Winslow, Steve Hamilton et Meg Gardiner qui m'ont fait rencontrer Shane.

Non seulement ma relectrice, Emily Krump, est terriblement intelligente et talentueuse, mais c'est également un véritable plaisir de travailler avec elle. Je remercie mon éditrice, l'incroyable Liate Stehlik, ainsi que Lynn Grady, Carla Parker, Danielle Bartlett, Maureen Sugden, Kaitlin Harri et Julia Elliott. Il y a énormément de personnes fantastiques chez William Morrow et HarperCollins. Il y en a beaucoup que je ne connais pas personnellement, mais je sais tout ce qu'ils font pour moi et j'apprécie profondément leur soutien.

J'aimerais remercier mes amis et ma famille. Je ne les mérite pas. Je souhaiterais adresser ici une mention spéciale à certains d'entre eux : Ellen Berney, Sarah Klingenberg, Lauren Klingenberg, Thomas Cooney, Bud Elder, Ellen Knight, Chris Hoekstra, Trish Daly, Bob Bledsoe, Misa Shuford, Alexis Persico et Elizabeth Fleming (ainsi que tous les Diefenderfer, qui m'offrent un lieu accueillant où écrire tous les jours).

Le meilleur aspect de la vie d'un auteur de polar, c'est que l'on entre dans une véritable communauté. Je veux donc remercier tous les écrivains, lecteurs, critiques, blogueurs, marketeurs et libraires, dont les conseils et les encouragements n'ont pas de prix.

Ce livre appartient à ma femme, Christine – comme tous mes livres, passés et à venir.

Composé et édité par HarperCollins France.

Achevé d'imprimer en février 2020.

Barcelone

Dépôt légal : mars 2020.

Pour limiter l'empreinte environnementale
de ses livres, HarperCollins France s'engage
à n'utiliser que du papier fabriqué à partir de
bois provenant de forêts gérées durablement
et de manière responsable.

Imprimé en Espagne.